OSTWALDS KLASSIKER
DER EXAKTEN WISSENSCHAFTEN
Band 12

Immanuel Kant
22.4.1724 - 12.2.1804

OSTWALDS KLASSIKER
DER EXAKTEN WISSENSCHAFTEN
Band 12

Allgemeine Naturgeschichte
und
Theorie des Himmels

oder Versuch von der Verfassung und
dem mechanischen Ursprunge
des ganzen Weltgebäudes
nach Newtonischen Grundsätzen abgehandelt.

Königsberg und Leipzig,
bey Johann Friederich Petersen, 1755

von

Immanuel Kant

Nachwort von
Jürgen Hamel

Verlag Harri Deutsch

Bibliografische Information Der Deutschen Nationalbibliothek

Die Deutsche Nationalbibliothek verzeichnet diese Publikation in der Deutschen Nationalbibliografie; detaillierte bibliografische Daten sind im Internet über http://dnb.d-nb.de abrufbar.

ISBN 978-3-8171-3415-1

4., erw. Auflage 2005, 2009
Druck: Rosch-Buch Druckerei GmbH, Scheßlitz
Printed in Germany

Inhalt

Allgemeine
Naturgeschichte
und
Theorie des Himmels,
oder
Versuch
von der Verfassung und dem mechanischen Ursprunge
des ganzen Weltgebäudes
nach
Newtonischen Grundsätzen
abgehandelt.

Königsberg und Leipzig,
bey Johann Friederich Petersen, 1755.

Dem
Allerdurchlauchtigsten Grossmächtigsten Könige und Herrn

Herrn

FRIEDERICH,

Könige von Preussen, Marggrafen zu Brandenburg,
des H. R. Reichs Erzkämmerer und Churfürsten,
Souverainen und obersten Herzoge von Schlesien,
etc. etc. etc.

Meinem Allergnädigsten Könige und Herrn

Allerdurchlauchtigster, Grossmächtigster König
Allergnädigster König und Herr!

Die Empfindung der eigenen Unwürdigkeit und der Glanz des Thrones können meine Blödigkeit nicht so kleinmüthig machen, als die Gnade, die der allerhuldreichste Monarch über alle seine Unterthanen mit gleicher Grossmuth verbreitet, mir Hoffnung einflöset: dass die Kühnheit, der ich mich unterwinde, nicht mit ungnädigen Augen werde angesehen werden. Ich lege hiemit in allerunterthänigster Ehrfurcht eine der geringsten Proben desjenigen Eifers zu den Füssen Ew. Königl. Majestät, womit Höchst Dero Akademien durch die Aufmunterung und den Schutz ihres erleuchteten Souverains, zur Nacheiferung anderer Nationen in den Wissenschaften angetrieben werden. Wie beglückt würde ich seyn, wenn es gegenwärtigem Versuche gelingen möchte, den Bemühungen, womit der niedrigste und ehrfurchtsvolleste Unterthan unausgesetzt bestrebt ist, sich dem Nutzen seines Vaterlandes einigermaassen brauchbar zu machen, das allerhöchste Wohlgefallen seines Monarchen zu erwerben. Ich ersterbe in tiefster Devotion

Ew. Königl. Majestät

Königsberg
den 14. Merz, 1755.

allerunterthänigster
Knecht,
der Verfasser.

Vorrede.

Ich habe einen Vorwurf gewählet, welcher sowol von Seiten seiner innern Schwierigkeit, als auch in Ansehung der Religion einen grossen Theil der Leser gleich anfänglich mit einem nachtheiligen Vorurtheile einzunehmen vermögend ist. Das systematische, welches die grossen Glieder der Schöpfung in dem ganzen Umfange der Unendlichkeit verbindet, zu entdecken, die Bildung der Weltkörper selber und den Ursprung ihrer Bewegungen aus dem ersten Zustande der Natur durch mechanische Gesetze herzuleiten: solche Einsichten scheinen sehr weit die Kräfte der menschlichen Vernunft zu überschreiten. Von der andern Seite drohet die Religion mit einer feyerlichen Anklage über die Verwegenheit, da man der sich selbst überlassenen Natur solche Folgen beyzumessen sich erkühnen darf, darin man mit Recht die unmittelbare Hand des höchsten Wesens gewahr wird, und besorget in dem Vorwitz solcher Betrachtungen eine Schutzrede des Gottesleugners anzutreffen. Ich sehe alle diese Schwierigkeiten wohl und werde doch nicht kleinmüthig. Ich empfinde die ganze Stärke der Hindernisse die sich entgegen setzen, und verzage doch nicht. Ich habe auf eine geringe Vermuthung eine gefährliche Reise gewagt, und erblicke schon die Vorgebürge neuer Länder. Diejenigen, welche die Herzhaftigkeit haben die Untersuchung fortzusetzen, werden sie betreten und das Vergnügen haben, selbige mit ihrem Namen zu bezeichnen.

Ich habe nicht eher den Anschlag auf diese Unternehmung gefasset, als bis ich mich in Ansehung der Pflichten der Religion in Sicherheit gesehen habe. Mein Eifer ist verdoppelt worden, als ich bey jedem Schritte die Nebel sich zerstreuen sahe, welche hinter ihrer Dunkelheit Ungeheuer zu verbergen schienen und nach deren Zertheilung die Herrlichkeit des höchsten Wesens mit dem lebhaftesten Glanze hervorbrach.

Da ich diese Bemühungen von aller Sträflichkeit frey weiss, so will ich getreulich anführen was wohlgesinnete oder auch schwache Gemüther in meinem Plane anstössig finden können, und bin bereit es der Strenge des rechtgläubigen Areopagus mit einer Freymüthigkeit zu unterwerfen, die das Merkmaal einer redlichen Gesinnung ist. Der Sachwalter des Glaubens mag demnach zuerst seine Gründe hören lassen.

Wenn der Weltbau mit aller Ordnung und Schönheit nur eine Wirkung der ihren allgemeinen Bewegungsgesetzen überlassenen Materie ist, wenn die blinde Mechanik der Naturkräfte sich aus dem Chaos so herrlich zu entwickeln weiss und zu solcher Vollkommenheit von selber gelanget; so ist der Beweis des göttlichen Urhebers, den man aus dem Anblicke der Schönheit des Weltgebäudes ziehet, völlig entkräftet, die Natur ist sich selbst genugsam, die göttliche Regierung ist unnöthig, Epikur lebt mitten im Christenthume wieder auf, und eine unheilige Weltweisheit tritt den Glauben unter die Füsse, welcher ihr ein helles Licht darreichet, sie zu erleuchten.

Wenn ich diesen Vorwurf gegründet fände, so ist die Ueberzeugung, die ich von der Unfehlbarkeit göttlicher Wahrheiten habe, bey mir so vermögend, dass ich alles, was ihnen wiederspricht durch sie vor gnugsam widerlegt halten und verwerfen würde. Allein eben die Uebereinstimmung, die ich zwischen meinem System und der Religion antreffe, erhebet meine Zuversicht in Ansehung aller Schwierigkeiten zu einer unerschrockenen Gelassenheit.

Ich erkenne den ganzen Werth derjenigen Beweise, die man aus der Schönheit und vollkommenen Anordnung des Weltbaues zur Bestätigung eines höchstweisen Urhebers ziehet. Wenn man nicht aller Ueberzeugung muthwillig widerstrebet, so muss man so unwiedersprechlichen Gründen gewonnen geben. Allein ich behaupte: dass die Vertheidiger der Religion dadurch, dass sie sich dieser Gründe auf eine schlechte Art bedienen, den Streit mit den Naturalisten verewigen, indem sie ohne Noth denselben eine schwache Seite darbiethen.

Man ist gewohnt die Uebereinstimmungen, die Schönheit, die Zwecke, und eine vollkommene Beziehung der Mittel auf dieselbe in der Natur zu bemerken und herauszustreichen. Allein indem man die Natur von dieser Seite erhebet, so sucht man sie anderer Seits wiederum zu verringern. Diese Wohlgereimtheit, sagt man, ist ihr fremd, sie würde ihren allgemeinen Gesetzen überlassen, nichts als Unordnung zuwege bringen. Die Uebereinstimmungen zeigen eine fremde Hand, die eine von aller Regelmässigkeit verlassene Materie in einen weisen Plan zu zwingen gewusst hat. Allein ich antworte: wenn die allgemeinen Wirkungsgesetze der Materie gleichfals eine Folge aus dem höchsten Entwurfe seyn, so können sie vermuthlich keine andere Bestimmungen haben, als die den Plan von selber zu erfüllen trachten, den die höchste Weisheit sich vorgesetzet hat; oder wenn dieses nicht ist, solte man nicht in Versuchung gerathen zu glauben, dass wenigstens die Materie und ihre allgemeine Gesetze unabhängig wären, und dass die höchstweise Gewalt, die sich ihrer so rühmlichst zu bedienen gewust hat, zwar gross, aber doch nicht unendlich, zwar mächtig, aber doch nicht allgenugsam sey?

Der Vertheidiger der Religion besorgt: dass diejenigen Uebereinstimmungen, die sich aus einem natürlichen Hang der Materie erklären lassen, die Unabhängigkeit der Natur von der göttlichen Vorsehung beweisen dörften. Er gesteht es nicht undeutlich: dass, wenn man zu aller Ordnung des Weltbaues natürliche Gründe entdecken kan, die dieselbe aus den allgemeinsten und wesentlichen Eigenschaften der Materie zu Stande bringen können, so sey es unnöthig sich auf eine oberste Regierung zu berufen. Der Naturalist findet seine Rechnung dabey, diese Voraussetzung nicht zu bestreiten. Er treibt aber Beyspiele auf, die die Fruchtbarkeit der allgemeinen Naturgesetze an vollkommen schönen Folgen beweisen und bringt den Rechtgläubigen durch solche Gründe in Gefahr, welche in dessen Händen zu unüberwindlichen Waffen werden könten. Ich will Beyspiele anführen. Man hat schon mehrmalen es als eine der deutlichsten Proben einer gütigen Vorsorge, die vor die Menschen wacht, angeführt: dass in dem heissesten Erdstriche die Seewinde gerade zu einer solchen Zeit, da das erhitzte Erdreich am meisten ihrer Abkühlung bedarf, gleichsam gerufen über das Land streichen und es erquicken. Z. E. In der Insel Jamaica, so bald die Sonne so hoch gekommen ist, dass sie die empfindlichste Hitze auf das Erdreich wirft, gleich nach 9 Uhr Vormittags, fängt sich an aus dem Meer ein Wind zu erheben, der von allen Seiten über das Land wehet; seine Stärke nimmt nach dem Maasse zu als die Höhe der Sonne zunimmt. Um 1 Uhr Nachmittages, da es natürlicher Weise am heissesten ist, ist er am heftigsten und lässt wieder mit der Erniedrigung der Sonne allmählig nach, so dass gegen Abend eben die Stille als beym Aufgange herrschet. Ohne diese erwünschte Einrichtung würde diese Insel unbewohnbar seyn. Eben diese Wohlthat geniessen alle Küsten der Länder die im heissen Erdstriche liegen. Ihnen ist es auch am nöthigsten, weil, da sie die niedrigsten Gegenden des trockenen Landes seyn, auch die grösste Hitze erleiden; denn die höher im Lande befindliche Gegenden, dahin dieser Seewind nicht reichet, sind seiner auch weniger benöthigt, weil ihre höhere Lage sie in eine kühlere Luftgegend versetzet. Ist dieses nicht alles schön, sind es nicht sichtbare Zwecke, die durch klüglich angewandte Mittel bewircket worden. Allein zum Wiederspiel muss der Naturalist die natürlichen Ursachen davon in den allgemeinsten Eigenschaften der Luft antreffen ohne besondere Veranstaltungen deswegen vermuthen zu dörfen. Er bemerket mit Recht, dass diese Seewinde solche periodische Bewegungen anstellen müssen, wenn gleich kein Mensch auf solcher Insel lebete, und zwar durch keine andere Eigenschaft als die der Luft auch ohne Absicht auf diesen Zweck bloss zum Wachsthum der Pflanzen unentbehrlich vonnöthen ist, nemlich durch ihre Elasticität und Schweere. Die Hitze der Sonne hebet das Gleichgewicht der Luft auf, indem sie diejenige verdünnet die über dem Lande ist, und dadurch die kühlere Meeresluft veranlasset, sie aus ihrer Stelle zu heben und ihren Platz einzunehmen.

Was vor einen Nutzen haben nicht die Winde überhaupt zum Vortheile der Erdkugel, und was vor einen Gebrauch macht nicht der Menschen Scharfsinnigkeit aus denselben; indessen waren keine andere Einrichtungen nöthig sie hervorzubringen, als dieselbe allgemeine Beschaffenheit der Luft und Wärme, welche auch unangesehen dieser Zwecke auf der Erde befindlich seyn mussten.

Gebt ihr es, sagt allhier der Freygeist, zu: dass, wenn man nützliche und auf Zwecke abzielende Verfassungen aus den allgemeinsten und einfachsten Naturgesetzen herleiten kan, man keine besondere Regierung einer obersten Weisheit nöthig habe: so sehet hier Beweise die euch auf eurem eigenen Geständnisse ertappen werden. Die ganze Natur, vornemlich die unorganisirte, ist voll von solchen Beweisen, die zu erkennen geben, dass die sich selbst durch die Mechanick ihrer Kräfte bestimmende Materie eine gewisse Richtigkeit in ihren Folgen habe und den Regeln der Wohlanständigkeit ungezwungen genug thue. Wenn ein wohlgesinneter die gute Sache der Religion zu retten, diese Fähigkeit der allgemeinen Naturgesetze bestreiten will, so wird er sich selbst in Verlegenheit setzen und dem Unglauben durch eine schlechte Vertheidigung Anlass zu triumphiren geben.

Allein lasst uns sehen, wie diese Gründe, die man in den Händen der Gegner als schädlich befürchtet, vielmehr kräftige Waffen sind sie zu bestreiten. Die nach ihren allgemeinsten Gesetzen sich bestimmende Materie bringt durch ihr natürliches Betragen, oder wenn man es so nennen will durch eine blinde Mechanick anständige Folgen hervor, die der Entwurf einer höchsten Weisheit zu seyn scheinen. Luft, Wasser, Wärme, erzeugen wenn man sie sich selbst überlassen betrachtet, Winde und Wolcken, Regen, Ströme, welche die Länder befeuchten, und alle die nützlichen Folgen, ohne welche die Natur traurig, öde und unfruchtbar bleiben müsste. Sie bringen aber diese Folgen nicht durch ein blosses Ungefehr, oder durch einen Zufall der eben so leicht nachtheilig hätte ausfallen können hervor, sondern man siehet: dass sie durch ihre natürliche Gesetze eingeschrenckt sind auf keine andere als diese Weise zu wircken. Was soll man von dieser Uebereinstimmung denn gedencken. Wie wäre es wohl möglich, dass Dinge von verschiedenen Naturen in Verbindung mit einander so vortrefliche Uebereinstimmungen und Schönheiten zu bewircken trachten solten, sogar zu Zwecken solcher Dinge die sich gewissermaassen ausser dem Umfange der todten Materie befinden, nemlich zum Nutzen der Menschen und Thiere, wenn sie nicht einen gemeinschaftlichen Ursprung erkenneten, nemlich einen unendlichen Verstand, in welchem aller Dinge wesentliche Beschaffenheiten beziehend entworfen worden. Wenn ihre Naturen vor sich und unabhängig nothwendig wären, was vor ein erstaunliches Ohngefähr, oder vielmehr was vor eine Unmöglichkeit würde es nicht seyn, dass sie mit ihren natürlichen Bestrebungen sich gerade so zusammen passen solten, als eine überlegte kluge Wahl sie hätte vereinbaren können.

Nunmehro mache ich getrost die Anwendung auf mein gegenwärtiges Unterfangen. Ich nehme die Materie aller Welt in einer allgemeinen Zerstreuung an und mache aus derselben ein vollkommenes Chaos. Ich sehe nach den ausgemachten

Gesetzen der Attraktion den Stoff sich bilden und durch die Zurückstossung ihre Bewegung modificiren. Ich geniesse das Vergnügen ohne Beyhülfe willkührlicher Erdichtungen, unter der Veranlassung ausgemachter Bewegungsgesetze sich ein wohlgeordnetes Ganze erzeugen zu sehen, welches demjenigen Weltsystem so ähnlich siehet das wir vor Augen haben, dass ich mich nicht entbrechen kan es vor dasselbe zu halten. Diese unerwartete Auswickelung der Ordnung der Natur im Grossen wird mir anfänglich verdächtig, da sie auf so schlechten und einfachen Grunde eine so zusammengesetzte Richtigkeit gründet. Ich belehre mich endlich aus der vorher angezeigten Betrachtung: dass eine solche Auswickelung der Natur nicht etwas unerhörtes an ihr ist, sondern dass ihre wesentliche Bestrebung solche nothwendig mit sich bringet, und dass dieses das herrlichste Zeugniss ihrer Abhängigkeit von demjenigen Urwesen ist, welches so gar die Quelle der Wesen selber und ihrer ersten Wirkungsgesetze in sich hat. Diese Einsicht verdoppelt mein Zutrauen auf den Entwurf den ich gemacht habe. Die Zuversicht vermehret sich bey jeden Schritte den ich mit Fortgang weiter setze und meine Kleinmüthigkeit hört völlig auf.

Aber die Vertheidigung deines Systems, wird man sagen, ist zugleich die Vertheidigung der Meinungen des Epikurs, welche damit die grösseste Aehnlichkeit haben. Ich will nicht völlig alle Uebereinstimmung mit demselben ablehnen. Viele sind durch den Schein solcher Gründe zu Atheisten geworden, welche bey genauerer Erwegung sie von der Gewissheit des höchsten Wesens am kräftigsten hätten überzeugen können. Die Folgen die ein verkehrter Verstand aus untadelhaften Grundsätzen zieht, sind öfters sehr tadelhaft, und so waren es auch die Schlüsse des Epikurs, ohnerachtet sein Entwurf der Scharfsinnigkeit eines grossen Geistes gemäss war.

Ich werde es also nicht in Abrede seyn, dass die Theorie des Lukretz oder dessen Vorgängers des Epikurs, Leucipps, und Demokritus mit der meinigen viele Aehnlichkeit habe. Ich setze den ersten Zustand der Natur, so wie jene Weltweise, in der allgemeinen Zerstreuung des Urstoffs aller Weltkörper, oder der Atomen, wie sie bey jenen genannt werden. Epikur setzte eine Schwere, die diese elementarische Theilchen zum Sinken trieb, und dieses scheinet von der newtonischen Anziehung die ich annehme nicht sehr verschieden zu sein; er gab ihnen auch eine gewisse Abweichung von der geradlinigten Bewegung des Falles, ob er gleich in Ansehung der Ursache derselben und ihren Folgen ungereimte Einbildungen hatte: diese Abweichung kommt einigermaassen mit der Veränderung der geradlinigten Senkung, die wir aus der Zurückstossungskraft der Theilchen herleiten, überein; endlich waren die Wirbel die aus der verwirreten Bewegung der Atomen entstanden ein Hauptstück in dem Lehrbegriffe des Leucipps und Democritus und man wird sie auch in dem unsrigen antreffen. So viel Verwandschaft mit einer Lehrverfassung, die die wahre Theorie der Gottesleugnung im Alterthum war, zieht indessen die meinige dennoch nicht in die Gemeinschaft ihrer Irrthümer. Auch in den aller unsinnigsten Meinungen welche sich bey den Menschen haben Beyfall erwerben können, wird man jederzeit etwas wahres bemerken. Ein falscher Grundsatz, oder ein Paar unüberlegte Verbindungssätze leiten den Menschen von dem Fusssteige der Wahrheit durch unmerkliche Abwege bis in den Abgrund. Es bleibt ohnerachtet der angeführten Aehnlichkeit dennoch ein wesentlicher Unterschied zwischen der alten Cosmogonie und der gegenwärtigen um aus dieser ganz entgegengesetzte Folgen ziehen zu können.

Die angeführten Lehrer der mechanischen Erzeugung des Weltbaues leiteten alle Ordnung die sich an demselben wahrnehmen lässt aus dem ungefähren Zufalle her, der die Atomen so glücklich zusammentreffen liess, dass sie ein wohlgeordnetes Gantze ausmachten. Epikur war gar so unverschämt, dass er verlangte, die Atomen wichen von ihrer geraden Bewegung ohne alle Ursache ab, um einander begegnen zu können. Alle insgesammt trieben diese Ungereimtheit so weit, dass sie den Ursprung aller belebten Geschöpfe eben diesem blinden Zusammenlauf beymassen und die Vernunft wirklich aus der Unvernunft herleiteten. In meiner Lehrverfassung hingegen finde ich die Materie an gewisse nothwendige Gesetze gebunden. Ich sehe in ihrer gänzlichen Auflösung und Zerstreuung ein schönes und ordentliches Ganze sich ganz natürlich daraus entwickeln. Es geschiehet dieses nicht durch einen Zufall und von ungefehr, sondern man bemerket dass natürliche Eigenschaften es nothwendig also mit sich bringen. Wird man hiedurch nicht bewogen zu fragen: warum muste denn die Materie gerade solche Gesetze haben, die auf Ordnung und Wohlanständigkeit abzwecken? war es wohl möglich, dass viele Dinge, deren jedes seine von dem andern unabhängige Natur hat, einander von selber gerade so bestimmen solten, dass ein wohlgeordnetes Ganze daraus entspringe und wenn sie dieses thun, giebt es nicht einen unleugbaren Beweis von der Gemeinschaft ihres ersten Ursprungs ab, der ein allgenugsamer höchster Verstand seyn muss, in welchem die Naturen der Dinge zu vereinbarten Absichten entworfen worden?

Die Materie die der Urstoff aller Dinge ist, ist also an gewisse Gesetze gebunden, welchen sie frey überlassen nothwendig schöne Verbindungen hervorbringen muss. Sie hat keine Freyheit von diesem Plane der Vollkommenheit abzuweichen. Da sie also sich einer höchst weisen Absicht unterworfen befindet, so muss sie nothwendig in solche übereinstimmende Verhältnisse durch eine über sie herrschende erste Ursache versetzt worden seyn, und es ist ein GOtt eben deswegen, weil die Natur auch selbst im Chaos nicht anders als regelmässig und ordentlich verfahren kan.

Ich habe so viel gute Meinung von der redlichen Gesinnung dererjenigen, die diesem Entwurfe die Ehre thun, ihn zu prüfen, dass ich mich versichert halte, die angeführte Gründe werden, wo sie noch nicht alle Besorgniss schädlicher Folgen von meinem System aufheben können, dennoch wenigstens die Lauterkeit meiner Absicht ausser Zweifel setzen. Wenn es dem ungeachtet boshafte Eiferer giebt, die es vor eine würdige Pflicht ihres heiligen Berufs halten, den unschuldigsten Meinungen schädliche Auslegungen anzuheften, so bin ich versichert, dass ihr Urtheil bey Vernünftigen gerade die entgegengesetzte Wirkung ihrer Absicht hat. Man wird mich übrigens des Rechts nicht berauben, das Cartesius, als er die Bildung der Weltkörper aus blos mechanischen Gesetzen zu erklären wagte, bey billigen Richtern jederzeit genossen hat. Ich will deswegen die Verfasser der allgemeinen Welthistorie*) anführen: »Indessen können wir nicht »anders als glauben: dass der Versuch dieses Weltweisen, »der sich bemühet die Bildung der Welt in gewisser Zeit aus »wüster Materie durch die blosse Fortsetzung einer einmal ein»gedrückten Bewegung zu erklären, und solches auf einige wenige »leichte und allgemeine Bewegungsgesetze gebracht so wenig »als anderer, die seit dem mit mehrerem Beyfall eben »das versucht haben aus den ursprünglichen und

*) I. Theil §. 88.

»anerschaffenen Eigenschaften der Materie zu thun, strafbar »oder GOtt verkleinerlich sey, wie sich manche ein»gebildet haben, indem dadurch vielmehr ein höherer »Begriff seiner unendlichen Weisheit verursacht wird.«

Ich habe die Schwierigkeiten, die von Seiten der Religion meine Sätze zu bedrohen schienen hinweg zu räumen gesucht. Es giebt einige nicht geringere in Ansehung der Sache selber. Wenn es gleich wahr ist, wird man sagen, dass GOtt in die Kräfte der Natur eine geheime Kunst gelegt hat, sich aus dem Chaos von selber zu einer vollkommenen Weltverfassung auszubilden, wird der Verstand des Menschen, der bey den gemeinsten Gegenständen so blöd ist, in so grossem Vorwurfe die verborgene Eigenschaften zu erforschen vermögend seyn. Ein solches Unterfangen heisst eben so viel als wenn man sagte: Gebt mir nur Materie, ich will euch eine Welt daraus bauen. Kan dich die Schwäche deiner Einsichten, die an den geringsten Dingen, welche deinen Sinnen täglich und in der Nähe vorkommen, zu schanden wird, nicht lehren: dass es vergeblich sey, das Unermessliche und das was in der Natur vorging ehe noch eine Welt war, zu entdecken. Ich vernichte diese Schwierigkeit, indem ich deutlich zeige, dass eben diese Untersuchung unter allen, die in der Naturlehre aufgeworfen werden können diejenige sey, in welcher man am leichtesten und sichersten bis zum Ursprunge gelangen kan. Eben so wie unter allen Aufgaben der Naturforschung keine mit mehr Richtigkeit und Gewisheit aufgelöset worden, als die wahre Verfassung des Weltbaues im Grossen, die Gesetze der Bewegungen und das innere Triebwerk der Umläufe aller Planeten; als worin die Newtonische Weltweisheit solche Einsichten gewähren kan, dergleichen man sonst in keinem Theile der Weltweisheit antrift; eben also, behaupte ich, sey unter allen Naturdingen, deren erste Ursache man nachforschet, der Ursprung des Weltsystems und die Erzeugung der Himmelskörper, samt den Ursachen ihrer Bewegungen, dasjenige, was man am ersten gründlich und zuverlässig einzusehen hoffen darf. Die Ursache hievon ist leicht zu ersehen. Die Himmelskörper sind runde Massen, also von der einfachsten Bildung, die ein Körper, dessen Ursprung man sucht, nur immer haben kan. Ihre Bewegungen sind gleichfals unvermischt. Sie sind nichts als eine freye Fortsetzung eines einmal eingedrückten Schwunges, welcher, mit der Attraktion des Körpers im Mittelpunkte verbunden, kreisförmigt wird. Ueberdem ist der Raum, darinn sie sich bewegen, leer, die Zwischenweiten, die sie von einander absondern, ganz ungemein gross und also alles sowohl zur unverwirrten Bewegung, als auch deutlichen Bemerkung derselben auf das deutlichste aus einander gesetzt. Mich dünkt, man könne hier im gewissem Verstande ohne Vermessenheit sagen: Gebet mir Materie, ich will eine Welt daraus bauen! das ist, gebt mir Materie, ich will euch zeigen, wie eine Welt daraus entstehen soll. Denn wenn Materie vorhanden ist, welche mit einer wesentlichen Attraktionskraft begabt ist, so ist es nicht schweer diejenigen Ursachen zu bestimmen, die zu der Einrichtung des Weltsystems im Grossen betrachtet, haben beytragen können. Man weiss was dazu gehöret, dass ein Körper eine Kugelrunde Figur erlange, man begreift was erfordert wird, dass frey schwebende Kugeln eine kreisförmige Bewegung um den Mittelpunkt anstellen gegen den sie gezogen werden. Die Stellung der Kreise gegeneinander, die Uebereinstimmung der Richtung, die Eccentricität, alles kan auf die einfachsten mechanischen Ursachen gebracht werden, und man darf mit Zuversicht hoffen sie zu entdecken, weil sie auf die leichtesten und deutlichsten Gründe gesetzt werden können. Kan man aber wohl von den geringsten Pflanzen oder Inseckt sich solcher Vortheile rühmen? Ist man im Stande zu sagen: Gebt mir Materie, ich will euch zeigen wie eine Raupe erzeuget werden könne? Bleibt man hier nicht bey dem ersten Schritte, aus Unwissenheit der wahren innern Beschaffenheit des Objects und der Verwickelung der in demselben vorhandenen Mannigfaltigkeit, stecken? Man darf es sich also nicht befremden lassen, wenn ich mich unterstehe zu sagen: dass eher die Bildung aller Himmelskörper, die Ursach ihrer Bewegungen, kurz, der Ursprung der ganzen gegenwärtigen Verfassung des Weltbaues, werde können eingesehen werden, ehe die Erzeugung eines einzigen Krauts oder einer Raupe, aus mechanischen Gründen, deutlich und vollständig kund werden wird.

Dieses sind die Ursachen, worauf ich meine Zuversicht gründe, dass der physische Theil der Weltwissenschaft künftighin noch wohl eben die Vollkommenheit zu hoffen habe, zu der Newton die mathematische Hälfte derselben erhoben hat. Es sind nächst den Gesetzen, nach welchen der Weltbau, in der Verfassung darinn er ist, bestehet, vielleicht keine anderen in der ganzen Naturforschung solcher mathematischen

Bestimmungen fähig, als diejenigen, nach welchen er entstanden ist, und ohne Zweifel würde die Hand eines versuchten Messkünstlers hier nicht unfruchtbare Felder bearbeiten.

Nachdem ich den Vorwurf meiner Betrachtung einer günstigen Aufnahme zu empfehlen mir habe angelegen seyn lassen; so wird man mir erlauben, mich wegen der Art, nach der ich ihn abgehandelt habe, kürzlich zu erklären. Der erste Theil gehet mit einem neuen System des Weltgebäudes im Grossen um. Herrn Wright von Durham, dessen Abhandlung ich aus den Hamburgischen freyen Urtheilen vom Jahr 1751 habe kennen lernen, hat mir zuerst Anlass gegeben, die Fixsterne nicht als ein ohne sichtbare Ordnung zerstreutes Gewimmel, sondern als ein System anzusehen, welches mit einem planetischen die grösste Aehnlichkeit hat, so dass, gleichwie in diesem die Planeten sich einer gemeinschaftlichen Fläche sehr nahe befinden, also auch die Fixsterne sich in ihren Lagen auf eine gewisse Fläche, die durch den ganzen Himmel muss gezogen gedacht werden, so nahe als möglich beziehen und durch ihre dichteste Häufung zu derselben denjenigen lichten Streif darstellen, welcher die Milchstrasse genannt wird. Ich habe mich vergewissert, dass, weil diese von unzehligen Sonnen erleuchtete Zone sehr genau die Richtung eines grössten Zirkels hat, unsere Sonne sich dieser grossen Beziehungsfläche gleichfals sehr nahe befinden müsse. Indem ich den Ursachen dieser Bestimmung nachgegangen bin, habe ich sehr wahrscheinlich zu seyn befunden: dass die so genannten Fixsterne, oder feste Sterne, wohl eigentlich langsam bewegte Wandelsterne einer höheren Ordnung seyn könten. Zur Bestätigung dessen, was man an seinem Orte von diesem Gedanken antreffen wird, will ich allhier nur eine Stelle aus einer Schrift des Herrn Bradley von der Bewegung der Fixsterne anführen. »Wenn man aus dem Erfolg der Verglei-»chung unserer besten jetzigen Beobachtungen, mit denen »welche vor diesem mit einem erträglichen Grade der Richtig-»keit angestellet worden, ein Urtheil fällen will, so erhellet: »dass einige Fixsterne wirklich ihren Stand gegen einander »verändert haben, und zwar so, dass man siehet, dass dieses »nicht irgend von einer Bewegung in unserm Planetengebäude »herrühret, sondern dass es bloss einer Bewegung der Sterne »selber zugeschrieben werden kan. Der Arktur giebt einen »starken Beweis hievon an die Hand. Denn wenn man des-»selben gegenwärtige Declination mit seinem Orte, wie derselbe

»so wohl von Ticho als auch von Flammsteed ist bestimmt »worden, vergleicht, so wird man finden: dass der Unter- »schied grösser ist als man ihn von der Ungewissheit ihrer »Beobachtungen herzurühren vermuthen kan. Man hat Ur- »sache zu vermuthen: dass auch andere Exempel von gleicher »Beschaffenheit unter der grossen Anzahl der sichtbaren Sterne »vorkommen müssen, weil ihre Lagen gegeneinander durch »mancherley Ursachen können verändert werden. Denn wenn »man sich vorstellt, dass unser eigenes Sonnengebäude seinen »Ort in Ansehung des Weltraums verändert; so wird dieses »nach Verlauf einiger Zeit eine scheinbare Veränderung der »Winkelentfernungen der Fixsterne verursachen. Und weil »dieses in solchem Falle in die Oerter der nächsten Sterne »einen grösseren Einfluss haben würde, als in die Oerter »dererjenigen, welche weit entfernet sind, so würden ihre »Lagen sich zu verändern scheinen, obgleich die Sterne selbst »wirklich unbeweglich blieben. Und wenn im Gegentheil »unser eigen Planetengebäude stille steht und einige Sterne »wirklich eine Bewegung haben; so wird dieses gleichfalls »ihre scheinbare Lage verändern, und zwar um destomehr, »je näher sie bey uns sind, oder je mehr die Richtung der »Bewegung so beschaffen ist, dass sie von uns kan wahr- »genommen werden. Da nun also die Lagen der Sterne von »so mancherley Ursachen können verändert werden, indem »man die erstaunlichen Entfernungen, in welchen ganz gewiss »einige gelegen sind, betrachtet; so werden wohl die Beob- »achtungen vieler Menschenalter nöthig seyn, die Gesetze der »scheinbaren Veränderungen, auch eines einzigen Sternes, zu »bestimmen. Viel schweerer muss es also noch seyn, die »Gesetze für alle die merkwürdigsten Sterne festzusetzen.«

Ich kan die Grenzen nicht genau bestimmen, die zwischen dem System des Herrn Wright und dem meinigen anzutreffen seyn, und in welchen Stücken ich seinen Entwurf bloss nachgeahmet, oder weiter ausgeführt habe. Indessen bothen sich mir nach der Hand annehmungswürdige Gründe dar, es auf der einen Seite beträchtlich zu erweitern. Ich betrachtete die Art neblichter Sterne, deren Herr von Maupertuis in der Abhandlung von der Figur der Gestirne*) gedenket, und die

*) Weil ich den angeführten Traktat nicht bey der Hand habe, so will ich dass dazu gehörige aus der Anführung der *Ouvrages diverses de Msr. de Maupertuis* in den *Actis Erud.* 1745. hier

die Figur von mehr oder weniger offenen Ellipsen vorstellen, und versicherte mich leicht, dass sie nichts anderes als eine Häufung vieler Fixsterne seyn können. Die jederzeit abgemessene Rundung dieser Figuren belehrte mich, dass hier ein

---

einrücken. Das erste Phänomenon sind diejenige lichte Stellen am Himmel, welche neblichte Sterne genannt, und vor einen Haufen kleiner Fixsterne gehalten werden. Allein die Astronomen haben durch vortrefliche Ferngläser sie nur als grosse länglichtrunde Plätzchen, die etwas lichter als der übrige Theil des Himmels wären, befunden. Hugen hat dergleichen etwas zuerst im Orion angetroffen; Halley gedenket in den *Anglical. Trans.* sechs solcher Plätzchen. 1. im Schwerdt des Orions, 2. im Schützen, 3. im Centaurus, 4. vor dem rechten Fusse des Antinous, 5. im Herkules, 6. im Gürtel der Andromeda. Wenn diese durch ein reflectirendes Seherohr von 8 Fuss betrachtet werden, so siehet man, dass nur der vierte Theil derselben vor einen Haufen Sterne könne gehalten werden; die übrigen haben nur weisslichte Plätzchen vorgestellt, ohne erheblichen Unterschied, ausser eines mehr der Cirkelrundung beykommt, eines anderes aber länglichter ist. Es scheint auch, dass bei dem ersten die durch das Sehrohr sichtbaren kleinen Sternchen seinen weisslichen Schimmer nicht verursachen können. Halley glaubt: »dass man aus diesen Erscheinungen dasjenige erklären »könne, was man im Anfang der Mosaischen Schöpfungsgeschichte »antrift, nemlich dass das Licht eher als die Sonne erschaffen sey. »Derham vergleicht sie Oeffnungen, dadurch eine andere unermess»liche Gegend und vielleicht der Feuerhimmel durchscheine. Er »meynet, er habe bemerken können, dass die Sterne, die neben »diesen Plätzchen gesehen werden, uns viel näher wären, als diese »lichte Stellen. Diesen fügt der Verfasser ein Verzeichniss der »neblichten Sterne aus dem Hevelius bey. Er hält diese Erschei»nungen vor grosse lichte Massen, die durch eine gewaltige Um»wälzung abgeplattet worden wären. Die Materie, daraus sie be»stehen, wenn sie eine gleichleuchtende Kraft mit den übrigen »Sternen hätte, würde von ungeheurer Grösse seyn müssen, damit »sie, aus einem viel grösseren Abstande, als der Sterne ihrer ist, »gesehen, dennoch dem Fernglase unter merklicher Gestalt und »Grösse erscheinen können. Wenn sie aber an Grösse den übrigen »Fixsternen ohngefehr gleich kämen; müsten sie uns nicht allein »ungleich viel näher seyn, sondern zugleich ein viel schwächeres »Licht haben: weil sie bey solcher Nähe und scheinbarer Grösse »doch einen so blassen Schimmer an sich zeigen. Es würde also »der Mühe verlohnen, ihre Parallaxe, wofern sie eine haben, zu »entdecken. Denn diejenigen, welche sie ihnen absprechen, »schliessen vielleicht von einigen auf alle. Die Sternchen, die man »mitten auf diesen Plätzchen antrift, wie in dem Orion (oder noch »schöner, in dem vor dem rechten Fusse des Antinous, welcher »nicht anders aussiehet als ein Fixstern, der mit einem Nebel um»geben ist) würden, wofern sie uns näher wären, entweder nach »Art der Projection auf denselben gesehen, oder schienen durch »jene Massen, gleich als durch die Schweife der Cometen, durch.«

unbegreiflich zahlreiches Sternenheer, und zwar um einen gemeinschaftlichen Mittelpunkt, müste geordnet seyn, weil sonst ihre freye Stellungen gegen einander, wohl irreguläre Gestalten, aber nicht abgemessene Figuren vorstellen würden. Ich sahe auch ein: dass sie in dem System, darinn sie sich vereinigt befinden, vornemlich auf eine Fläche beschränkt seyn müssten, weil sie nicht zirkelrunde, sondern elliptische Figuren abbilden, und dass sie wegen ihres blassen Lichts unbegreiflich weit von uns abstehen. Was ich aus diesen Analogien geschlossen habe wird die Abhandlung selber der Untersuchung des vorurtheilfreyen Lesers darlegen.

In dem zweiten Theile, der den eigentlichsten Vorwurf dieser Abhandlung in sich enthält, suche ich die Verfassung des Weltbaues aus dem einfachsten Zustande der Natur bloss durch mechanische Gesetze zu entwickeln. Wenn ich mich unterstehen darf denenjenigen, die sich über die Kühnheit dieses Unternehmens entrüsten, bey der Prüfung womit sie meine Gedanken beehren, eine gewisse Ordnung vorzuschlagen, so wollte ich bitten das achte Hauptstück S. 111 zuerst durchzulesen, welches, wie ich hoffe, ihre Beurtheilung zu einer richtigen Einsicht vorbereiten kan. Wenn ich indessen den gneigten Leser zur Prüfung meiner Meinungen einlade, so besorge ich mit Recht, dass, da Hypothesen von dieser Art gemeiniglich nicht in viel besseren Ansehen, als philosophische Träume stehen, es eine saure Gefälligkeit vor einen Leser ist, sich zu einer sorgfältigen Untersuchung von selbst erdachten Geschichten der Natur zu entschliessen und dem Verfasser durch alle die Wendungen, dadurch er den Schwierigkeiten, die ihm aufstossen, ausweichet, geduldig zu folgen, um vielleicht am Ende, wie die Zuschauer des londonschen Marktschreiers*), seine eigne Leichtgläubigkeit zu belachen. Indessen getraue ich mir zu versprechen: dass, wenn der Leser durch das vorgeschlagene Vorbereitungs-Hauptstück hoffentlich wird überredet worden seyn, auf so wahrscheinliche Vermuthungen doch ein solches physisches Abentheuer zu wagen, er auf dem Fortgange des Weges nicht so viel krumme Abwege und unwegsame Hindernisse, als er vielleicht anfänglich besorgt, antreffen werde.

Ich habe mich in der That mit grössester Behutsamkeit aller willkührlichen Erdichtungen entschlagen. Ich habe,

---

*) siehe Gellerts Fabel: Hans Nord.

nachdem ich die Welt in das einfachste Chaos versetzt, keine andere Kräfte als die Anziehungs- und Zurückstossungskraft zur Entwickelung der grossen Ordnung der Natur angewandt, zwey Kräfte, welche beyde gleich gewiss, gleich einfach und zugleich gleich ursprünglich und allgemein sind. Beyde sind aus der Newtonischen Weltweisheit entlehnet. Die erstere ist ein nunmehro ausser zweifelgesetztes Naturgesetz. Die zweyte, welcher vielleicht die Naturwissenschaft des Newton nicht so viel Deutlichkeit als die erstere gewähren kan, nehme ich hier nur in demjenigen Verstande an, da sie niemand in Abrede ist, nemlich bey der feinsten Auflösung der Materie, wie z. E. bey den Dünsten. Aus diesen so einfachen Gründen habe ich auf eine ungekünstelte Art, ohne andere Folgen zu ersinnen, als diejenigen, worauf die Aufmerksamkeit des Lesers ganz von selbst verfallen muss, das folgende System hergeleitet.

Man erlaube mir schlüsslich wegen der Gültigkeit und des angeblichen Werthes derjenigen Sätze, die in der folgenden Theorie vorkommen werden und wornach ich sie vor billigen Richter geprüft zu werden wünsche, eine kurze Erklärungen zu thun. Man beurtheilt billig den Verfasser nach demjenigen Stempel, den er auf seine Waare druckt; daher hoffe ich, man werde in den verschiedenen Theilen dieser Abhandlung keine strengere Verantwortung meiner Meinungen fodern, als nach Maasgebung des Werths, den ich von ihnen selber ausgebe. Ueberhaupt kan die grösste geometrische Schärfe und mathematische Unfehlbarkeit niemals von einer Abhandlung dieser Art verlangt werden. Wenn das System auf Analogien und Uebereinstimmungen, nach den Regeln der Glaubwürdigkeit und einer richtigen Denkungsart, gegründet ist; so hat es allen Foderungen seines Objects genug gethan. Diesen Grad der Tüchtigkeit meine ich in einigen Stücken dieser Abhandlung, als in der Theorie der Fixsternensystemen, in der Hypothese von der Beschaffenheit der neblichten Sterne, in dem allgemeinen Entwurfe von der mechanischen Erzeugungsart des Weltbaues, in der Theorie von dem Saturnusringe und einigen andern erreicht zu haben. Etwas minder Ueberzeugung werden einige besondere Theile der Ausführung gewähren, wie z. E. die Bestimmung der Verhältnisse der Eccentricität, die Vergleichung der Massen der Planeten, die mancherley Abweichungen der Cometen, und einige andere.

Wenn ich daher in dem siebenten Hauptstück, durch die Fruchtbarkeit des Systems und die Annehmlichkeit des grössten und wunderwürdigsten Gegenstandes, den man sich nur denken kan, angelocket, zwar stets an dem Leitfaden der Analogie und einer vernünftigen Glaubwürdigkeit; doch mit einiger Kühnheit die Folgen des Lehrgebäudes so weit als möglich fortsetze; wenn ich das Unendliche der ganzen Schöpfung, die Bildung neuer Welten und den Untergang der alten, den unbeschränkten Raum des Chaos der Einbildungskraft darstelle; so hoffe ich, man werde der reizenden Annehmlichkeit des Objects und dem Vergnügen, welches man hat, die Uebereinstimmungen einer Theorie in ihrer grössesten Ausdehnung zu sehen, so viel Nachsicht vergönnen, sie nicht nach der grössten geometrischen Strenge, die ohnedem bey dieser Art der Betrachtungen nicht statt hat, zu beurtheilen. Eben dieser Billigkeit versehe ich mich in Ansehung des dritten Theiles. Man wird indessen allemal etwas mehr wie bloss willkührliches, obgleich jederzeit etwas weniger als ungezweifeltes, in selbigen antreffen.

Kurzer Abriss der nöthigsten Grundbegriffe der Newtonischen Wissenschaft. S. 24.

Innhalt des ganzen Werks.

Erster Theil. S. 28.

Abriss einer allgemeinen systematischen Verfassung unter den Fixsternen, aus den Phänomenis der Milchstrasse hergeleitet. Aehnlichkeit dieses Fixsternensystems mit dem Systeme der Planeten. Entdeckung vieler solcher Systeme, die sich in der Weite des Himmels, in Gestalt elliptischer Figuren, zeigen. Neuer Begriff von der systematischen Verfassung der ganzen Schöpfung.

Beschluss. Wahrscheinliche Vermuthung mehrer Planeten über dem Saturn, aus dem Gesetze, nach welchem die Eccentricität der Planeten mit den Entfernungen zunimmt.

Zweyter Theil.

Erstes Hauptstück. S. 40.

Gründe vor die Lehrverfassung eines mechanischen Ursprungs der Welt. Gegengründe. Einziger Begriff unter allen möglichen, beyden genug zu thun. Erster Zustand der Natur. Zerstreuung der Elemente aller Materie durch den ganzen Weltraum. Erste Regung durch die Anziehung. Anfang der Bildung eines Körpers in dem Punkte der stärksten Attraction. Allgemeine Senkung der Elemente gegen diesen Centralkörper. Zurückstossungskraft der feinsten Theile, darinn die Materie aufgelöset worden. Veränderte Richtung der sinkenden Bewegung durch die Verbindung dieser Kraft mit der erstern. Einförmige Richtung aller dieser Bewegungen nach eben derselben Gegend. Bestrebung aller Partickeln, sich zu einer gemeinschaftlichen Fläche zu dringen und daselbst zu häufen. Mässigung der Geschwindigkeit ihrer Bewegung zu einem Gleichgewichte mit der Schweere des Abstandes ihres Orts. Freyer Umlauf aller Theilchen um den Centralkörper in Cirkelkreisen. Bildung der Planeten aus diesen bewegten Elementen. Freye Bewegung der daraus zusammengesetzten Planeten in gleicher Richtung in gemeinschaftlichen Plane, nahe beym Mittelpunkte bey nahe in Cirkelkreisen, und weiter von demselben mit zunehmenden Graden der Eccentricität.

[I] Kurzer

Abriss der nöthigsten Grundbegriffe

der

Newtonischen Weltwissenschaft*)

die zu dem Verstande des nachfolgenden erfordert werden.

Sechs Planeten, davon drey Begleiter haben, Merkur, Venus, die Erde mit ihrem Monde, Mars, Jupiter mit vier und Saturn mit fünf Trabanten, die um die Sonne als den Mittelpunkt Kreise beschreiben, nebst den Cometen, die es von allen Seiten her und in sehr langen Kreisen thun, machen ein System aus, welches man das System der Sonnen oder auch den planetischen Weltbau nennt. Die Bewegung aller dieser Körper, weil sie kreisförmig und in sich selbst zurückkehrend ist, setzet zwey [II] Kräfte voraus, welche bey einer jeglichen Art des Lehrbegriffs gleich nothwendig sind, nemlich eine schiessende Kraft, dadurch sie in jedem Punkte ihres krumlienigten Laufes die gerade Richtung fortsetzen, und sich ins Unendliche entfernen würden, wenn nicht eine andere Kraft, welche es auch immer seyn mag, sie beständig nöthigte diese zu verlassen und in einem krummen Gleise zu laufen, der die Sonne als den Mittelpunkt umfasset. Diese zweyte Kraft, wie die Geometrie selber es ungezweifelt ausmacht, zielt allenthalben zu der Sonne hin und wird daher die sinkende, die Centripetalkraft, oder auch die Gravität genennet.

Wenn die Kreise der Himmelskörper genaue Cirkel wären, so würde die allereinfachste Zergliederung der Zusammen-

*) Diese kurze Einleitung, welche vieleicht in Ansehung der meisten Leser überflüssig seyn möchte, habe ich denen, die etwa der Newtonischen Grundsätze nicht genugsam kundig seyn, zur Vorbereitung der Einsicht in die folgende Theorie vorher ertheilen wollen.

setzung krumlienigter Bewegungen zeigen: dass ein anhaltender Trieb gegen den Mittelpunkt dazu erfordert werde; allein obgleich sie an allen Planeten sowohl als Cometen Ellipsen sind, in deren gemeinschaftlichem Brennpunkte sich die Sonne befindet, so thut doch die höhere Geometrie mit Hülfe der Keplerischen Analogie, (nach welcher der *radius vector*, oder die von dem Planeten zur Sonne gezogene Linie, stets solche Räume von der elliptischen Bahn abschneidet, die den Zeiten proportionirt seyn,) gleichfals mit untrieglicher Gewisheit dar; dass eine Kraft den Planet in dem ganzen Kreislaufe gegen den Mittelpunkt der Sonne unablässig treiben müsste. Diese Senkungskraft, die durch den ganzen Raum des Planetensystems [III] herschet und zu der Sonne hinzielet, ist also ein ausgemachtes Phänomenon der Natur, und eben so zuverlässig ist auch das Gesetze erwiesen, nach welchem sich diese Kraft von dem Mittelpunkte in die ferne Weiten erstrecket. Sie nimmt immer umgekehrt ab, wie die Quadrate der Entfernungen von demselben zunehmen. Diese Regel fliesst auf eine eben so untriegliche Art aus der Zeit die die Planeten in verschiedenen Entfernungen zu ihren Umläufen gebrauchen. Diese Zeiten sind immer wie die Quadratwurzel aus den Cubis ihrer mitlern Entfernungen von der Sonne, woraus hergeleitet wird: dass die Kraft, die diese Himmelskörper zu dem Mittelpunkte ihrer Umwälzung treibt, in umgekehrten Verhältnisse der Quadrate des Abstandes abnehmen müsse.

Eben dasselbe Gesetz was unter den Planeten herrscht, in so fern sie um die Sonne laufen, findet sich auch bey den kleinen Systemen, nemlich denen, die die um ihre Hauptplaneten bewegte Monden ausmachen. Ihre Umlaufszeiten sind eben so gegen die Entfernungen proportionirt, und setzen eben dasselbe Verhältniss der Senkungskraft gegen den Planeten fest, als dasjenige ist, dem dieser zu der Sonne hin unterworfen ist. Alles dieses ist aus der untrieglichsten Geometrie, vermittelst unstrittiger Beobachtungen, auf immer ausser Wiederspruch gesetzt. Hiezu kommt noch die Idee, dass diese Senkungskraft eben derselbe Antrieb sey, der auf der Oberfläche des Planeten die Schweere genannt wird, und der von diesem sich stufenweise nach dem angeführten [IV] Gesetze mit den Entfernungen vermindert. Dieses ersiehet man aus der Vergleichung der Quantität der Schweere auf der Oberfläche der Erde mit der Kraft, die den Mond zum Mittelpunkte seines Kreises hintreibt, welche gegen einander eben so wie die Attraktion in dem ganzen Weltgebäude, nemlich im umgekehrten Verhältniss des Quadrats der Entfernungen ist. Dies ist die Ursache, warum man oftgemeldete Centralkraft auch die Gravität nennet.

Weil es überdem auch im höchsten Grade wahrscheinlich ist: dass, wenn eine Wirkung nur in Gegenwart und nach Proportion der Annäherung zu einem gewissen Körper geschiehet, die Richtung derselben auch aufs genaueste auf diesen Körper beziehend ist, zu glauben sey, dieser Körper sey, auf was für Art es auch wolle, die Ursache derselben; so hat man um deswillen Grund genug zu haben vermeynet, diese allgemeine Senkung der Planeten gegen die Sonne, einer Anziehungskraft der letztern zuzuschreiben, und dieses Vermögen der Anziehung allen Himmelskörpern überhaupt beyzulegen.

Wenn ein Körper also diesem Antriebe der ihn zum Sinken gegen die Sonne oder irgend einen Planeten treibt, frey überlassen wird; so wird er in stets beschleunigter Bewegung zu ihm niederfallen und in kurzem sich mit desselben Masse vereinigen. Wenn er aber einen Stoss nach der Seite hin bekommen hat; so wird er, wenn dieser nicht so kräftig ist, dem Drucke des Sinkens genau das Gleichgewicht zu leisten, sich in einer [V] gebogenen Bewegung zu dem Centralkörper hinein senken, und wenn der Schwung, der ihm eingedruckt worden, wenigstens so stark gewesen, ihn, ehe er die Oberfläche desselben berührt, von der senkrechten Linie um die halbe Dicke des Körpers im Mittelpunkte zu entfernen, so wird er nicht dessen Oberfläche berühren, sondern, nachdem er sich dichte um ihn geschwungen hat, durch die vom Falle erlangte Geschwindigkeit sich wieder so hoch erheben, als er gefallen war, um in beständiger Kreisbewegung um ihn seinen Umlauf fortzusetzen.

Der Unterschied zwischen den Laufkreisen der Cometen und Planeten bestehet also in der Abwiegung der Seitenbewegung gegen den Druck, der sie zum Fallen treibt; welche zwey Kräfte je mehr sie der Gleichheit nahe kommen, desto ähnlicher wird der Kreis der Cirkelfigur, und je ungleicher sie seyn, je schwächer die schiessende Kraft in Ansehung der Centralkraft ist, desto länglichter ist der Kreis, oder wie man es nennt, desto eccentrischer ist er, weil der Himmelskörper in einem Theile seiner Bahn sich der Sonne weit mehr nähert, als im andern.

Weil nichts in der ganzen Natur auf das genaueste abgewogen ist, so hat auch kein Planet eine ganz cirkelförmige Bewegung; aber die Cometen weichen am meisten davon ab, weil der Schwung, der ihnen zur Seite eingedrückt worden, am wenigsten zu der Centralkraft ihres ersten Abstandes proportionirt gewesen.

Ich werde mich in der Abhandlung sehr oft des Ausdrucks einer systematischen Verfassung [VI] des Weltbaues bedienen. Damit man keine Schwierigkeit finde, sich deutlich vorzustellen, was dadurch soll angedeutet werden, so will ich mich darüber mit wenigem erklären. Eigentlich machen alle Planeten und Cometen, die zu unserem Weltbau gehören, dadurch schon ein System aus, dass sie sich um einen gemeinschaftlichen Centralkörper drehen. Ich nehme aber diese Benennung noch in engerem Verstande, indem ich auf die genauere Beziehungen sehe, die ihre Verbindung mit einander regelmässig und gleichförmig gemacht hat. Die Kreise der Planeten beziehen sich so nahe, wie möglich auf eine gemeinschaftliche Fläche, nemlich auf die verlängerte Aequatorsfläche der Sonne; die Abweichung von dieser Regel findet nur bey der äussersten Grenze des Systems, da alle Bewegungen allmählich aufhören, statt. Wenn daher eine gewisse Anzahl Himmelskörper, die um einen gemeinschaftlichen Mittelpunkt geordnet sind, und sich um selbigen bewegen, zugleich auf eine gewisse Fläche so beschrenkt worden, dass sie von selbiger zu beyden Seiten nur so wenig als möglich abzuweichen die Freyheit haben: wenn die Abweichung nur bey denen, die von dem Mittelpunkte am weitesten entfernet sind, und daher an den Beziehungen weniger Antheil als die andern haben, stufenweise statt findet; so sage ich, diese Körper befinden sich in einer systematischen Verfassung zusammen verbunden.

[1] Allgemeine

Naturgeschichte und Theorie des Himmels.

Erster Theil,

Abriss einer systematischen Verfassung unter den Fixsternen, imgleichen von der Vielheit solcher Fixsternsystemen.

Seht jene grosse Wunderkette die alle Theile dieser Welt;
Vereinet und zusammenzieht und die das grosse Ganz erhält.

Pope.

Der Lehrbegriff von der allgemeinen Verfassung des Weltbaues hat seit den Zeiten des Huygens keinen merklichen Zuwachs gewonnen. Man weiss noch zur Zeit nichts mehr, als was man schon damals gewust hat, nemlich, dass sechs Planeten mit zehn Begleitern, welche alle beynahe auf einer Fläche die Cirkel ihres Umlaufs gerichtet haben, und die ewige cometische Kugeln, die nach allen Seiten ausschweifen, ein [2] System ausmachen, dessen Mittelpunkt die Sonne ist, gegen welche sich alles senkt, um welche ihre Bewegungen gehen, und von welcher sie alle erleuchtet, erwärmet und belebet werden; dass endlich die Fixsterne als eben so viel Sonnen, Mittelpunkte von ähnlichen Systemen seyn, in welchen alles eben so gross und eben so ordentlich als in den unsrigen eingerichtet seyn mag, und dass der unendliche Weltraum von Weltgebäuden wimmele, deren Zahl und Vortreflichkeit ein Verhältniss zur Unermesslichkeit ihres Schöpfers hat.

Das systematische, welches in der Verbindung der Planeten, die um ihre Sonnen laufen, statt fand, verschwand allhier in der Menge der Fixsternen, und es schien, als wenn die gesetzmässige Beziehung, die im Kleinen angetroffen wird, nicht unter den Gliedern des Weltalls im Grossen herrsche; die Fixsterne bekamen kein Gesetz, durch welches ihre Lagen gegen einander eingeschränket wurden, und man sahe sie alle Himmel und aller Himmel Himmel ohne Ordnung und ohne Absicht erfüllen. Seit dem die Wissbegierde des Menschen sich diese Schranken gesetzet hat, so hat man weiter nichts gethan, als die Grösse desjenigen daraus abzunehmen und zu bewundern, der in so unbegreiflich grossen Werken sich offenbaret hat.

Dem Herrn Wright von Durham, einem Engeländer, war es vorbehalten, einen glücklichen Schritt zu einer Bemerkung zu thun, welche von ihm selber zu keiner gar zu tüchtigen Absicht gebraucht [**3**] zu seyn scheinet, und deren nützliche Anwendung er nicht genugsam beobachtet hat. Er betrachtete die Fixsterne nicht als ein ungeordnetes und ohne Absicht zerstreutes Gewimmel, sondern er fand eine systematische Verfassung im Ganzen, und eine allgemeine Beziehung dieser Gestirne gegen einen Hauptplan der Raume, die sie einnehmen.

Wir wollen den Gedanken, den er vorgetragen, zu verbessern und ihm diejenige Wendung zu ertheilen suchen, dadurch er an wichtigen Folgen fruchtbar seyn kan, deren völlige Bestätigung den künftigen Zeiten aufbehalten ist.

Jedermann, der den bestirnten Himmel in einer heitern Nacht ansiehet, wird denjenigen lichten Streif gewahr, der durch die Menge der Sterne, die daselbst mehr als anderwerts gehäuft seyn, und durch ihre sich in der grossen Weite verlierende Kentlichkeit, ein einförmigtes Licht darstellet, welches man mit dem Nahmen der Milchstrasse benennet hat. Es ist zu bewundern, dass die Beobachter des Himmels durch die Beschaffenheit dieser am Himmel kenntlich unterschiedenen Zone nicht längst bewogen worden, sonderbare Bestimmungen in der Lage der Fixsterne daraus abzunehmen. Denn man siehet ihn die Richtung eines grössten Zirkels, und zwar in ununterbrochenem Zusammenhange, um den ganzen Himmel einnehmen, zwey Bedingungen, die eine so genaue Bestimmung und von dem Unbestimmten des Ungefehrs so kenntlich unterschiedene Merkmale mit sich führen, dass aufmerksame [**4**] Sternkundige natürlicher Weise dadurch hätten veranlasset werden sollen, der Erklärung einer solchen Erscheinung mit Aufmerksamkeit nachzuspüren.

Weil die Sterne nicht auf die scheinbare hole Himmelssphäre gesetzet sind, sondern einer weiter als der andere von unserm Gesichtspuncte entfernet, sich in der Tiefe des Himmels verlieren: so folget aus dieser Erscheinung, dass in den Entfernungen, darinn sie einer hinter dem andern von uns abstehen, sie sich nicht in einer nach allen Seiten gleichgültigen Zerstreuung befinden, sondern sich auf eine gewisse Fläche vornemlich beziehen müssen, die durch unsern Gesichtspunkt gehet, und welcher sie sich so nahe als möglich zu befinden bestimmet sind.

Diese Beziehung ist ein so ungezweifeltes Phänomenon, dass auch selber die übrigen Sterne, die in dem weisslichten Streife der Milchstrasse nicht begriffen sind, doch um desto gehäufter und dichter gesehen werden, je näher ihre Oerter dem Cirkel der Milchstrasse sind, so, dass von den 2000 Sternen, die das blosse Auge am Himmel entdecket, der grösste Theil in einer nicht gar breiten Zone, deren Mitte die Milchstrasse einnimmt, angetroffen wird.

Wenn wir nun eine Fläche durch den Sternenhimmel hindurch in unbeschränkte Weiten gezogen gedenken, und annehmen: dass zu dieser Fläche alle Fixsterne und Systemata eine allgemeine Beziehung ihres Orts haben, um sich derselben näher [5] als anderen Gegenden zu befinden, so wird das Auge, welches sich in dieser Beziehungsfläche befindet, bey seiner Aussicht in das Feld der Gestirne, an der hohlen Kugelfläche des Firmaments, diese dichteste Häufung der Sterne in der Richtung solcher gezogenen Fläche unter der Gestalt einer von mehrerem Lichte erleuchteten Zone erblicken. Dieser lichte Streif wird nach der Richtung eines grössten Zirkels fortgehen, weil der Stand des Zuschauers in der Fläche selber ist. In dieser Zone wird es von Sternen wimmeln, welche durch die nicht zu unterscheidende Kleinigkeit der hellen Punkte, die sich einzeln dem Gesichte entziehen, und durch ihre scheinbare Dichtigkeit, einen einförmig weisslichten Schimmer, mit einem Worte, eine Milchstrasse vorstellig machen. Das übrige Himmelsheer, dessen Beziehung gegen die gezogene Fläche sich nach und nach vermindert, oder welches sich auch dem Stande des Beobachters näher befindet, wird mehr zerstreuet, wiewol doch, ihrer Häufung nach, auf eben diesen Plan beziehend gesehen werden. Endlich folget hieraus, dass unsere Sonnenwelt, weil von ihr aus dieses System der Fixsterne in der Richtung eines grössesten Zirkels gesehen wird, mit in eben derselben grossen Fläche befindlich sey, und mit den übrigen ein System ausmache.

Wir wollen, um in die Beschaffenheit der allgemeinen Verbindung, die in dem Weltbaue herrschet, desto besser zu dringen, die Ursache zu entdecken suchen, welche die Oerter der Fixsterne auf eine [6] gemeinschaftliche Fläche beziehend gemacht hat.

Die Sonne schrenket die Weite ihrer Anziehungskraft nicht in den engen Bezirk des Planetengebäudes ein. Allem Ansehen nach erstreckt sie selbige ins unendliche. Die Cometen, die sich sehr weit über den Kreiss des Saturns erheben, werden durch die Anziehung der Sonne genöthiget, wieder zurück zu kehren und in Kreisen zu laufen. Ob es also gleich der Natur einer Kraft, die dem Wesen der Materie einverleibt zu seyn scheinet, gemässer ist, unbeschränkt zu seyn, und sie auch wirklich von denen, die Newtons Sätze annehmen, davor erkannt wird; so wollen wir doch nur zugestanden wissen, dass diese Anziehung der Sonne ohngefehr bis zum nächsten Fixsterne reiche, und dass die Fixsterne als eben so viel Sonnen in gleichem Umfange um sich wirken, folglich dass das ganze Heer derselben einander durch die Anziehung zu nähern bestrebt sey; so finden sich alle Weltsystemen in der Verfassung, durch die gegenseitige Annäherung, die unaufhörlich und durch nichts gehindert ist, über kurz oder lang in einen Klumpen zusammen zu fallen, wofern diesem Ruin nicht so wie bey den Kugeln unsers planetischen Systems durch die den Mittelpunkt fliehende Kräfte vorgebeugt worden, welche, indem sie die Himmelskörper von dem geraden Falle abbeugen, mit den Kräften der Anziehung in Verbindung die ewige Kreisumläufe zuwege bringen, dadurch das Gebäude der Schöpfung vor der [7] Zerstörung gesichert und zu einer unvergänglichen Dauer geschickt gemacht wird.

So haben denn alle Sonnen des Firmaments Umlaufsbewegungen, entweder um einen allgemeinen Mittelpunkt oder um viele. Man kann sich aber allhier der Analogie bedienen, dessen, was bey den Kreisläufen unserer Sonnenwelt bemerket wird: dass nemlich, gleichwie eben dieselbe Ursache, die den Planeten die Centerfliehkraft, durch die sie ihre Umläufe verrichten, ertheilet hat, ihre Laufkreise auch so gerichtet: dass sie sich alle auf eine Fläche beziehen, also auch die Ursache, welche es auch immer seyn mag, die den Sonnen der Oberwelt, als so viel Wandelsternen höherer Weltordnungen die Kraft der Umwendung gegeben, ihre Kreise zugleich so viel möglich auf eine Fläche gebracht, und die Abweichungen von derselben einzuschränken bestrebt gewesen.

Nach dieser Vorstellung kann man das System der Fixsterne einiger massen durch das planetische abschildern, wenn man dieses unendlich vergrössert. Denn wenn wir an statt der 6 Planeten mit ihren 10 Begleitern so viele tausend derselben, und an statt der 28 oder 30 Cometen, die beobachtet worden, ihrer hundert und tausendmal mehr annehmen, wenn wir eben diese Körper als selbstleuchtend gedenken, so würde dem Auge des Zuschauers, das sie von der Erde ansiehet, eben der Schein als von den Fixsternen der Milchstrasse entstehen. Denn die gedachte Planeten würden durch ihre Naheit [**8**] zu dem gemeinen Plane ihrer Beziehung, uns, die wir mit unserer Erde in eben demselben Plane befindlich seyn, eine von unzählbaren Sternen dicht erleuchtete Zone darstellen, deren Richtung nach dem grössesten Zirkel gienge; dieser lichte Streifen würde allenthalben mit Sternen genugsam besetzet seyn, obgleich gemäss der Hypothese es Wandelsterne, mithin, nicht an einen Ort geheftet sind, denn es würden sich allezeit nach einer Seite Sterne genug durch ihre Versetzung befinden, obgleich andere diesen Ort geändert hätten.

Die Breite dieser erleuchteten Zone, welche eine Art eines Thierkreises vorstellet, wird durch die verschiedene Grade der Abweichung besagter Irrsterne von dem Plane ihrer Beziehung und durch die Neigung ihrer Kreise gegen dieselbe Fläche veranlasset werden; und weil die meisten diesem Plane nahe seyn, so wird ihre Anzahl nach dem Maasse der Entfernung von dieser Fläche zerstreuter erscheinen; die Cometen aber, die alle Gegenden ohne Unterscheid einnehmen, werden das Feld des Himmels von beyden Seiten bedecken.

Die Gestalt des Himmels der Fixsterne hat also keine andere Ursache, als eben eine dergleichen systematische Verfassung im Grossen, als der planetische Weltbau im Kleinen hat, indem alle Sonnen ein System ausmachen, dessen allgemeine Beziehungsfläche die Milchstrasse ist; die sich am wenigsten auf diese Fläche beziehende, werden zur Seite gesehen, sie sind aber eben deswegen weniger gehäufet, [**9**] weit zerstreuter und seltener. Es sind so zu sagen die Cometen unter den Sonnen.

Dieser neue Lehrbegriff aber legt den Sonnen eine fortrückende Bewegung bey, und jedermann erkennet sie doch als unbewegt, und von Anbeginn her an ihre Oerter geheftet.

Die Benennung, die die Fixsterne davon erhalten haben, scheinet durch die Beobachtung aller Jahrhunderte bestätigt und ungezweifelt zu seyn. Diese Schwierigkeit würde das vorgetragene Lehrgebäude vernichten, wenn sie gegründet wäre. Allein allem Ansehen nach ist dieser Mangel der Bewegung nur etwas scheinbares. Es ist entweder nur eine ausnehmende Langsamkeit, die von der grossen Entfernung von dem gemeinen Mittelpunkte ihres Umlaufs, oder eine Unmerklichkeit, die durch den Abstand von dem Orte der Beobachtung veranlasset wird. Lasset uns die Wahrscheinlichkeit dieses Begriffes durch die Ausrechnung der Bewegung schätzen, die ein unserer Sonne naher Fixstern haben würde, wenn wir setzten, dass unsere Sonne der Mittelpunkt seines Kreises wäre. Wenn seine Weite nach dem Huygen über 21000mal grösser, als der Abstand der Sonne von der Erde angenommen wird; so ist nach dem ausgemachten Gesetze der Umlaufszeiten, die im Verhältniss der Quadratwurzel aus dem Würfel der Entfernungen vom Mittelpunkte stehen, die Zeit, die er anwenden müste, seinen Zirkel um die Sonne einmal zu durchlaufen, von mehr als anderthalb Millionen Jahre, und dieses würde [**10**] in 4000 Jahren eine Verrückung seines Orts nur um einen Grad setzen. Da nun nur vielleicht sehr wenige Fixsterne der Sonne so nahe sind, als Huygen den Sirius ihr zu seyn gemuthmasset hat, da die Entfernung des übrigen Himmelsheeres des letzteren seine vielleicht ungemein übertrift, und also zu solcher periodischen Umwendung ungleich längere Zeiten erfordern würde, überdem auch wahrscheinlicher ist, dass die Bewegung der Sonnen des Sternenhimmels um einen gemeinschaftlichen Mittelpunkt gehe, dessen Abstand ungemein gross, und die Fortrückung der Sterne daher überaus langsam seyn kan: so lässt sich hieraus mit Wahrscheinlichkeit abnehmen, dass alle Zeit, seit der man Beobachtungen am Himmel angestellet hat, vielleicht noch nicht hinlänglich sey, die Veränderung, die in ihren Stellungen vorgegangen, zu bemerken. Man darf indessen noch nicht die Hoffnung aufgeben, auch diese mit der Zeit zu entdecken. Es werden subtile und sorgfältige Aufmerker, imgleichen eine Vergleichung weit von einander abstehender Beobachtungen dazu erfordert. Man müsste diese Beobachtungen vornemlich auf die Sterne der Milchstrasse richten*), welche der Hauptplan

*) Imgleichen auf diejenige Haufen von Sternen, deren viele

aller Bewegung ist. Herr Bradley hat beinahe [11] unmerkliche Fortrückungen der Sterne beobachtet. Die Alten haben Sterne an gewissen Stellen des Himmels gemerket, und wir sehen neue an andern. Wer weiss, waren es nicht die vorigen, die nur den Ort geändert haben. Die Vortreflichkeit der Werkzeuge und die Vollkommenheit der Sternenwissenschaft machen uns gegründete Hoffnung zu Entdeckung so sonderbarer Merkwürdigkeiten*). Die Glaubwürdigkeit der Sache selber aus den Gründen der Natur und der Analogie unterstützen diese Hoffnung so gut, dass sie die Aufmerksamkeit der Naturforscher reizen können, sie in Erfüllung zu bringen.

Die Milchstrasse ist, so zu sagen, auch der Thierkreis neuer Sterne, welche fast in keiner andern Himmelsgegend, als in dieser, wechselsweise sich sehen lassen und verschwinden. Wenn diese Abwechselung ihrer Sichtbarkeit von ihrer periodischen Entfernung und Annäherung zu uns herrühret, so scheinet wohl aus der angeführten systematischen Verfassung der Gestirne, dass ein solches Phänomenon mehrentheils nur in dem Bezirk der Milchstrasse müsse gesehen werden. Denn da es Sterne sind, die in sehr ablangen Kreisen um andere Fixsterne [12] als Trabanten um ihre Hauptplaneten laufen, so erfordert es die Analogie mit unserm planetischen Weltbau, in welchem nur die dem gemeinen Plane der Bewegungen nahe Himmelskörper um sich laufende Begleiter haben, dass auch nur die Sterne, die in der Milchstrasse sind, um sich laufende Sonnen haben werden.

Ich komme zu demjenigen Theile des vorgetragenen Lehrbegriffs, der ihn durch die erhabene Vorstellung, welche er von dem Plane der Schöpfung darstellet, am meisten reitzend macht. Die Reihe der Gedanken, die mich darauf geleitet haben, ist kurz und ungekünstelt; sie bestehet in folgendem. Wenn ein System von Fixsternen, welche in ihren Lagen sich auf eine gemeinschaftliche Fläche beziehen, so wie wir die Milchstrasse entworfen haben, so weit von uns entfernet ist,

---

in einem kleinen Raume bey einander seyn, als z. E. das Siebengestirn, welche vielleicht unter sich ein kleines System in dem Grössern ausmachen.

*) de la Hire bemerket in den Memoires der Academie zu Paris vom Jahr 1693, er habe sowohl aus eigenen Beobachtungen, als auch aus Vergleichung derselben mit des Ricciolus seinen eine starke Aenderung in den Stellungen der Sterne des Siebengestirns wahrgenommen.

dass alle Kenntlichkeit der einzelnen Sterne, daraus es bestehet, so gar dem Sehrohre nicht mehr empfindlich ist: wenn seine Entfernung zu der Entfernung der Sterne der Milchstrasse eben das Verhältniss, als diese zum Abstande der Sonne von uns hat; kurz, wenn eine solche Welt von Fixsternen in einem so unermesslichen Abstande von dem Auge des Beobachters, das sich ausserhalb derselben befindet, angeschauet wird, so wird dieselbe unter einem kleinen Winkel als ein mit schwachem Lichte erleuchtetes Räumchen erscheinen, dessen Figur zirkelrund seyn wird, wenn seine Fläche sich dem Auge gerade zu darbietet und elliptisch, wenn es von der Seite gesehen wird. Die [**13**] Schwäche des Lichts, die Figur und die kennbare Grösse des Durchmessers werden ein solches Phänomenon, wenn es vorhanden ist, von allen Sternen, die einzeln gesehen werden, gar deutlich unterscheiden.

Man darf sich unter den Beobachtungen der Sternkundigen nicht lange nach dieser Erscheinung umsehen. Sie ist von unterschiedlichen Beobachtern deutlich wahrgenommen worden. Man hat sich über ihre Seltsamkeit verwundert; man hat gemuthmasset und bisweilen wunderlichen Einbildungen, bisweilen scheinbaren Begriffen, die aber doch eben so ungegründet, als die erstern waren, Platz gegeben. Die neblichten Sterne sind es, welche wir meynen, oder vielmehr eine Gattung derselben, die der Herr von Maupertuis so beschreibet*): Dass es kleine, etwas mehr als das Finstere des leeren Himmelsraums erleuchtete Plätzchen seyn, die alle darinn überein kommen, dass sie mehr oder weniger offene Ellipsen vorstellen, aber deren Licht weit schwächer ist, als irgend ein anderes, das man am Himmel gewahr wird. Der Verfasser der Astrotheologie bildete sich ein, dass es Oefnungen im Firmamente wären, durch welche er den Feuerhimmel zu sehen glaubte. Ein Philosoph von erleuchteteren Einsichten, der schon angeführte Herr von Maupertuis, hält sie in Betrachtung ihrer Figur und kennbaren Durchmessers vor erstaunlich [**14**] grosse Himmelskörper, die durch ihre von dem Drehungsschwunge verursachte grosse Abplattung von der Seite gesehen, elliptische Gestalten darstellen.

Man wird leicht überführt, dass diese letztere Erklärung gleichfalls nicht statt finden könne. Weil diese Art von neblichten Sternen ausser Zweifel zum wenigsten eben so weit

*) Abhandlung von der Figur der Sterne.

als die übrigen Fixsterne von uns entfernet seyn muss; so wäre nicht allein ihre Grösse erstaunlich, nach welcher sie auch die grössesten Sterne viele tausendmal übertreffen müsten, sondern das wäre am allerseltsamsten, dass sie bei dieser ausserordentlichen Grösse, da es selbstleuchtende Körper und Sonnen seyn, das allerstumpfste und schwächste Licht an sich zeigen sollten.

Weit natürlicher und begreiflicher ist es, dass es nicht einzelne so grosse Sterne, sondern Systemata von vielen seyn, deren Entfernung sie in einem so engen Raume darstellet, dass das Licht, welches von jedem derselben einzeln unmerklich ist, bey ihrer unermesslichen Menge in einen einförmigten blassen Schimmer ausschlägt. Die Analogie mit dem Sternensystem, darinn wir uns befinden, ihre Gestalt, welche gerade so ist, als sie es nach unserem Lehrbegriffe seyn muss, die Schwäche des Lichts, die eine vorausgesetzte unendliche Entfernung erfordert. Alles stimmet vollkommen überein, diese elliptische Figuren vor eben dergleichen [**15**] Weltordnungen, und so zu reden, Milchstrassen zu halten, deren Verfassung wir eben entwickelt haben; und wenn Muthmassungen in denen Analogie und Beobachtung vollkommen übereinstimmen, einander zu unterstützen, eben dieselbe Würdigkeit haben als förmliche Beweise, so wird man die Gewissheit dieser Systemen vor ausgemacht halten müssen.

Nunmehro hat die Aufmerksamkeit der Beobachter des Himmels, Bewegungsgründe genug, sich mit diesem Vorwurfe zu beschäftigen. Die Fixsterne, wie wir wissen, beziehen sich alle auf einen gemeinschaftlichen Plan, und machen dadurch ein zusammengeordnetes Ganze, welches eine Welt von Welten ist. Man siehet, dass in unermesslichen Entfernungen es mehr solcher Sternensystemen giebt, und dass die Schöpfung in dem ganzen unendlichen Umfange ihrer Grösse allenthalben systematisch und auf einander beziehend ist.

Man könnte noch muthmassen, dass eben diese höhere Weltordnungen nicht ohne Beziehung gegen einander seyn, und durch dieses gegenseitige Verhältniss wiederum ein noch unermesslicheres System ausmachen. In der That siehet man, dass die elliptische Figuren diese Arten neblichter Sterne, welche der Herr von Maupertuis anführet, eine sehr nahe Beziehung auf den Plan der Milchstrasse haben. [**16**] Es stehet hier ein weites Feld zu Entdeckungen offen, wozu die Beobachtung den Schlüssel geben muss. Die eigentlich so genannten neblichten Sterne, und die, über welche man strittig ist, sie so zu benennen, müsten nach Anleitung dieses Lehrbegriffs untersucht und geprüft werden. Wenn man die Theile der Natur nach Absichten und einem entdeckten Entwurfe betrachtet, so eröfnen sich gewisse Eigenschaften, die sonst übersehen werden und verborgen bleiben, wenn sich die Beobachtung ohne Anleitung auf alle Gegenstände zerstreuet.

Der Lehrbegriff, den wir vorgetragen haben, eröfnet uns eine Aussicht in das unendliche Feld der Schöpfung, und bietet eine Vorstellung von dem Werke GOttes dar, die der Unendlichkeit des grossen Werkmeisters gemäss ist. Wenn die Grösse eines planetischen Weltbaues, darinn die Erde als ein Sandkorn kaum bemerket wird, den Verstand in Verwunderung setzt, mit welchem Erstaunen wird man entzücket, wenn man die unendliche Menge Welten und Systemen ansiehet, die den Innbegriff der Milchstrasse erfüllen; allein wie vermehrt sich dieses Erstaunen, wenn man gewahr wird, dass alle diese unermessliche Sternordnungen wiederum die Einheit von einer Zahl machen, deren Ende wir nicht wissen, und die vielleicht eben so wie jene unbegreiflich gross, und doch wiederum noch die Einheit einer neuen Zahlverbindung ist. Wir sehen die ersten Glieder einer fortschreitenden Verhältniss von [17] Welten und Systemen, und der erste Theil dieser unendlichen Progression giebt schon zu erkennen, was man von dem Ganzen vermuthen soll. Es ist hie kein Ende, sondern ein Abgrund einer wahren Unermesslichkeit, worinn alle Fähigkeit der menschlichen Begriffe sinket, wenn sie gleich durch die Hülfe der Zahlwissenschaft erhoben wird. Die Weisheit, die Güte, die Macht, die sich offenbaret hat, ist unendlich, und in eben der Maasse fruchtbar und geschäftig; der Plan ihrer Offenbarung muss daher eben wie sie unendlich und ohne Grenzen seyn.

Es sind aber nicht allein im Grossen wichtige Entdeckungen zu machen, die den Begriff zu erweitern dienen, den man sich von der Grösse der Schöpfung machen kann. Im Kleinern ist nicht weniger unentdeckt, und wir sehen sogar in unserer Sonnenwelt die Glieder eines Systems, die unermesslich weit von einander abstehen, und zwischen welchen man die Zwischentheile noch nicht entdecket hat. Sollte zwischen dem Saturn, dem äussersten unter den Wandelsternen, die wir kennen, und dem am wenigsten eccentrischen Cometen, der vielleicht von einer 10 und mehrmal entlegenern Entfernung zu uns herabsteigt, kein Planet mehr seyn, dessen Bewegung der cometischen näher als jener käme? und solten nicht noch andere mehr durch eine Annäherung ihrer Bestimmungen, vermittelst einer Reihe von Zwischengliedern, die Planeten nach und nach in Cometen verwandeln, und [18] die letztere Gattung mit der erstern zusammenhängen?

Das Gesetz, nach welchem die Eccentricität der Planetenkreise sich in Gegenhaltung ihres Abstandes von der Sonne verhält, unterstützt diese Vermuthung. Die Eccentricität in den Bewegungen der Planeten nimmt mit derselben Abstande von der Sonne zu, und die entfernten Planeten kommen dadurch der Bestimmung der Cometen näher. Es ist also zu vermuthen, dass es noch andere Planeten über dem Saturn geben wird, welche noch eccentrischer, und dadurch also jenen noch näher verwandt, vermittelst einer beständigen Leiter die Planeten endlich zu Cometen machen. Die Eccentricität ist bey der Venus $\frac{1}{126}$ von der halben Achse ihres elliptischen Kreises; bey der Erde $\frac{1}{58}$, beym Jupiter $\frac{1}{20}$, und beym Saturn $\frac{1}{17}$ derselben; sie nimmt also augenscheinlich mit den Entfernungen zu. Es ist wahr, Merkur und Mars nehmen sich durch ihre viel grössere Eccentricität, als das Maass ihres Abstandes von der Sonne es erlaubet, von diesem Gesetze aus; aber wir werden im folgenden belehret werden, dass eben dieselbe Ursachen, weswegen einigen Planeten bey ihrer Bildung eine kleinere Masse zu Theil worden, auch die Ermangelung des zum Cirkellaufe erforderlichen Schwunges, folglich die Eccentricität nach sich gezogen, folglich sie in beyden Stücken unvollständig gelassen hat.

[19] Ist es diesem zu folge nicht wahrscheinlich: dass die Abnahme der Eccentricität der über dem Saturn zunächst befindlichen Himmelskörper ohngefehr eben so gemässigt, als in den untern sey, und dass die Planeten durch minder plötzliche Abfälle mit dem Geschlechte der Cometen verwandt seyn; denn es ist gewiss, dass eben diese Eccentricität den wesentlichen Unterschied zwischen den Cometen und Planeten macht, und die Schweife und Dunstkugeln derselben nur deren Folge seyn; imgleichen, dass eben die Ursache, welche es auch immerhin seyn mag, die den Himmelskörpern ihre Kreisbewegungen ertheilet hat, bey grössern Entfernungen nicht allein schwächer gewesen, den Drehungsschwung der Senkungskraft gleich zu machen, und dadurch die Bewegungen eccentrisch gelassen hat, sondern auch eben deswegen weniger

vermögend gewesen, die Kreise dieser Kugeln auf eine gemeinschaftliche Fläche, auf welcher sich die untern bewegen, zu bringen, und dadurch die Ausschweifung der Cometen nach allen Gegenden veranlasset hat.

Man würde nach dieser Vermuthung noch vielleicht die Entdeckung neuer Planeten über den Saturn zu hoffen haben, die eccentrischer als dieser, und also der cometischen Eigenschaft näher seyn würden; aber eben daher würde man sie nur eine kurze Zeit, nemlich in der Zeit ihrer Sonnennähe, erblicken können, welcher Umstand zusammt dem geringen Maasse der Annäherung und [**20**] der Schwäche des Lichts die Entdeckung desselben bisher verhindert haben, und auch aufs künftige schwer machen müssen. Der letzte Planet und erste Comet würde, wenn es so beliebte, derjenige können genannt werden, dessen Eccentricität so gross wäre, dass er in seiner Sonnennähe den Kreis des ihm nächsten Planeten, vielleicht also des Saturns, durchschnitte.

[21] Allgemeine

Naturgeschichte und Theorie des Himmels.

Zweyter Theil,

von dem

ersten Zustande der Natur, der Bildung der Himmelskörper, den Ursachen ihrer Bewegung, und der systematischen Beziehung derselben, sowol in dem Planetengebäude insonderheit, als auch in Ansehung der ganzen Schöpfung.

Schau sich die bildende Natur zu ihrem grossen Zweck bewegen,
Ein jedes Sonnenstäubchen sich zu einem andern Stäubchen regen,
Ein jedes, das gezogen wird, das andere wieder an sich ziehn,
Das nächste wieder zu umfassen, es zu formiren sich bemühn.
Beschaue die Materie auf tausend Art und Weise sich
Zum allgemeinen Centro drängen. Pope.

[22. 23] **Erstes Hauptstück,**

von dem

Ursprunge des planetischen Weltbaues überhaupt, und den Ursachen ihrer Bewegungen.

Die Betrachtung des Weltbaues zeiget in Ansehung der gewechselten Beziehungen, die seine Theile unter einander haben, und wodurch sie die Ursache bezeichnen, von der sie herstammen, zwo Seiten, welche beyde gleich wahrscheinlich und annehmungswürdig seyn. Wenn man eines Theils [**24**] erweget: dass 6 Planeten mit 9 Begleitern, die um die Sonne, als ihren Mittelpunkt, Kreise beschreiben, alle nach einer Seite sich bewegen, und zwar nach derjenigen, nach welcher sich die Sonne selber drehet, welche ihrer alle Umläufe durch die Kraft der Anziehung regieret, dass ihre Kreise nicht weit von einer gemeinen Fläche abweichen, nemlich von der verlängerten Aeqvatorsfläche der Sonnen, dass bey den entferntesten der zur Sonnenwelt gehörigen Himmelskörper, wo die gemeine Ursache der Bewegung dem Vermuthen nach nicht so kräftig gewesen, als in der Naheit zum Mittelpuncte Abweichungen von der Genauheit dieser Bestimmungen Statt gefunden, die mit dem Mangel der eingedruckten Bewegung ein genugsames Verhältniss haben, wenn man, sage ich, allen diesen Zusammenhang erweget: so wird man bewogen, zu glauben, dass eine Ursache, welche es auch sey, einen durchgängigen Einfluss in dem ganzen Raume des Systems gehabt hat, und dass die Einträchtigkeit in der Richtung und Stellung der planetischen Kreise eine Folge der Uebereinstimmung sey, die sie alle mit derjenigen materialischen Ursache gehabt haben müssen, dadurch sie in Bewegung gesetzet worden.

Wenn wir andern Theils den Raum erwegen, in dem die Planeten unsers Systems herum laufen, so ist er vollkommen leer*) und aller Materie [25] beraubt, die eine Gemeinschaft des Einflusses auf diese Himmelskörper verursachen, und die Uebereinstimmung unter ihren Bewegungen nach sich ziehen könnte. Dieser Umstand ist mit vollkommener Gewissheit ausgemacht, und übertrifft noch, wo möglich, die vorige Wahrscheinlichkeit. Newton, durch diesen Grund bewogen, konnte keine materialische Ursache verstatten, die durch ihre Erstreckung in dem Raume des Planetengebäudes die Gemeinschaft der Bewegungen unterhalten sollte. Er behauptete, die unmittelbare Hand GOttes habe diese Anordnung ohne die Anwendung der Kräfte der Natur ausgerichtet.

Man siehet bey unpartheyischer Erwegung: dass die Gründe hier von beyden Seiten gleich stark und beyde einer völligen Gewissheit gleich zu schätzen seyn. Es ist aber eben so klar, dass ein Begriff seyn müsse, in welchem diese dem Scheine nach wider einander streitende Gründe vereiniget werden können und sollen, und dass in diesem Begriffe das wahre System zu suchen sey. Wir wollen ihn mit kurzen Worten

*) Ich untersuche hier nicht, ob dieser Raum in dem allereigentlichsten Verstande könne leer genannt werden. Denn allhier ist genug zu bemerken, dass alle Materie, die etwa in diesem Raume anzutreffen seyn möchte, viel zu unvermögend sey, als dass sie in Ansehung der bewegten Massen, von denen die Frage ist, einige Wirkung verüben könnte.

anzeigen. In der jetzigen Verfassung des Raumes, darin die Kugeln der ganzen Planetenwelt umlaufen, ist keine materialische Ursache [26] vorhanden, die ihre Bewegungen eindrücken oder richten könnte. Dieser Raum ist vollkommen leer, oder wenigstens so gut als leer; also muss er ehemals anders beschaffen und mit genugsam vermögender Materie erfüllet gewesen seyn, die Bewegung auf alle darinn befindliche Himmelskörper zu übertragen, und sie mit der ihrigen, folglich alle unter einander einstimmig zu machen, und nachdem die Anziehung besagte Räume gereinigt und alle ausgebreitete Materie in besondere Klumpen versammlet; so müssen die Planeten nunmehro mit der einmal eingedrückten Bewegung ihre Umläufe in einem nicht widerstehenden Raume frey und unverändert fortsetzen. Die Gründe der zuerst angeführten Wahrscheinlichkeit erfordern durchaus diesen Begriff, und weil zwischen beyden Fällen kein dritter möglich ist; so kann dieser mit einer vorzüglichen Art des Beyfalles, welcher ihn über die Scheinbarkeit einer Hypothese erhebet, angesehen werden. Man könnte, wenn man weitläuftig seyn wollte, durch eine Reihe aus einander gefolgerter Schlüsse, nach der Art einer mathematischen Methode, mit allem Gepränge, den diese mit sich führet und noch mit grösserm Schein, als ihr Aufzug in physischen Materien gemeinhin zu seyn pfleget, endlich auf den Entwurf selber kommen, den ich von dem Ursprunge des Weltgebäudes darlegen werde; allein ich will meine Meinungen lieber in der Gestalt einer Hypothese vortragen, und der Einsicht des Lesers es überlassen, ihre Würdigkeit zu prüfen, als durch den Schein einer erschlichenen [27] Ueberführung ihre Gültigkeit verdächtig machen, und indem ich die Unwissenden einnehme, den Beyfall der Kenner verlieren.

Ich nehme an: dass alle Materien, daraus die Kugeln, die zu unserer Sonnenwelt gehören, alle Planeten und Cometen bestehen, im Anfange aller Dinge in ihren elementarischen Grundstoff aufgelöset, den ganzen Raum des Weltgebäudes erfüllet haben, darinn jetzo diese gebildete Körper herumlaufen. Dieser Zustand der Natur, wenn man ihn, auch ohne Absicht auf ein System, an und vor sich selbst betrachtet, scheinet nur der einfachste zu seyn, der auf das Nichts folgen kann. Damals hatte sich noch nichts gebildet. Die Zusammensetzung von einander abstehender Himmelskörper, ihre nach den Anziehungen gemässigte Entfernung; ihre Gestalt, die aus dem Gleichgewichte der versammleten Materie entspringet, sind ein späterer Zustand. Die Natur, die unmittelbar mit der Schöpfung gränzete, war so roh, so ungebildet als möglich. Allein auch in den wesentlichen Eigenschaften der Elemente, die das Chaos ausmachen, ist das Merkmal derjenigen Vollkommenheit zu spüren, die sie von ihrem Ursprunge her haben, indem ihr Wesen aus der ewigen Idee des göttlichen Verstandes eine Folge ist. Die einfachsten, die allgemeinsten Eigenschaften, die ohne Absicht scheinen entworfen zu seyn; die Materie, die bloss leidend und der Formen und Anstalten bedürftig zu seyn scheinet, hat in ihrem einfachsten [**28**] Zustande eine Bestrebung, sich durch eine natürliche Entwickelung zu einer vollkommenern Verfassung zu bilden. Allein die Verschiedenheit in den Gattungen der Elemente träget zu der Regung der Natur und zur Bildung des Chaos das vornehmste bey, als wodurch die Ruhe, die bey einer allgemeinen Gleichheit unter den zerstreuten Elementen herrschen würde, gehoben, und das Chaos in den Punkten der stärker anziehenden Partikeln sich zu bilden anfängt. Die Gattungen dieses Grundstoffes sind ohne Zweifel, nach der Unermesslichkeit, die die Natur an allen Seiten zeigt, unendlich verschieden. Die von gröster specifischen Dichtigkeit und Anziehungskraft, welche an und vor sich weniger Raum einnehmen und auch seltener seyn, werden daher bey der gleichen Austheilung in dem Raume der Welt zerstreuter, als die leichtern Arten seyn. Elemente von 1000mal grösserer specifischen Schwere sind tausend, vielleicht auch Millionenmal zerstreuter, als die in diesem Maasse leichtern. Und da diese Abfälle so unendlich als möglich müssen gedacht werden, so wird, gleichwie es körperliche Bestandtheile von einer Gattung geben kan, die eine andere in dem Maasse an Dichtigkeit übertrifft, als eine Kugel, die mit dem Radius des Planetengebäudes beschrieben worden, eine andere, die den tausendsten Theil einer Linie im Durchmesser hat, also auch jene Art von zerstreuten Elementen um einen so viel grössern Abstand von einander entfernet seyn, als diese.

[**29**] Bey einem auf solche Weise erfüllten Raume dauert die allgemeine Ruhe nur einen Augenblick. Die Elemente haben wesentliche Kräfte, einander in Bewegung zu setzen, und sind sich selber eine Qvelle des Lebens. Die Materie ist sofort in Bestrebung, sich zu bilden. Die zerstreuten Elemente dichterer Art sammeln, vermittelst der Anziehung,

aus einer Sphäre rund um sich alle Materie von minder specifischer Schwere; sie selber aber, zusamt der Materie, die sie mit sich vereinigt haben, sammlen sich in den Puncten, da die Theilchen von noch dichterer Gattung befindlich seyn, diese gleichergestalt zu noch dichteren und so fortan. Indem man also dieser sich bildenden Natur in Gedanken durch den ganzen Raum des Chaos nachgehet, so wird man leichtlich inne: dass alle Folgen dieser Wirkung zuletzt in der Zusammensetzung verschiedener Klumpen bestehen würde, die nach Verrichtung ihrer Bildungen durch die Gleichheit der Anziehung ruhig und auf immer unbewegt seyn würden.

Allein die Natur hat noch andere Kräfte im Vorrath, welche sich vornemlich äussern, wenn die Materie in feine Theilchen aufgelöset ist, als wodurch selbige einander zurück stossen und durch ihren Streit mit der Anziehung diejenige Bewegung hervor bringen, die gleichsam ein dauerhaftes Leben der Natur ist. Durch diese Zurückstossungskraft, die sich in der Elasticität der Dünste, dem Ausflusse starkriechender Körper und der Ausbreitung aller geistigen Materien offenbaret, und die ein unstreitiges [30] Phänomenon der Natur ist, werden die zu ihren Anziehungspunkten sinkende Elemente durcheinander von der geradlinichten Bewegung seitwärts gelenket, und der senkrechte Fall schlägt in Kreisbewegungen aus, die den Mittelpunkt der Senkung umfassen. Wir wollen, um die Bildung des Weltbaues deutlich zu begreifen, unsere Betrachtung von dem unendlichen Inbegriffe der Natur auf ein besonderes System einschränken, so wie dieses zu unserer Sonne gehörige ist. Nachdem wir die Erzeugung desselben erwogen haben, so werden wir auf eine ähnliche Weise zu dem Ursprunge der höhern Weltordnungen fortschreiten, und die Unendlichkeit der ganzen Schöpfung in einem Lehrbegriffe zusammen fassen können.

Wenn demnach ein Punkt in einem sehr grossen Raume befindlich ist, wo die Anziehung der daselbst befindlichen Elemente stärker als allenthalben um sich wirket; so wird der in dem ganzen Umfange ausgebreitete Grundstoff elementarischer Partikeln sich zu diesem hinsenken. Die erste Wirkung dieser allgemeinen Senkung ist die Bildung eines Körpers in diesem Mittelpunkte der Attraction, welcher so zu sagen von einem unendlich kleinen Keime, in schnellen Graden fortwächset, aber in eben der Maasse, als diese Masse sich vermehret, auch mit stärkerer Kraft die umgebenden

Theile zu seiner Vereinigung beweget. Wenn die Masse dieses Centralkörpers so weit angewachsen ist, dass die Geschwindigkeit, womit er die Theilchen von grossen [31] Entfernungen zu sich zieht, durch die schwachen Grade der Zurückstossung, womit selbige einander hindern, seitwärts gebeuget in Seitenbewegungen ausschläget, die den Centralkörper, vermittelst der Centerfliehkraft, in einem Kreise zu umfassen im Stande seyn: so erzeugen sie grosse Wirbel von Theilchen, deren jedes vor sich krumme Linien durch die Zusammensetzung der anziehenden und der seitwärts gelenkten Umwendungskraft beschreibet; welche Art von Kreisen alle einander durchschneiden, wozu ihnen ihre grosse Zerstreuung in diesem Raume Platz lässt. Indessen sind diese auf mancherley Art unter einander streitende Bewegungen natürlicher Weise bestrebt, einander zur Gleichheit zu bringen, das ist, in einen Zustand, da eine Bewegung der andern so wenig als möglich hinderlich ist. Dieses geschiehet erstlich, indem die Theilchen, eines des andern Bewegung so lange einschränken, bis alle nach einer Richtung fortgehen; zweytens, dass die Partikeln ihre Vertikalbewegung, vermittelst der sie sich dem Centro der Attraction nähern, so lange einschränken, bis sie alle horizontal, d. i. in parallel laufenden Zirkeln um die Sonne als ihren Mittelpunkt beweget, einander nicht mehr durchkreutzen, und durch die Gleichheit der Schwungskraft mit der senkenden sich in freyen Zirkelläufen in der Höhe, da sie schweben, immer erhalten; so dass endlich nur diejenige Theilchen in dem Umfange des Raumes schweben bleiben, die durch ihr Fallen eine Geschwindigkeit, und durch die Widerstehung der andern eine Richtung bekommen [32] haben, dadurch sie eine f r e y e Z i r k e l b e w e g u n g fortsetzen können. In diesem Zustande, da alle Theilchen nach einer Richtung und in parallellauffenden Kreisen, nemlich in freyen Zirkelbewegungen durch die erlangte Schwungskräfte um den Centralkörper laufen, ist der Streit und der Zusammenlauf der Elemente gehoben, und alles ist in dem Zustande der kleinsten Wechselwirkung. Dieses ist die natürliche Folge, darein sich allemal eine Materie, die in streitenden Bewegungen begriffen ist, versetzet. Es ist also klar, dass von der zerstreuten Menge der Partikeln eine grosse Menge durch den Wideustand, dadurch sie einander auf diesen Zustand zu bringen suchen, zu solcher Genauigkeit der Bestimmungen gelangen muss; obgleich eine noch viel grössere Menge dazu nicht gelanget, und nur dazu dienet, den Klumpen des Centralkörpers zu vermehren, in welchen sie sinken, indem sie sich nicht in der Höhe, darinn sie schweben, frey erhalten können, sondern die Kreise der untern durchkreutzen und endlich durch deren Widerstand alle Bewegung verlieren. Dieser Körper in dem Mittelpunkte der Attraction, der diesem zufolge das Hauptstück des planetischen Gebäudes durch die Menge seiner versammleten Materie worden ist, ist die Sonne, ob sie gleich diejenige flammende Gluth alsdenn noch nicht hat, die nach völlig vollendeter Bildung auf ihrer Oberfläche hervor bricht.

Noch ist zu bemerken: dass, indem also alle Elemente der sich bildenden Natur, wie erwiesen, [**33**] nach einer Richtung um den Mittelpunkt der Sonne sich bewegen, bey solchen nach einer einzigen Gegend gerichteten Umläufen, die gleichsam auf einer gemeinschaftlichen Achse geschehen, die Drehung der feinen Materie in dieser Art nicht bestehen kann; weil nach den Gesetzen der Centralbewegung alle Umläufe mit dem Plan ihrer Kreise den Mittelpunkt der Attraction durchschneiden müssen; unter allen diesen aber um eine gemeinschaftliche Achse, nach einer Richtung laufenden Zirkeln nur ein einziger ist, der den Mittelpunkt der Sonne durchschneidet, daher alle Materie von beyden Seiten dieser in Gedanken gezogenen Achse nach demjenigen Cirkel hineilet, der durch die Achse der Drehung gerade in dem Mittelpunkte der gemeinschaftlichen Senkung gehet. Welcher Zirkel der Plan der Beziehung aller herumschwebenden Elemente ist, um welchen sie sich so sehr als möglich häufen, und dagegen die von dieser Fläche entferneten Gegenden leer lassen; denn diejenigen, welche dieser Fläche, zu welcher sich alles dränget, nicht so nahe kommen können, werden sich in den Oertern, wo sie schweben, nicht immer erhalten können, sondern, indem sie an die herumschwebenden Elemente stossen, ihren endlichen Fall zu der Sonne veranlassen.

Wenn man also diesen herumschwebenden Grundstoff der Weltmaterie in solchem Zustande, darinn er sich selbst durch die Anziehung und durch einen mechanischen Erfolg der allgemeinen Gesetze des Widerstandes versetzet, erweget; so sehen wir [**34**] einen Raum, der zwischen zwey nicht weit von einander abstehenden Flächen, in dessen Mitte der allgemeine Plan der Beziehung sich befindet, begriffen ist, von dem Mittelpunkte der Sonne an, in unbekannte Weiten ausgebreitet, in welchem alle begriffene Theilchen, jegliche nach Maassgebung ihrer Höhe und der Attraction, die daselbst herrschet, abgemessene Zirkelbewegungen in freyen Umläufen verrichten, und daher, indem sie bey solcher Verfassung einander so wenig als möglich mehr hindern, darinn immer verbleiben würden, wenn die Anziehung dieser Theilchen des Grundstoffes unter einander nicht alsdenn anfienge, seine Wirkung zu thun und neue Bildungen, die der Saame zu Planeten, welche entstehen sollen, seyn, dadurch veranlassete. Denn, indem die um die Sonne in parallelen Zirkeln bewegte Elemente, in nicht gar zu grossem Unterschiede des Abstandes von der Sonne genommen, durch die Gleichheit der parallelen Bewegung, beynahe in respectiver Ruhe gegen einander seyn; so thut die Anziehung der daselbst befindlichen Elemente, von übertreffender specifischer Attraction, sogleich hier eine beträchtliche Wirkung*), die Sammlung [**35**] der nächsten Partikeln zur Bildung eines Körpers anzufangen, der, nach dem Maasse des Anwuchses seines Klumpens, seine Anziehung weiter ausbreitet, und die Elemente aus weitem Umfange zu seiner Zusammensetzung bewegt.

Die Bildung der Planeten, in diesem System, hat vor einem jeden möglichen Lehrbegriffe dieses voraus: dass der Ursprung der Massen zugleich den Ursprung der Bewegungen und die Stellung der Kreise in eben demselben Zeitpuncte darstellet; ja, dass sogar die Abweichungen von der grössesten Genauheit in diesen Bestimmungen eben sowol, als die Uebereinstimmungen selber, in einem Anblicke erhellen. Die Planeten bilden sich aus den Theilchen, welche in der Höhe, da sie schweben, genaue Bewegungen zu Zirkelkreisen haben: also werden die aus ihnen zusammengesetzte Massen eben dieselbe Bewegungen, in eben dem Grade, nach eben derselben Richtung fortsetzen. Dieses ist genug, um einzusehen, woher die Bewegung der Planeten ohngefehr cirkelförmig, und ihre Kreise auf einer Fläche seyn. Sie würden auch ganz genaue Zirkel

---

*) Der Anfang der sich bildenden Planeten ist nicht allein in der Newtonischen Anziehung zu suchen. Diese würde bey einem Partikelchen, von so ausnehmender Feinigkeit, gar zu langsam und schwach seyn. Man würde vielmehr sagen, dass in diesem Raume die erste Bildung durch den Zusammenlauf einiger Elemente, die sich durch die gewöhnlichen Gesetze des Zusammenhanges vereinigen, geschehe, bis derjenige Klumpen, der daraus entstanden, nach und nach so weit angewachsen, dass die Newtonische Anziehungskraft an ihm vermögend geworden, ihn durch seine Wirkung in die Ferne immer mehr zu vergrössern.

seyn*), wenn die [36] Weite, daraus sie die Elemente zu ihrer Bildung versammlen, sehr klein, und also der Unterschied ihrer Bewegungen sehr gering wäre. Da aber dazu ein weiter Umfang gehöret, aus dem feinen Grundstoffe, der in dem Himmelsraum so sehr zerstreuet ist, einen dichten Klumpen eines Planeten zu bilden; so ist der Unterschied der Entfernungen, die diese Elemente von der Sonne haben, und mithin auch der Unterschied ihrer Geschwindigkeiten nicht mehr geringschätzig, folglich würde nöthig seyn, dass, um bey diesem Unterschiede der Bewegungen dem Planeten die Gleichheit der Centralkräfte und die Zirkelgeschwindigkeit zu erhalten, die Theilchen, die aus verschiedenen Höhen mit verschiedenen Bewegungen auf ihm zusammen kommen, eine den Mangel der andern genau ersetzten, welches, ob es gleich in der That ziemlich genau geschiehet**), dennoch, da an dieser vollkommenen [37] Ersetzung etwas fehlet, den Abgang an der Zirkelbewegung und die Eccentricität nach sich ziehet. Eben so leicht erhellet, dass, obgleich die Kreise aller Planeten billig auf einer Fläche seyn sollten, dennoch auch in diesem Stücke eine kleine Abweichung anzutreffen ist, weil, wie schon erwehnet, die elementarischen Theilchen, da sie sich dem allgemeinen Bestehungsplane ihrer Bewegungen so nahe als möglich befinden, dennoch einigen Raum von beyden Seiten desselben einschliessen; da es denn ein gar zu glückliches Ohngefehr seyn würde, wenn gerade alle Planeten ganz genau in der Mitte zwischen diesen zwey Seiten, in der Fläche der Beziehung, selber sich zu bilden anfangen sollten, welches denn

---

*) Diese abgemessene Cirkelbewegung betrifft eigentlich nur die der Sonne nahen Planeten: denn von den grossen Entfernungen, da sich die entlegensten Planeten oder auch die Cometen gebildet haben, ist leicht zu vermuthen, dass, weil die sinkende Bewegung des Grundstoffs daselbst viel schwächer, die Weitläufigkeit der Räume, da sie zerstreuet seyn, auch grösser ist, die Elemente daselbst an und vor sich schon von der zirkelgleichen Bewegung abweichen, und dadurch die Ursache der daraus gebildeten Körper seyn müssen.

**) Denn die Theilchen, von der zur Sonne nähern Gegend, welche eine grössere Umlaufsgeschwindigkeit haben, als in dem Orte, da sie auf dem Planeten sich versammlen, zur Cirkelbewegung erfordert wird, ersetzen dasjenige, was denen von der Sonne entfernteren Theilchen, die sich eben demselben Körper einverleiben, an Geschwindigkeit fehlet, um in dem Abstande des Planeten zirkelförmig zu laufen.

schon einige Neigung ihrer Kreise gegen einander veranlasset, obschon die Bestrebung der Partikeln, von beyden Seiten diese Ausweichung so sehr als möglich einzuschränken, ihr nur enge Grenzen zulässet. Man darf sich also nicht wundern, auch hier die grösseste Genauheit der Bestimmungen so wenig, wie bey allen Dingen der Natur, anzutreffen, weil überhaupt die Vielheit der Umstände, die an jeglicher Naturbeschaffenheit Antheil nehmen, eine abgemessene Regelmässigkeit nicht verstattet.

---

[38]

Zweytes Hauptstück,

von der

verschiedenen Dichtigkeit der Planeten, und dem Verhältnisse ihrer Massen.

Wir haben gezeiget, dass die Theilchen des elementarischen Grundstoffes, da sie an und vor sich in dem Weltraume gleich ausgetheilet waren, durch ihr Niedersinken zur Sonne, in den Orten schweben geblieben, wo ihre im Fallen erlangte Geschwindigkeit gerade die Gleichheit gegen die Anziehung leistete, und ihre Richtung so, wie sie bei der Zirkelbewegung seyn soll, senkrecht gegen den Zirkelstrahl gebeuget worden. Wenn wir nun aber Partikeln, von unterschiedlicher specifischer Dichtigkeit, in gleichem Abstande von der Sonne gedenken, so dringen die von grösserer specifischen Schwere tiefer, durch den Widerstand der andern zur Sonne hindurch, und werden nicht so bald von ihrem Wege abgebeuget, als die leichteren; daher ihre Bewegung nur in einer grösseren Annäherung zur Sonne zirkelförmigt wird. Dagegen werden die Elemente leichterer Art, eher von dem geradlinichten Falle abgebeuget, in Zirkelbewegungen ausschlagen, ehe sie so tief zu dem Centro hindurch gedrungen seyn, und also in grösseren Entfernungen schweben bleiben, auch durch den erfüllten Raum der Elemente nicht so tief hindurch dringen können, ohne [39] dass ihre Bewegung durch dieser ihren Widerstand geschwächet wird, und sie die grossen Grade der Geschwindigkeit, die zur Umwendung näher beym Mittelpunkte erfordert werden, nicht erlangen können; also werden, nach erlangter Gleichheit der Bewegungen, die specifisch leichtern Partikeln in weitern Entfernungen von der Sonne umlaufen, die schwereren aber in den näheren anzutreffen seyn, und die Planeten, die sich aus ihnen bilden, werden daher dichterer Art seyn, welche sich näher zur Sonne, als die sich weiter von ihr aus dem Zusammenlaufe dieser Atomen formiren.

Es ist also eine Art eines statischen Gesetzes, welches den Materien des Weltraumes ihre Höhen, nach dem verkehrten Verhältnisse der Dichtigkeit, bestimmet. Gleichwohl ist er eben so leicht zu begreifen: dass nicht eben eine jegliche Höhe nur Partikeln von gleicher specifischen Dichtigkeit einnehmen müsse. Von denen Theilchen, von gewisser specifischen Gattung, bleiben diejenigen in grössern Weiten von der Sonne schweben, und erlangen die zur beständigen Zirkelbewegung erforderliche Mässigung ihres Falles in weiterm Abstande, welche von grössern Entfernungen zu ihr herabgesunken; dagegen die, deren ursprünglicher Ort, bey der allgemeinen Austheilung der Materien im Chaos, der Sonne näher war, ungeachtet ihrer nicht grössern Dichtigkeit, näher zu dieser ihrem Zirkel des Umlaufs kommen werden. Und da also die Oerter der Materien, in Ansehung des Mittelpunkts ihrer [40] Senkung, nicht allein durch die specifische Schwere derselben, sondern auch durch ihre ursprünglichen Plätze, bei der ersten Ruhe der Natur bestimmet werden: so ist leicht zu erachten, dass ihrer sehr verschiedene Gattungen, in jedem Abstande von der Sonne, zusammen kommen werden, um daselbst hängen zu bleiben, dass überhaupt aber die dichtern Materien häufiger zu dem Mittelpunkte hin, als weiter von ihm ab, werden angetroffen werden; und dass also, ungeachtet die Planeten eine Mischung sehr verschiedentlicher Materien seyn werden, dennoch überhaupt ihre Massen dichter seyn müssen, nach dem Maasse, als sie der Sonne näher seyn, und minderer Dichtigkeit, nachdem ihr Abstand grösser ist.

Unser System zeiget in Ansehung dieses, unter den Planeten herrschenden Gesetzes ihrer Dichtigkeiten, eine vorzügliche Vollkommenheit vor allen denjenigen Begriffen, die man sich von ihrer Ursache gemacht hat, oder noch machen könnte. Newton, der die Dichtigkeit einiger Planeten durch Rechnung bestimmet hatte, glaubte, die Ursache, ihres nach dem Abstande eingerichteten Verhältnisses, in der Anständigkeit der Wahl GOttes und in den Bewegungsgründen seines Endzwecks zu finden; weil die der Sonne näheren Planeten mehr Hitze von ihr aushalten müssen, und die entferntern, mit wenigern Graden der Wärme sich behelfen sollen; welches nicht möglich zu seyn scheinet, wenn die, der Sonne nahen Planeten, nicht dichterer

Art, [41] und die entferneteren von leichterer Materie zusammengesetzt wären. Allein die Unzulänglichkeit einer solchen Erklärung einzusehen, erfordert nicht eben viel Nachsinnen. Ein Planet, z. E. unsere Erde, ist aus sehr weit von einander unterschiedenen Gattungen Materie zusammen gesetzt; unter diesen war es nun nöthig, dass die leichteren, die durch die gleiche Wirkung der Sonne mehr durchdrungen und bewegt werden, deren Zusammensatz ein Verhältniss zu der Wärme hat, womit ihre Strahlen wirken, auf der Oberfläche ausgebreitet seyn mussten; allein dass die Mischung der übrigen Materien, im Ganzen des Klumpens, diese Beziehung haben müssen, erhellet hieraus gar nicht; weil die Sonne auf das innere der Planeten gar keine Wirkung thut. Newton befurchte, wenn die Erde bis zu der Nähe des Merkurs in den Strahlen der Sonne versenket würde, so dürfte sie wie ein Comet brennen, und ihre Materie nicht genugsame Feuerbeständigkeit haben, um durch diese Hitze nicht zerstreuet zu werden. Allein, um wie vielmehr müsste der Sonnen eigene Materie selber, welche doch 4mal leichter, als die ist, daraus die Erde besteht, von dieser Gluth zerstöret werden; oder warum ist der Mond zweymal dichter, als die Erde, da er doch mit dieser in eben demselben Abstande von der Sonne schwebet. Man kann also die proportionirten Dichtigkeiten nicht der Verhältniss zu der Sonnenwärme zuschreiben, ohne sich in die grösseste Widersprüche zu verwickeln. Man siehet vielmehr eine Ursache, die die Oerter der Planeten [42] nach der Dichtigkeit ihres Klumpens austheilet, müsse auf das innere ihrer Materie, und nicht auf ihre Oberfläche eine Beziehung gehabt haben; sie müsse, ohnerachtet dieser Folge, die sie bestimmete, doch eine Verschiedenheit der Materie in eben demselben Himmelskörper verstatten, und nur im Ganzen des Zusammensatzes dieses Verhältniss der Dichtigkeit fest setzen; welchem allen, ob irgend ein anderes statisches Gesetze, als wie das, so in unserer Lehrverfassung vorgetragen wird, ein Gnüge leisten könne, überlasse ich der Einsicht des Lesers, zu urtheilen.

Das Verhältniss unter den Dichtigkeiten der Planeten führet noch einen Umstand mit sich, der, durch eine völlige Uebereinstimmung mit der vorher entworfenen Erklärung, die Richtigkeit unseres Lehrbegriffes bewähret. Der Himmelskörper, der in dem Mittelpunkte anderer um ihn laufenden Kugeln stehet, ist gemeiniglich leichterer Art, als der Körper, der am nächsten um ihn herum läuft. Die Erde in Ansehung des

Mondes, und die Sonne in Ansehung der Erde, zeigen ein solches Verhältniss ihrer Dichtigkeiten. Nach dem Entwurfe, den wir dargelegt haben, ist eine solche Beschaffenheit nothwendig. Denn, da die untern Planeten vornemlich von dem Ausschusse der elementarischen Materie gebildet worden, welche durch den Vorzug ihrer Dichtigkeit, bis zu solcher Nähe zum Mittelpunkte, mit dem erforderlichen Grade der Geschwindigkeit haben dringen können; dagegen der [43] Körper in dem Mittelpunkte selber, ohne Unterscheid aus denen Materien aller vorhandenen Gattungen, die ihre gesetzmässige Bewegungen nicht erlanget haben, zusammen gehäufet worden, unter welchen, da die leichteren Materien den grössesten Theil ausmachen, es leicht einzusehen ist, dass, weil der nächste oder die nächsten zu dem Mittelpunkte umlaufenden Himmelskörper gleichsam eine Aussonderung dichterer Sorten, der Centralkörper aber, eine Mischung von allen ohne Unterschied in sich fasset, jenes seine Substanz dichterer Art, als dieser seyn werde. In der That ist auch der Mond 2mal dichter als die Erde, und diese 4mal dichter als die Sonne, welche allem Vermuthen nach von den noch tieferen, der Venus und dem Merkur, in noch höheren Graden an Dichtigkeit wird übertroffen werden.

Anjetzo wendet sich unser Augenmerk auf das Verhältniss, welches die Massen der Himmelskörper nach unserem Lehrbegriff, in Vergleichung ihrer Entfernungen, haben sollen, um das Resultat unseres Systems an den untrieglichen Rechnungen des Newton zu prüfen. Es bedarf nicht viel Worte, um begreiflich zu machen: dass der Centralkörper jederzeit das Hauptstück seines Systems, folglich die Sonne auf eine vorzügliche Art an Masse grösser, als die gesammten Planeten, seyn müsse; wie denn dieses auch vom Jupiter, in Ansehung seiner Nebenplaneten, und vom Saturn, in Betrachtung der seinigen, gelten wird. Der Centralkörper [44] bildet sich aus dem Niedersatze aller Partikeln, aus dem ganzen Umfange seiner Anziehungssphäre, welche die genaueste Bestimmung der Zirkelbewegung, und die nahe Beziehung auf die gemeinschaftliche Fläche, nicht haben bekommen können, und deren ohne Zweifel eine ungemein grössere Menge, als der letzteren, seyn muss. Um an der Sonne vornemlich diese Betrachtung anzuwenden: wenn man die Breite des Raumes, um den die in Zirkeln umlaufende Partikeln, welche den Planeten zum Grundstoffe gedienet haben, am weitesten von der gemeinschaftlichen Fläche abgewichen sind, schätzen will: so kann man sie ohngefehr etwas grösser, als die Breite der grössesten Abweichung der Planetenkreise von einander annehmen. Nun macht aber, indem sie von der gemeinschaftlichen Fläche nach beyden Seiten ausschweifen, ihre grösste Neigung gegen einander kaum $7\frac{1}{2}$ Grade aus. Also kann man alle Materie, daraus die Planeten sich gebildet haben, sich als in denjenigen Raum ausgebreitet gewesen, vorstellen, der zwischen zwey Flächen, von dem Mittelpunkte der Sonne aus, begriffen war, die einen Winkel von $7\frac{1}{2}$ Grade einschlossen. Nun ist aber eine, nach der Richtung des grössten Zirkels, gehende Zone von $7\frac{1}{2}$ Grad Breite, etwas mehr als der 17te Theil der Kugelfläche, also der körperliche Raum zwischen den zwo Flächen, die den sphärischen Raum in der Breite obgedachten Winkels ausschneiden, etwas mehr, als der 17te Theil des körperlichen Innhalts der ganzen Sphäre. Also würde dieser Hypothese gemäss alle [**45**] Materie, die zur Bildung der Planeten angewandt worden, ohngefehr den siebenzehnten Theil derjenigen Materie ausmachen, die die Sonne aus eben der Weite, als der äusserste Planet stehet, von beyden Seiten zu ihrer Zusammensetzung gesammlet hat. Allein dieser Centralkörper hat einen Vorzug des Klumpens vor dem gesammten Innhalte aller Planeten, der nicht zu diesem wie 17 : 1, sondern wie 650 zu 1 ist, wie die Ausrechnung des Newton es bestimmet; aber es ist auch leicht einzusehen, dass in den obern Räumen über dem Saturn, wo die planetischen Bildungen entweder aufhören, oder doch selten seyn, wo nur einige wenige cometische Körper sich gebildet haben, und wo vornemlich die Bewegungen des Grundstoffes, indem sie daselbst nicht geschickt seyn, zu der gesetzmässigen Gleichheit der Centralkräfte zu gelangen, als in der nahen Gegend zum Centro, nur in eine fast allgemeine Senkung zum Mittelpunkte ausschlagen, und die Sonne mit aller Materie aus so weit ausgedehnten Räumen vermehren, dass, sage ich, aus diesen Ursachen der Sonnenklumpen die so vorzügliche Grösse der Masse erlangen müsse.

Um aber die Planeten in Ansehung ihrer Massen unter einander zu vergleichen: so bemerken wir erstlich, dass nach der angezeigten Bildungsart die Qvantität der Materie, die in den Zusammensatz eines Planeten kommt, auf die Weite seiner Entfernung von der Sonne vornemlich ankomme: 1) darum, weil die Sonne durch ihre Anziehung [**46**] die Sphäre der Attraction eines Planeten einschränkt, aber bey gleichen Umständen der entfernteren ihre nicht so enge einschränkt, als der nahen: 2) weil die Zirkel, aus denen alle Theilchen zusammen gekommen seyn, einen Planeten auszumachen, mit grösserem Radius beschrieben werden, also mehr Grundstoff, als die kleinern Zirkel in sich fassen: 3) weil aus eben dem letzten Grunde die Breite zwischen den zwey Flächen der grössesten Abweichung, bey gleicher Anzahl Grade, in grossen Höhen grösser, als in kleinen ist. Dagegen wird dieser Vorzug der entfernteren Planeten, vor den niedrigern, zwar dadurch eingeschränkt, dass die Partikeln näher zur Sonne dichterer Art, und allem Ansehen nach auch weniger zerstreuet, als in grösserem Abstande seyn werden; allein man kann leicht ermessen, dass die ersteren Vortheile, zu Bildung grosser Massen, die letztern Einschränkungen dennoch weit übertreffen, und überhaupt die Planeten, die sich in weitem Abstande von der Sonne bilden, grössere Massen, als die nahen bekommen müssen. Dieses geschiehet also in so ferne man sich die Bildung eines Planeten nur als in Gegenwart der Sonne vorstellet; allein, wenn man mehrere Planeten, in unterschiedlichem Abstande sich bilden lässt; so wird einer den Umfang der Attraction des andern, durch seine Anziehungssphäre einschränken, und dieses bringt eine Ausnahme von dem vorigen Gesetze zuwege. Denn derjenige Planet, welcher einem andern, von ausnehmender Masse, nahe ist, wird sehr viel von der Sphäre seiner Bildung verlieren, und dadurch ungleich [47] kleiner werden, als das Verhältniss seines Abstandes von der Sonne allein es erheischet. Obgleich also im Ganzen die Planeten von grösserer Masse seyn, nachdem sie weiter von der Sonne entfernt sind, wie denn überhaupt Saturn und Jupiter, als die zwey Hauptstücke unseres Systems, darum die grössesten seyn, weil sie von der Sonne am weitesten entfernet sind: so finden sich dennoch Abweichungen von dieser Analogie, in denen aber jederzeit das Merkmal der allgemeinen Bildung hervorleuchtet, die wir von den Himmelskörpern behaupten: dass nemlich ein Planet von ausnehmender Grösse die nächsten von beyden Seiten, der, ihnen wegen ihrer Sonnenweite, gebührenden Masse beraubet, indem er einen Theil der Materien sich zueignet, die zu jener ihrer Bildung kommen sollten. In der That hat Mars, der vermöge seines Ortes grösser als die Erde seyn solte, durch die Anziehungskraft des ihm nahen so grossen Juppiters an seiner Masse eingebüsset; und Saturn selber, ob er gleich durch seine Höhe einen Vorzug über den Mars hat, ist dennoch nicht gänzlich befreyet gewesen, durch Juppiters

Anziehung eine beträchtliche Einbusse zu erleiden, und mich dünkt, Merkur habe die ausnehmende Kleinigkeit seiner Masse, nicht allein der Anziehung der ihm so nahen mächtigen Sonne, sondern auch der Nachbarschaft der Venus zu verdanken, welche, wenn man ihre muthmassliche Dichtigkeit mit ihrer Grösse vergleicht, ein Planet von beträchtlicher Masse seyn muss.

[**48**] Indem nun alles so vortreflich, als man es nur wünschen mag, zusammenstimmet, die Zulänglichkeit einer mechanischen Lehrverfassung, bey dem Ursprunge des Weltbaues und der Himmelskörper, zu bestätigen; so wollen wir, indem wir den Raum schätzen, darinn der Grundstoff der Planeten vor ihrer Bildung ausgebreitet gewesen, erwegen, in welchem Grade der Dünnigkeit dieser Mittelraum damals erfüllet gewesen, und mit was vor Freyheit, oder wie wenigen Hindernissen die herumschwebenden Partikeln ihre gesetzmässige Bewegungen darinn haben anstellen können. Wenn der Raum, der alle Materie der Planeten in sich begriff, in demjenigen Theile der Saturnischen Sphäre enthalten war, der von dem Mittelpunkte der Sonne aus, zwischen zwey und sieben Grade weit, in allen Höhen von einander abstehenden Flächen begriffen, und daher der siebenzehnte Theil der ganzen Sphäre war, die man mit dem Radius der Höhe des Saturns beschreiben kan; so wollen wir, um die Veränderung des planetischen Grundstoffs, da er diesen Raum erfüllete, auszurechnen, nur die Höhe des Saturns 100000 Erddiameter ansetzen; so wird die ganze Sphäre des saturnischen Kreises den Raumesinhalt der Erdkugel 1000 Bimillionenmal übertreffen; davon, wenn wir an statt des siebenzehnten Theiles, auch nur den zwanzigsten nehmen, der Raum, darinn der elementarische Grundstoff schwebete, den Raumesinhalt der Erdkugel dennoch 50 Bimillionenmal übertreffen muss. [**49**] Wenn man nun die Masse aller Planeten mit ihren Begleitern $\frac{1}{650}$ des Sonnenklumpens nach dem Newton ansetzet; so wird die Erde, die nur $\frac{1}{169282}$ derselben ist, sich zu der gesammten Masse aller planetischen Materie wie 1 zu $276\frac{1}{2}$ verhalten; und wenn man daher alle diese Materie zu gleicher specifischen Dichtigkeit mit der Erde brächte, würde daraus ein Körper entstehen, der $277\frac{1}{2}$ mal grössern Raum als die Erde einnähme. Wenn wir daher die Dichtigkeit der Erde in ihrem ganzen Klumpen nicht viel grösser, als die Dichtigkeit der festen Materie, die man unter der obersten Fläche derselben antrifft, annehmen: wie es denn die Eigenschaften der Figur der Erde nicht anders erfordern,

und diese obere Materien ohngefehr 4 oder 5 mal dichter als das Wasser, das Wasser aber 1000 mal schwerer als die Luft ansetzen; so würde die Materie aller Planeten, wenn sie zu der Dünnigkeit der Luft ausgedehnet würden, einen fast 14 mal hunderttausendmal grössern Raum als die Erdkugel einnehmen. Dieser Raum mit dem Raume, in welchem nach unserer Voraussetzung alle Materie der Planeten ausgebreitet war, verglichen, ist dreyssig Millionenmal kleiner als derselbe: also macht auch die Zerstreuung der planetischen Materie in diesem Raume eine eben so vielmal grössere Verdünnung aus, als die die Theilchen unserer Atmosphäre haben. In der That, diese Grösse der Zerstreuung, so unglaublich sie auch scheinen mag, war dennoch weder unnöthig, noch unnatürlich. Sie muste so gross als möglich seyn, [**50**] um den schwebenden Partikeln alle Freyheit der Bewegung, fast so, als in einem leeren Raume, zu verstatten, und den Widerstand unendlich zu verringern, den sie einander leisten könnten; sie konnten aber auch von selber einen solchen Zustand der Verdünnung annehmen, woran man nicht zweifeln darf, wenn man ein wenig die Ausbreitung kennet, die die Materie leidet, wenn sie in Dünste verwandelt ist; oder wenn man, um bey dem Himmel zu bleiben, die Verdünnung der Materie in den Schweifen der Cometen erweget, die bey einer so unerhörten Dicke ihres Durchschnittes, der den Durchmesser der Erde wohl hundertmal übertrifft, dennoch so durchscheinend sind, dass die kleinen Sterne dadurch können gesehen werden; welches unsere Luft, wenn sie von der Sonne erleuchtet wird, in einer Höhe, die viel tausendmal kleiner ist, nicht verstattet.

Ich beschliesse dieses Hauptstück, indem ich eine Analogie hinzufüge, die an und vor sich allein gegenwärtige Theorie, von der mechanischen Bildung der Himmelskörper über die Wahrscheinlichkeit der Hypothese, zu einer förmlichen Gewissheit erheben kann. Wenn die Sonne aus den Partikeln desselben Grundstoffes, daraus die Planeten sich gebildet haben, zusammengesetzt ist: und wenn nur darinn allein der Unterschied bestehet, dass in der ersteren die Materien aller Gattungen ohne Unterschied gehäufet, bey diesen aber in verschiedenen Entfernungen, nach Beschaffenheit der Dichtigkeit [**51**] ihrer Sorten, vertheilet worden; so wird, wenn man die Materie aller Planeten zusammen vereinigt betrachtet, in ihrer ganzen Vermischung eine Dichtigkeit herauskommen müssen, die der Dichtigkeit des Sonnenkörpers beynahe gleich ist.

Nun findet diese nöthige Folgerung unseres Systems eine glückliche Bestätigung in der Vergleichung, die der Herr von Buffon, dieser so würdigberühmte Philosoph, zwischen den Dichtigkeiten der gesammten planetischen Materie und der Sonnen ihre, angestellet hat; er fand eine Aehnlichkeit zwischen beyden, wie zwischen 640 und 650. Wenn ungekünstelte und nothwendige Folgerungen aus einer Lehrverfassung in den wirklichen Verhältnissen der Natur so glückliche Bestätigungen antreffen; kan man denn wohl glauben, dass ein blosses Ungefehr diese Uebereinstimmung zwischen der Theorie und der Beobachtung veranlasse?

Drittes Hauptstück,

von der

Eccentricität der Planetenkreise, und dem Ursprunge der Cometen.

Man kan aus den Cometen nicht eine besondere Gattung von Himmelskörpern machen, die sich von dem Geschlechte der Planeten gänzlich unterschiede. [**52**] Die Natur wirket hier, wie anderwerts, durch unmerkliche Abfälle, und, indem sie alle Stuffen der Veränderungen durchgehet, hänget sie, vermittelst einer Kette von Zwischengliedern, die entferneten Eigenschaften mit den nahen zusammen. Die Eccentricität ist bey den Planeten eine Folge des Mangelhaften in derjenigen Bestrebung, dadurch die Natur trachtet, die planetischen Bewegungen gerade Zirkelgleich zu machen, welches sie aber, wegen Dazwischenkunft von mancherley Umständen, niemals völlig erlangen kan, aber doch in grösseren Weiten mehr, als in nahen, davon abweichet.

Diese Bestimmung führet, durch eine beständige Leiter, vermittelst aller möglichen Stuffen der Eccentricität, von den Planeten endlich bis zu den Cometen, und ob zwar dieser Zusammenhang bey dem Saturn, durch eine grosse Klufft, scheinet abgeschnitten zu seyn, die das cometische Geschlecht von den Planeten völlig absondert; so haben wir doch in dem ersten Theile angemerket, dass es, vermuthlich über dem Saturn, noch andere Planeten geben mag, die, durch eine grössere Abweichung von der Zirkelrundung der Kreise, dem Laufe der Cometen näher treten, und dass es nur an dem Mangel der Beobachtung, oder auch an der Schwierigkeit derselben, liegt, dass diese Verwandschaft dem Auge nicht eben so sichtbar, als dem Verstande, vorlängst dargestellet worden.

[**53**] Wir haben schon eine Ursache in dem ersten Hauptstücke dieses Theils angeführet, welche die Laufbahn eines Himmelskörpers eccentrisch machen kan, der sich aus dem herumschwebenden Grundstoffe bildet, wenn man gleich annimmt, dass dieser in allen seinen Oertern gerade zur Zirkelbewegung abgewogene Kräfte besitze. Denn, weil der Planet sie aus weit von einander abstehenden Höhen sammlet, wo die Geschwindigkeiten der Zirkelläufe unterschieden seyn; so kommen sie mit verschiedenen ihnen beywohnenden Graden der Umlaufsbewegung auf ihm zusammen, welche von dem Maasse der Geschwindigkeit, die dem Abstande des Planeten gebühret, abweichen, und diesem dadurch in so ferne eine Eccentricität zuziehen, als diese verschiedentliche Eindrücke der Partikeln ermangeln, eine der andern Abweichung völlig zu ersetzen.

Wenn die Eccentricität keine andere Ursache hätte, so würde sie allenthalben gemässigt seyn: sie würde auch bey denen kleinen, und weit von der Sonne entferneten Planeten, geringer, als bey den nahen und grossen seyn: wenn man nemlich voraussetzte, dass die Partikeln des Grundstoffes wirklich vorher genaue Zirkelbewegungen gehabt hätten. Da nun diese Bestimmungen mit der Beobachtung nicht übereinstimmen, indem, wie schon angemerkt, die Eccentricität mit der Sonnenweite zunimmt, und die Kleinigkeit der Massen vielmehr eine Ausnahme, zu Vermehrung der Eccentricität, [**54**] zu machen scheinet, wie wir am Mars sehen; so sind wir genöthiget, die Hypothese von der genauen Zirkelbewegung der Partikeln des Grundstoffes dahin einzuschränken, dass, wie sie in den der Sonne nahen Gegenden zwar dieser Genauheit der Bestimmung sehr nahe beykommen, aber sie doch desto weiter davon abweichen lassen, je entfernter diese elementarische Theilchen von der Sonne geschwebet haben. Eine solche Mässigung des Grundsatzes, von der freyen zirkelgleichen Bewegung des Grundstoffes, ist der Natur gemässer. Denn, ungeachtet der Dünnigkeit des Raumes, die ihnen Freyheit zu lassen scheinet, sich einander auf den Punkt der völlig abgewogenen Gleichheit der Centralkräfte einzuschränken; so sind die Ursachen dennoch nicht minder beträchtlich, diesen Zweck der Natur an seiner Vollführung zu verhindern. Je weiter die ausgebreiteten Theile des Urstoffs von der Sonne entfernet sind, desto schwächer ist die Kraft, die sie zum Sinken bringt: der Widerstand der untern Theile, die ihren Fall seitwärts beugen, und ihn nöthigen soll, seine Richtung senkrecht von dem Zirkelstrahl anzustellen, vermindert sich nach dem Maasse, als diese unter ihm wegsinken, um entweder der Sonne sich einzuverleiben, oder in näheren Gegenden Umläufe anzustellen. Die specifisch vorzügliche Leichtigkeit dieser höheren Materie verstattet ihnen nicht, die sinkende Bewegung, die der Grund von allem ist, mit dem Nachdrucke, welcher erfordert wird, um die widerstehende Partikeln zum Weichen zu bringen, [**55**] anzustellen; und vielleicht, dass diese entfernete Partikeln einander noch einschränken, um nach einer langen Periode diese Gleichförmigkeit endlich zu überkommen; so haben sich unter ihnen schon kleine Massen gebildet, als Anfänge zu so viel Himmelskörpern, welche, indem sie sich aus schwach bewegtem Stoffe sammeln, eine nur eccentrische Bewegung haben, womit sie zur Sonne sinken, und unter Wegens mehr und mehr, durch die Einverleibung schneller bewegten Theile vom senkrechten Falle abgebeugt werden, endlich aber doch Cometen bleiben, wenn jene Räume, in denen sie sich gebildet haben, durch Niedersinken zur Sonne, oder durch Versammlung in besondern Klumpen, gereiniget und leer geworden. Dieses ist die Ursache der mit den Entfernungen von der Sonne zunehmenden Eccentricitäten der Planeten und derjenigen Himmelskörper; die um deswillen Cometen genannt werden, weil sie in dieser Eigenschaft die erstere vorzüglich übertreffen. Es sind zwar noch zwey Ausnahmen, die das Gesetz von der mit dem Abstande von der Sonne zunehmenden Eccentricität unterbrechen, die man an den beyden kleinesten Planeten unseres Systems, am Mars und Merkur, wahrnimmt; allein an dem ersteren ist vermuthlich die Nachbarschaft des so grossen Jupiters Ursache, der, indem er durch seine Anziehung auf seiner Seite den Mars, der Partikeln zur Bildung beraubet, ihm vornehmlich nur Platz lässet, gegen die Sonne sich auszubreiten, dadurch eine Ueberwucht der Centralkraft und Eccentricität zuziehet. Was [**56**] aber den Merkur, den untersten aber auch am meisten eccentrischen unter den Planeten betrifft; so ist leicht zu erachten, dass, weil die Sonne in ihrer Achsendrehung der Geschwindigkeit des Merkurs noch lange nicht gleich kommt, der Widerstand, den sie der Materie des sie umgebenden Raumes thut, nicht allein die nächsten Theilchen ihrer Centralbewegung berauben werde; sondern auch leichtlich diese

Widerstrebung bis zum Merkur ausbreiten könne, und dessen Umschwungsgeschwindigkeit dadurch beträchtlich werde vermindert haben.

Die Eccentricität ist das vornehmste Unterscheidungszeichen der Cometen. Ihre Atmosphären und Schweife, welche, bey ihrer grossen Annäherung zur Sonne, durch die Hitze sich verbreiten, sind nur Folgen von dem erstern, ob sie gleich zu den Zeiten der Unwissenheit gedienet haben, als ungewohnte Schreckbilder, dem Pöbel eingebildete Schicksale zu verkündigen. Die Astronomen, welche mehr Aufmerksamkeit auf die Bewegungsgesetze, als auf die Seltsamkeit der Gestalt, bezeigen, bemerken eine zweyte Eigenschaft, die das Geschlecht der Cometen von den Planeten unterscheidet, nemlich dass sie sich nicht, wie diese, an die Zone des Thierkreises binden, sondern frey in allen Gegenden des Himmels ihre Umläufe anstellen. Diese Besonderheit hat einerley Ursache mit der Eccentricität. Wenn die Planeten darum ihre Kreise in dem engen Bezirke des Zodiakus eingeschlossen haben, weil die elementarische Materie nahe um die [**57**] Sonne Cirkelbewegungen bekommet, die bey jedem Umschwunge den Plan der Beziehung zu durchkreutzen bemühet seyn, und den einmal gebildeten Körper von dieser Fläche, dahin sich alle Materie von beyden Seiten dränget, nicht abweichen lassen: so muss der Grundstoff der weit von dem Mittelpunkte entlegenen Räume, welcher durch die Attraction schwach bewegt, zu dem freyen Zirkelumschwunge nicht gelangen kan, eben aus dieser Ursache, die die Eccentricität hervorbringt, nicht vermögend seyn, sich in dieser Höhe zu dem Plane der Beziehung aller planetischen Bewegungen zu häufen, um die daselbst gebildete Körper, vornehmlich in diesem Gleise, zu erhalten: vielmehr wird der zerstreuete Grundstoff, da er keine Einschränkung auf eine besondere Gegend, so wie bey den untern Planeten, hat, sich gleich leicht auf einer Seite sowohl, als auf der andern, und weit von dem Beziehungsplane eben so häufig, als nahe bey demselben, zu Himmelskörpern bilden. Daher werden die Cometen mit aller Ungebundenheit aus allen Gegenden zu uns herab kommen: aber doch diejenige, deren erster Bildungsplatz nicht weit über der Planeten Kreise erhaben ist, werden weniger Abweichung von den Schranken ihrer Laufbahne eben sowohl, als weniger Eccentricität beweisen. Mit den Entfernungen von dem Mittelpunkte des Systems nimmt diese gesetzlose Freyheit der Cometen, in Ansehung ihrer Abweichungen, zu, und verlieret sich in der Tiefe des Himmels in einen gänzlichen Mangel der Umwendung, der die äusseren sich [**58**] bildenden Körper ihrem Falle zur Sonne frey überlässt, und der systematischen Verfassung die letzten Grenzen setzet.

Ich setze, bey diesem Entwurfe der cometischen Bewegungen, voraus: dass, in Ansehung ihrer Richtung, sie selbige grössesten Theils mit der Planeten ihrer gemein haben werden. Bey denen nahen Cometen scheinet mir dieses unzweifelhaft zu seyn, und diese Gleichförmigkeit kan sich auch nicht eher in der Tiefe des Himmels verlieren, als da, wo der elementarische Grundstoff in der grössten Mattigkeit der Bewegung, die etwa durch das Niedersinken entstehende Drehung nach allerley Gegenden anstellet, weil die Zeit, die erfordert wird, durch die Gemeinschaft der untern Bewegungen, sie in der Richtung einstimmig zu machen, wegen der Weite der Entfernung, zu lang ist, als dass sie indessen, dass die Bildung der Natur in der niederen Gegend verrichtet wird, sich bis dahin erstrecken könne. Es werden also vielleicht Cometen seyn, die ihren Umlauf nach der entgegen gesetzten Seite, nemlich von Morgen gegen Abend, anstellen werden; ob ich gleich aus Ursachen, die ich allhier anzuführen Bedenken trage, mich beynahe überreden möchte, dass von den 19 Cometen, an denen man diese Besonderheit bemerket hat, bey einigen vielleicht ein optischer Schein Anlass dazu gegeben haben möchte.

Ich muss von den Massen der Cometen, und von der Dichtigkeit ihres Stoffes, noch etwas anmerken. [**59**] Von Rechtswegen solten in den obern Gegenden der Bildung dieser Himmelskörper, aus denen im vorigen Hauptstücke angeführten Gründen, sich immer nach dem Maasse, als die Entfernung zunimmt, desto grössere Massen bilden. Und es ist auch zu glauben, dass einige Cometen grösser seyn, als Saturn und Jupiter; allein es ist eben nicht zu glauben, dass diese Grösse der Massen so immer zunimmt. Die Zerstreuung des Grundstoffes, die specifische Leichtigkeit ihrer Partikeln, machen die Bildung in der abgelegensten Gegend des Weltraums langsam; die unbestimmte Verbreitung desselben, in dem ganzen unermesslichen Umfange dieser Weite, ohne eine Bestimmung, sich gegen eine gewisse Fläche zu häufen, verstatten, an statt einer einzigen beträchtlichen Bildung viele kleinere, und der Mangel der Centralkraft ziehet den grössten Theil der Partikeln zu der Sonne herab, ohne sich in Massen versammlet zu haben.

Die specifische Dichtigkeit des Stoffes, woraus die Cometen entstehen, ist von mehrerer Merkwürdigkeit, als die Grösse ihrer Massen. Vermuthlich, da sie in der obersten Gegend des Weltgebäudes sich bilden, sind die Theilchen ihres Zusammensatzes von der leichtesten Gattung; und man darf nicht zweifeln, dass dieses die vornehmste Ursache der Dunstkugeln und der Schweife seyn, womit sie sich vor andern Himmelskörpern kenntlich machen. Man kan der Wirkung der Sonnenhitze diese Zerstreuung der cometischen Materie in einen [**60**] Dunst nicht hauptsächlich beymessen; einige Cometen erreichen in ihrer Sonnennähe kaum die Tiefe des Erdzirkels; viele bleiben zwischen dem Kreise der Erde und der Venus, und kehren sodann zurück. Wenn ein so gemässigter Grad Hitze, die Materien auf der Oberfläche dieser Körper dermassen auflöset und verdünnet; so müssen sie nicht aus dem leichtesten Stoffe bestehen, der durch die Wärme mehr Verdünnung, als irgend eine Materie, in der ganzen Natur leidet.

Man kan auch diese, von dem Cometen so häufig aufsteigende Dünste, der Hitze nicht beymessen, die sein Körper von der etwa ehemaligen Sonnennähe übrig behalten hat: denn es ist zwar zu vermuthen, dass ein Comet, zur Zeit seiner Bildung, etliche Umläufe mit grösserer Eccentricität zurück geleget hat, und diese nur nach und nach vermindert worden; allein die andern Planeten, von denen man eben dasselbe vermuthen könnte, zeigen dieses Phänomenon nicht. Indessen würden sie es an sich zeigen, wenn die Sorten der leichtesten Materie, die in dem Zusammensatze des Planeten begriffen seyn, eben so häufig, als bey den Cometen, vorhanden wären.

Die Erde hat etwas an sich, was man mit der Ausbreitung der cometischen Dünste und ihren Schweifen vergleichen kan*). Die feinsten Partikeln, die die Sonnenwirkung aus ihrer Oberfläche [**61**] ziehet, häufen sich um einen von denen Polen, wenn die Sonne den halben Zirkel ihres Laufes auf der entgegen gesetzten Halbkugel verrichtet. Die feinsten und würksamsten Theilchen, die in dem brennenden Erdgürtel aufsteigen, nachdem sie eine gewisse Höhe der Atmosphäre erreichet haben, werden durch die Wirkung der Sonnenstrahlen genöthiget, in diejenigen Gegenden zu weichen und sich zu häufen, die alsdenn von der Sonne abgewandt, und in einer langen Nacht begraben sind, und vergüten den Bewohnern der Eis-

*) Dieses sind die Nordlichter.

zone die Abwesenheit des grossen Lichtes, welches ihnen auch in dieser Entfernung die Würkungen ihrer Wärme zuschicket. Eben dieselbe Kraft der Sonnenstrahlen, welche die Nordlichter macht, würde einen Dunstkreis mit einem Schweife hervor bringen, wenn die feinsten und flüchtigen Partikeln auf der Erde eben so häufig, als auf dem Cometen, anzutreffen wären.

Viertes Hauptstück,

von dem

Ursprunge der Monde, und den Bewegungen der Planeten um ihre Achse.

Die Bestrebung eines Planeten, aus dem Umfange der elementarischen Materie sich zu bilden, ist zugleich die Ursache seiner Achsendrehung, [**62**] und erzeuget die Monde, die um ihn laufen sollen. Was die Sonne mit ihren Planeten im Grossen ist, das stellet ein Planet, der eine weit ausgedehnte Anziehungssphäre hat, im kleinern vor, nemlich das Hauptstück eines Systems, dessen Theile durch die Attraction des Centralkörpers in Bewegung gesetzet worden. Der sich bildende Planet, indem er die Partikeln des Grundstoffs aus dem ganzen Umfange zu seiner Bildung bewegt, wird aus allen diesen sinkenden Bewegungen, vermittelst ihrer Wechselwirkung, Kreisbewegungen, und zwar endlich solche erzeugen, die in eine gemeinschaftliche Richtung ausschlagen, und deren ein Theil die gehörige Mässigung des freyen Zirkellaufes bekommen, und in dieser Einschränkung sich einer gemeinschaftlichen Fläche nahe befinden wird. In diesem Raume werden, so wie um die Sonne die Hauptplaneten, also auch um diese sich die Monde bilden, wenn die Weite der Attraction solcher Himmelskörper günstige Umstände zu ihrer Erzeugung darreichet. Was übrigens in Ansehung des Ursprunges des Sonnensystems gesagt worden, dasselbe lässt sich auf das System des Jupiters und des Saturns mit genugsamer Gleichheit anwenden. Die Monde werden alle nach einer Seite, und beynahe auf einer Fläche, die Kreise ihres Umschwunges gerichtet haben, und dieses zwar aus den gleichen Ursachen, die diese Analogie im grossen bestimmen: Aber warum bewegen sich diese Begleiter in ihrer gemeinschaftlichen Richtung vielmehr nach der Seite, nach der die Planeten laufen, als nach [**63**] einer jeden andern? Ihre Umläufe werden ja durch die Kreisbewegungen nicht erzeuget: sie erkennen lediglich die Attraction des Hauptplaneten zur Ursache, und in Ansehung dieser sind alle Richtungen gleichgültig; ein blosses Ungefehr wird diejenige unter allen möglichen entscheiden, nach der die sinkende Bewegung des Stoffes in Kreise ausschlägt. In der That thut der Zirkellauf des Hauptplaneten nichts dazu, dem Stoffe, aus dem sich um ihn die Monde bilden sollen, Umwälzungen um diesen einzudrücken; alle Partikeln um den Planeten bewegen sich in gleicher Bewegung mit ihm um die Sonne, und sind also in respectiver Ruhe gegen denselben. Die Attraction des Planeten thut alles allein. Allein die Kreisbewegung, die aus ihr entstehen soll, weil sie in Ansehung aller Richtungen an und vor sich gleichgültig ist, bedarf nur einer kleinen äusserlichen Bestimmung, um nach einer Seite vielmehr, als nach der andern, auszuschlagen: und diesen kleinen Grad der Lenkung bekommt sie von der Vorrückung der elementarischen Partikeln, welche zugleich mit um die Sonne, aber mit mehr Geschwindigkeit, laufen, und in die Sphäre der Attraction des Planeten kommen. Denn diese nöthiget die zur Sonne nähere Theilchen, die mit schnellerem Schwunge umlaufen, schon von weitem die Richtung ihres Gleises zu verlassen, und in einer ablangen Ausschweifung sich über den Planeten zu erheben. Diese, weil sie einen grössern Grad der Geschwindigkeit, als der Planet selber, haben, wenn sie durch dessen [**64**] Anziehung zum Sinken gebracht werden, geben ihrem geradlinigten Falle, und auch dem Falle der übrigen, eine Abbeugung von Abend gegen Morgen, und es bedarf nur dieser geringen Lenkung, um zu verursachen, dass die Kreisbewegung, dahin der Fall, den die Attraction erregt, ausschlägt, vielmehr diese, als eine jede andere Richtung, nehme. Aus diesem Grunde werden alle Monde in ihrer Richtung, mit der Richtung des Umlaufs der Hauptplaneten übereinstimmen. Aber auch die Fläche ihrer Bahn kan nicht weit von dem Plane der Planetenkreise abweichen, weil die Materie, daraus sie sich bilden, aus eben dem Grunde, den wir von der Richtung überhaupt angeführet haben, auch auf diese genaueste Bestimmung derselben, nemlich die Uebereintreffung mit der Fläche der Hauptkreise, gelenket wird.

Man siehet aus allem diesen klärlich, welches die Umstände seyn, unter welchen ein Planet Trabanten bekommen könne. Die Anziehungskraft desselben muss gross, und folglich die Weite seiner Wirkungssphäre weit ausgedehnt seyn, damit sowohl die Theilchen durch einen hohen Fall zum Planeten bewegt, ohnerachtet dessen, was der Widerstand aufhebet, dennoch hinlängliche Geschwindigkeit zum freyen Umschwunge erlangen können, als auch genugsamer Stoff zu Bildung der Monde in diesem Bezirke vorhanden sey, welches bey einer geringen Attraction nicht geschehen kan. Daher sind nur die Planeten von grossen Massen, und [**65**] weiter Entfernung mit Begleitern, begabt. Jupiter und Saturn, die 2 grösten und auch entfernetesten unter den Planeten, haben die meisten Monde. Der Erde, die viel kleiner als jene ist, ist nur einer zu Theil worden; und Mars, welchem wegen seines Abstandes auch einiger Antheil an diesem Vorzuge gebührete, gehet leer aus, weil seine Masse so gering ist.

Man nimmt mit Vergnügen wahr, wie dieselbe Anziehung des Planeten, die den Stoff zur Bildung der Monde herbeyschaffte, und zugleich derselben Bewegung bestimmete, sich bis auf seinen eigenen Körper erstreckt, und dieser sich selber durch eben dieselbe Handlung, durch welche er sich bildet, eine Drehung um die Achse, nach der allgemeinen Richtung von Abend gegen Morgen, ertheilet. Die Partikeln des niedersinkenden Grundstoffes, welche, wie gesagt, eine allgemeine drehende Bewegung von Abend gegen Morgen hin bekommen, fallen grössten Theils auf die Fläche des Planeten, und vermischen sich mit seinem Klumpen, weil sie die abgemessene Grade nicht haben, sich frey schwebend in Zirkelbewegungen zu erhalten. Indem sie nun in den Zusammensatz des Planeten kommen, so müssen sie, als Theile desselben, eben dieselbe Umwendung, nach eben derselben Richtung fortsetzen, die sie hatten, ehe sie mit ihm vereiniget worden. Und weil überhaupt aus dem vorigen zu ersehen, dass die Menge der Theilchen, welche der Mangel an der erforderlichen Bewegung auf den [**66**] Centralkörper niederstürzet, sehr weit die Anzahl der andern übertreffen müsse, welche die gehörige Grade der Geschwindigkeit haben erlangen können; so begreifet man auch leicht, woher dieser in seiner Achsendrehung zwar bey weitem die Geschwindigkeit nicht haben werde, der Schwere auf seiner Oberfläche mit der fliehenden Kraft das Gleichgewicht zu leisten, aber dennoch bey Planeten von grosser Masse und weitem Abstande weit schneller, als bey nahen und kleinen, seyn werde. In der That hat Jupiter die schnelleste Achsendrehung, die wir kennen, und ich weiss nicht, nach welchem System man dieses mit einem Körper, dessen Klumpen alle andern übertrifft, zusammen reimen könnte, wenn man nicht seine Bewegungen selber, als die Wirkung derjenigen Anziehung, ansehen könnte, die dieser Himmelskörper, nach dem Maasse eben dieses Klumpens, ausübet. Wenn die Achsendrehung eine Wirkung einer äusserlichen Ursache wäre, so müsste Mars eine schnellere, als Jupiter, haben; denn eben dieselbe bewegende Kraft bewegt einen kleinern Körper mehr, als einen grössern, und überdieses würde man sich mit Recht wundern, wie, da alle Bewegungen weiter von dem Mittelpunkte hin abnehmen, die Geschwindigkeiten der Umwelzungen mit denselben Entfernungen zunehmen, und beym Jupiter sogar drittehalbmal schneller, als seine jährliche Bewegung selber, seyn könne.

Indem man also genöthiget ist, in den täglichen Umwendungen der Planeten eben dieselbe Ursache, [**67**] welche überhaupt die allgemeine Bewegungsqvelle der Natur ist, nemlich die Anziehung zu erkennen; so wird diese Erklärungsart durch das natürliche Vorrecht seines Grundbegriffes, und durch eine ungezwungene Folge aus demselben, ihre Rechtmässigkeit bewähren.

Allein, wenn die Bildung eines Körpers selber die Achsendrehung hervorbringt, so müssen sie billig alle Kugeln des Weltbaues haben; aber warum hat sie der Mond nicht? welcher, wiewol fälschlich, diejenige Art einer Umwendung, dadurch er der Erde immer dieselbe Seite zuwendet, einigen vielmehr von einer Art einer Ueberwucht der einen Halbkugel, als von einem wirklichen Schwunge der Revolution, herzuhaben scheinet. Solte derselbe sich wohl ehedem schneller um seine Achse gewelzet haben, und durch, ich weis nicht was vor Ursachen, die diese Bewegung nach und nach verminderten, bis zu diesem geringen und abgemessenen Ueberrest gebracht worden seyn? Man darf diese Frage nur in Ansehung eines von den Planeten auflösen, so ergiebt sich daraus die Anwendung auf alle von selber. Ich verspare diese Auflösung zu einer andern Gelegenheit, weil sie eine nothwendige Verbindung mit derjenigen Aufgabe hat, die die königliche Akademie der Wissenschaften zu Berlin, auf das 1754ste Jahr, zum Preise aufgestellet hatte.

Die Theorie, welche den Ursprung der Achsendrehungen erklären soll, muss auch die Stellung ihrer Achsen, gegen den Plan ihrer Kreise, aus eben [**68**] denselben Ursachen herleiten können. Man hat Ursache, sich zu verwundern, woher der

Aeqvator der täglichen Umwelzung mit der Fläche der Mondenkreise, die um denselben Planeten laufen, nicht in demselben Plane ist; denn dieselbe Bewegung, die den Umlauf eines Trabanten gerichtet, hat durch ihre Erstreckung bis zum Körper des Planeten, dessen Drehung um die Achse hervorgebracht, und dieser eben dieselbe Bestimmung in der Richtung und Lage ertheilen sollen. Himmelskörper, die keine um sich laufende Nebenplaneten haben, setzten sich dennoch durch eben dieselbe Bewegung der Partikeln, die zu ihrem Stoffe dieneten, und durch dasselbe Gesetze, welches jene auf die Fläche ihrer periodischen Laufbahn einschränkte, in eine Achsendrehung, welche aus den gleichen Gründen mit ihrer Umlaufsfläche in der Richtung übereintreffen muste. Diesen Ursachen zu Folge müsten billig die Achsen aller Himmelskörper, gegen die allgemeine Beziehungsfläche des planetischen Systems, welche nicht weit von der Ecliptik abweicht, senkrecht stehen. Allein sie sind nur bey den zwey wichtigsten Stücken dieses Weltbaues senkrecht: beym Jupiter und bey der Sonne; die andern, deren Umdrehung man kennet, neigen ihre Achsen gegen den Plan ihrer Kreise; der Saturn mehr als die andern, die Erde aber mehr, als Mars, dessen Achse auch beynahe senkrecht gegen die Ecliptik gerichtet ist. Der Aeqvator des Saturns, (wofern man denselben durch die Richtung seines Ringes bezeichnet halten kan,) neiget sich mit einem Winkel von 31 Graden zur Fläche [69] seiner Bahn; der Erden ihrer aber nur mit $22\frac{1}{2}$. Man kan die Ursache dieser Abweichungen vielleicht der Ungleichheit in den Bewegungen des Stoffes beymessen, die den Planeten zu bilden zusammen gekommen sind. In der Richtung der Fläche seines Laufkreises war die vornehmste Bewegung der Partikeln um den Mittelpunkt desselben, und daselbst war der Plan der Beziehung, um welchen die elementarische Theilchen sich häuften, um daselbst die Bewegung, wo möglich, zirkelgleich zu machen, und zur Bildung der Nebenplaneten Materie zu häufen, welche um deswillen niemals von der Umlaufsbahn weit abweichen. Wenn der Planet sich gröstentheils nur aus diesen Theilchen bildete, so würde seine Achsendrehung so wenig, wie die Nebenplaneten, die um ihn laufen, bey seiner ersten Bildung davon abgewichen seyn; aber er bildete sich, wie die Theorie es dargethan hat, mehr aus den Partikeln, die auf beyden Seiten niedersunken, und deren Menge oder Geschwindigkeit nicht so völlig abgewogen gewesen zu seyn scheinet, dass die eine Halbkugel nicht eine kleine Ueberwucht der Bewegung über die andere, und daher einige Abweichung der Achse hätte bekommen können.

Dieser Gründe ungeachtet trage ich diese Erklärung nur als eine Muthmassung vor, die ich mir nicht auszumachen getraue. Meine wahre Meynung gehet dahin: dass die Umdrehung der Planeten um die Achse in dem ursprünglichen Zustande der ersten Bildung, mit der Fläche ihrer jährlichen [70] Bahn, ziemlich genau übereingetroffen habe, und dass Ursachen vorhanden gewesen, diese Achse aus ihrer ersten Stellung zu verschieben. Ein Himmelskörper, welcher aus seinem ersten flüssigen Zustande in den Stand der Festigkeit übergehet, erleidet, wenn er sich auf solche Art völlig ausbildet, eine grosse Veränderung in der Regelmässigkeit seiner Oberfläche. Dieselbe wird feste und gehärtet, indessen, dass die tiefern Materien sich noch nicht, nach Maassgebung ihrer specifischen Schweere, genugsam gesenket haben; die leichteren Sorten, die mit in ihrem Klumpen untermengt waren, begeben sich endlich, nachdem sie sich von den andern geschieden, unter die oberste fest gewordene Rinde, und erzeugen die grossen Höhlen, deren, aus Ursachen, welche allhier anzuführen, zu weitläuftig ist, die grösseste und weiteste unter oder nahe zu dem Aeqvator befindlich sind, in welche die gedachte Rinde endlich hineinsinkt, mannigfaltige Ungleichheiten, Berge und Höhlen, erzeuget. Wenn nun auf solche Art, wie es mit der Erde, dem Monde, der Venus, augenscheinlich vorgegangen seyn muss, die Oberfläche uneben geworden; so hat sie nicht das Gleichgewicht des Umschwunges in ihrer Achsendrehung mehr auf allen Seiten leisten können. Einige hervorragende Theile von beträchtlicher Masse, welche auf der entgegengesetzten Seite keine andere fanden, die ihnen die Gegenwirkung des Schwunges leisten konten, musten alsbald die Achse der Umdrehung verrücken, und sie in solchen Stand zu setzen suchen, um welchen die Materien sich im [71] Gleichgewichte aufhielten. Eben dieselbe Ursache also, die bey der völligen Ausbildung eines Himmelskörpers seine Oberfläche aus dem waagerechten Zustande in abgebrochene Ungleichheiten versetzte; diese allgemeine Ursache, die bey allen Himmelskörpern, welche das Fernglas deutlich genug entdecken kan, wahrgenommen wird, hat sie in die Nothwendigkeit versetzet, die ursprüngliche Stellung ihrer Achse etwas zu verändern. Allein diese Veränderung hat ihre Grenzen, um nicht gar zu weit auszuschweifen. Die Ungleichheiten erzeugen sich, wie schon erwehnt, mehr neben dem Aeqvator einer umdrehenden Himmelskugel, als weit von demselben; zu den Polen hin verlieren sie sich fast gar, wovon die Ursachen anzuführen, ich andere Gelegenheit vorbehalte. Daher werden die am meisten über die gleiche Fläche hervorragende Massen nahe bei dem Aequinoctialzirkel anzutreffen seyn, und indem dieselbe, durch den Vorzug des Schwunges, diesem sich zu nähern streben, werden sie höchstens nur um einige Grade die Achse des Himmelskörpers, aus der senkrechten Stellung von der Fläche seiner Bahn, erheben können. Diesem zu Folge wird ein Himmelskörper, der sich noch nicht völlig ausgebildet hat, diese rechtwinklichte Lage der Achse zu seinem Laufkreise noch an sich haben, die er vielleicht nur in der Folge langer Jahrhunderte ändern wird. Jupiter scheinet noch in diesem Zustande zu seyn. Der Vorzug seiner Masse und Grösse, die Leichtigkeit seines Stoffes, haben ihn genöthiget, den festen Ruhestand seiner Materien einige Jahrhunderte [72] später, als andere Himmelskörper, zu überkommen. Vielleicht ist das innere seines Klumpens noch in der Bewegung, die Theile seines Zusammensatzes zu dem Mittelpunkte, nach Beschaffenheit ihrer Schwere, zu senken, und durch die Scheidung der dünnern Gattungen von den schweren, den Stand der Festigkeit zu überkommen. Bei solcher Bewandniss kan es auf seiner Oberfläche noch nicht ruhig aussehen. Die Umstürzungen und Ruine herrschen auf derselben. Selbst das Fernglas hat uns davon versichert. Die Gestalt dieses Planeten ändert sich beständig, da indessen der Mond, die Venus, die Erde, dieselbe unverändert erhalten. Man kan auch wohl mit Recht die Vollendung der Periode der Ausbildung bey einem Himmelskörper einige Jahrhunderte später gedenken, der unsere Erde an Grösse mehr wie zwanzigtausendmal übertrifft, und an Dichtigkeit 4 mal nachstehet. Wenn seine Oberfläche eine ruhige Beschaffenheit wird erreichet haben; so werden ohne Zweifel weit grössere Ungleichheiten, als die, so die Erdfläche bedecken, mit der Schnelligkeit seines Schwunges verbunden, seiner Umwendung in nicht gar langem Zeitlaufe diejenige beständige Stellung ertheilen, die das Gleichgewicht der Kräfte auf ihm erheischen wird.

Saturn, der 3 mal kleiner, als Jupiter ist, kan vielleicht durch seinen weitern Abstand einen Vorzug einer geschwinderen Ausbildung vor diesem erhalten haben: zum wenigsten macht die viel schnellere [73] Achsendrehung desselben, und das grosse Verhältniss seiner Centerfliehkraft zu der Schweere auf seiner Oberfläche, (welches in dem folgenden Hauptstücke soll dargethan werden), dass die vermuthlich auf derselben dadurch erzeugte Ungleichheiten, gar bald den Ausschlag auf die Seite der Ueberwucht, durch eine Vorrückung der Achse, gegeben haben. Ich gestehe freymüthig, dass dieser Theil meines Systems, welcher die Stellung der planetischen Achsen betrifft, noch unvollkommen und ziemlich weit entfernt sey, der geometrischen Rechnung unterworfen zu werden. Ich habe dieses lieber aufrichtig entdecken wollen, als durch allerhand erborgte Scheingründe der Tüchtigkeit, der übrigen Lehrverfassung Abbruch zu thun, und ihr eine schwache Seite zu geben. Nachfolgendes Hauptstück kan eine Bestätigung von der Glaubwürdigkeit der ganzen Hypothese abgeben, wodurch wir die Bewegungen des Weltbaues haben erklären wollen.

---

[74]

Fünftes Hauptstück,

von dem

Ursprunge des Ringes des Saturns, und Berechnung der täglichen Umdrehung dieses Planeten aus den Verhältnissen desselben.

Vermöge der systematischen Verfassung im Weltgebäude hängen die Theile derselben durch eine stufenartige Abänderung ihrer Eigenschaften zusammen, und man kan vermuthen, dass ein in der entlegensten Gegend der Welt befindlicher Planet ohngefehr solche Bestimmungen haben werde, als der nächste Comet überkommen möchte, wenn er durch die Verminderung der Eccentricität in das planetische Geschlecht erhoben würde. Wir wollen demnach den Saturn so ansehen, als wenn er auf eine, der cometischen Bewegung ähnliche Art, etliche Umläufe mit grösserer Eccentricität zurück geleget habe, und nach und nach zu einem dem Zirkel ähnlichern Gleise gebracht worden *). Die Hitze, die sich ihm in seiner Sonnennähe einverleibete, erhob den leichten Stoff von seiner Oberfläche, der, [75] wie wir aus den vorigen Hauptstücken wissen, bey denen obersten Himmelskörpern von überschwenglicher Dünnigkeit ist, sich von geringen Graden Wärme ausbreiten zu lassen. Indessen,

*) Oder welches wahrscheinlicher ist, dass er in seiner Cometenähnlichen Natur, die er auch noch jetzo vermöge seiner Eccentricität an sich hat, bevor der leichteste Stoff seiner Oberfläche völlig zerstreuet worden, eine cometische Atmosphäre ausgebreitet habe.

nachdem der Planet in etlichen Umschwüngen zu dem Abstande, da er jetzt schwebet, gebracht worden; verlohr er in einem so gemässigten Clima nach und nach die empfangene Wärme, und die Dünste, welche von seiner Oberfläche sich noch immer um ihn verbreiteten, liessen nach und nach ab, sich bis in Schweifen zu erheben. Es stiegen auch nicht mehr neue so häufig auf, um die alten zu vermehren: kurz, die schon ihn umgebenden Dünste blieben durch Ursachen, welche wir gleich anführen wollen, um ihn schweben, und erhielten ihm das Merkmal seiner ehemaligen cometenähnlichen Natur in einem beständigen Ringe, indessen, dass sein Körper die Hitze verhauchte, und zuletzt ein ruhiger und gereinigter Planet wurde. Nun wollen wir das Geheimniss anzeigen, das dem Himmelskörper seine aufgestiegene Dünste frey schwebend hat erhalten können, ja, sie aus einer rund um ihn ausgebreiteten Atmosphäre, in die Form eines allenthalben abstehenden Ringes, verändert hat. Ich nehme an: Saturn habe eine Umdrehung um die Achse gehabt; und nichts mehr, als dieses, ist nöthig, um das ganze Geheimniss aufzudecken. Kein anderes Triebwerk, als dieses einzige, hat durch einen unmittelbaren mechanischen Erfolg, gedachtes Phänomenon dem Planeten zuwege gebracht; und ich getraue es mir zu behaupten, dass in der ganzen [76] Natur nur wenig Dinge auf einen so begreiflichen Ursprung können gebracht werden, als diese Besonderheit des Himmels, aus dem rohen Zustande der ersten Bildung sich entwickeln lässt.

Die von dem Saturn aufsteigende Dünste hatten die Bewegung an sich, und setzten sie in der Höhe, dahin sie aufgestiegen waren, frey fort, die sie, als dessen Theile bey seiner Umdrehung um die Achse, gehabt hatten. Die Theilchen, die nahe beym Aeqvator des Planeten aufstiegen, müssen die schnellste, und weiter davon ab zu den Polen, um so viel schwächere Bewegungen gehabt haben, je grösser die Breite des Orts war, von dem sie aufstiegen. Das Verhältniss der specifischen Schwere ordnete den Partikeln die verschiedentliche Höhen, zu denen sie aufstiegen; aber nur diejenige Partikeln konnten die Oerter ihres Abstandes in einem beständig freyen Zirkelumschwunge behaupten, deren Entfernungen, in die sie versetzt waren, eine solche Centralkraft erheischeten, als diese mit der Geschwindigkeit, welche ihnen von der Achsendrehung eigen war, leisten konten; die übrigen, wofern sie durch die Wechselwirkung der andern nicht zu dieser

Genauheit gebracht werden können, müssen entweder mit dem Uebermaasse der Bewegung aus der Sphäre des Planeten sich entfernen, oder durch den Mangel derselben, auf ihn zurück zu sinken, genöthiget werden. Die durch den ganzen Umfang der Dunstkugel zerstreute Theilchen werden, vermöge eben derselben Centralgesetze, in der Bewegung [77] ihres Umschwunges, die fortgesetzte Aeqvatorsfläche des Planeten von beyden Seiten zu durchschneiden trachten, und, indem sie einander in diesem Plane von beyden Hemisphärien einander aufhalten, werden sie sich daselbst häufen; und, weil ich setze, dass gedachte Dünste diejenige sind, die der Planet zu seiner Verkühlung zuletzt herauf schickt, wird alle zerstreuete Dunstmaterie sich neben diesem Plane in einem nicht gar breiten Raume sammlen, und die Räume zu beyden Seiten leer lassen. In dieser neuen und veränderten Richtung aber werden sie dennoch eben dieselbe Bewegung fortsetzen, welche sie, in freyen concentrischen Zirkelumläufen, schwebend erhält. Auf solche Weise nun ändert der Dunstkreiss seine Gestalt, welche eine erfüllte Sphäre war, in eine Form einer ausgebreiteten Fläche, welche gerade mit dem Aeqvator des Saturns zusammen trifft; aber auch diese Fläche muss aus eben denselben mechanischen Gründen zuletzt die Form eines Ringes annehmen, dessen äusserer Rand durch die Wirkung der Sonnenstrahlen bestimmet wird, welche diejenige Theilchen, die sich bis zu gewisser Weite von dem Mittelpunkte des Planeten entfernet haben, durch ihre Kraft zerstreuet und entfernet, so wie sie es bey den Cometen thut, und dadurch die auswendige Grenze ihres Dunstkreises abzeichnet. Der inwendige Rand dieses entspringenden Ringes wird durch die Verhältnisse der Geschwindigkeit des Planeten unter seinem Aeqvator bestimmt. Denn in demjenigen Abstande von seinem Mittelpunkte, da diese Geschwindigkeit [78] mit der Attraction des Orts das Gleichgewichte leistet, da ist die grösste Nähe, in welcher die von seinem Körper aufgestiegene Theilchen, durch die der Achsendrehung eigene Bewegung, Zirkelkreise beschreiben können. Die nähern Theilchen, weil sie einer grössern Geschwindigkeit zu solchem Umlaufe bedürfen, die sie doch nicht haben können, weil selbst auf dem Aeqvator des Planeten die Bewegung nicht schneller ist, werden dadurch eccentrische Läufe erhalten, die einander durchkreutzen, eine der andern Bewegung schwächen, und endlich insgesammt auf den Planeten niederstürzen, von dem sie sich erhoben hatten. Da sehen wir nun das wunderseltsame Phänomenon, dessen Anblick seit seiner Entdeckung die Astronomen jederzeit in Bewunderung gesetzet hat, und, dessen Ursache zu entdecken, man niemals, auch nur eine wahrscheinliche, Hoffnung hat fassen können, auf eine leichte von aller Hypothese befreyete mechanische Art entstehen. Was dem Saturn widerfahren ist, das würde, wie hieraus leicht ersehen werden kan, einem jeden Cometen, der genugsame Achsendrehung hätte, wenn er in eine beständige Höhe versetzt würde, in der sein Körper nach und nach verkühlen könte, eben so regelmässig wiederfahren. Die Natur ist an vortreflichen Auswickelungen, in dem sich selbst gelassenen Zustande ihrer Kräfte, sogar im Chaos fruchtbar, und die darauf folgende Ausbildung bringet so herrliche Beziehungen und Uebereinstimmungen zum gemeinsamen Nutzen der Creatur mit sich, dass sie sogar, in den ewigen und unwandelbaren [79] Gesetzen ihrer wesentlichen Eigenschaften, dasjenige grosse Wesen mit einstimmiger Gewissheit zu erkennen geben, in welchem sie, vermittelst ihrer gemeinschaftlichen Abhängigkeit, sich zu einer gesammten Harmonie vereinbaren. Saturn hat von seinem Ringe grosse Vortheile; er vermehret seinen Tag, und erleuchtet unter so viel Monden dessen Nacht dermassen, dass man daselbst leichtlich die Abwesenheit der Sonne vergisst. Aber, muss man denn deswegen leugnen, dass die allgemeine Entwickelung der Materie durch mechanische Gesetze, ohne andere, als ihre allgemeine Bestimmungen, zu bedürfen, habe Beziehungen hervorbringen können, die der vernünftigen Creatur Nutzen schaffen? Alle Wesen hängen aus einer Ursache zusammen, welche der Verstand GOttes ist; sie können dahero keine andere Folgen nach sich ziehen, als solche, die eine Vorstellung der Vollkommenheit in eben derselben göttlichen Idee mit sich führen.

Wir wollen nunmehro die Zeit der Achsendrehung dieses Himmelskörpers aus den Verhältnissen seines Ringes, nach der angeführten Hypothese seiner Erzeugung, berechnen. Weil alle Bewegung der Theilchen des Ringes, eine einverleibte Bewegung von der Achsendrehung des Saturns ist, auf dessen Oberfläche sie sich befanden; so trifft die schnelleste Bewegung unter denen, die diese Theilchen haben, mit der schnellesten Umwendung, die auf der Oberfläche des Saturns angetroffen wird, [80] überein, das ist: die Geschwindigkeit, womit die Partikeln des Ringes in seinem inwendigen Rande umlaufen, ist derjenigen, die der Planet auf seinem Aeqvator hat, gleich.

Man kan aber jene leicht finden, indem man sie aus der Geschwindigkeit eines von den Saturnustrabanten suchet, dadurch, dass man selbige, in dem Verhältnisse der Qvadratwurzel der Entfernungen von dem Mittelpunkte des Planeten, nimmt. Aus der gefundenen Geschwindigkeit ergiebt sich unmittelbar die Zeit der Umdrehung des Saturns um seine Achse; sie ist von sechs Stunden, drey und zwanzig Minuten, und drey und funfzig Secunden. Diese mathematische Berechnung einer unbekannten Bewegung eines Himmelskörpers, die vielleicht die einzige Vorherverkündigung ihrer Art in der eigentlichen Naturlehre ist, erwartet von den Beobachtungen künftiger Zeiten die Bestätigung. Die noch zur Zeit bekannte Ferngläser vergrössern den Saturn nicht so sehr, dass man die Flecken, die man auf seiner Oberfläche vermuthen kan, dadurch entdecken könnte, um durch deren Verrückung seine Umwendung um die Achse zu ersehen. Allein die Sehröhre haben vielleicht noch nicht alle diejenige Vollkommenheit erlanget, die man von ihnen hoffen kan, und welche der Fleiss und die Geschicklichkeit der Künstler uns zu versprechen scheinet. Wenn man dereinst dahin gelangete, unsern Muthmassungen den Ausschlag durch den Augenschein zu geben, welche Gewissheit würde die Theorie des Saturns, und was vor eine vorzügliche **[81]** Glaubwürdigkeit würde das ganze System dadurch nicht erlangen, das auf den gleichen Gründen errichtet ist. Die Zeit der täglichen Umdrehung des Saturns führet auch die Verhältniss, der den Mittelpunkt fliehenden Kraft seines Aeqvators, zur Schweere auf seiner Oberfläche mit sich; sie ist zu dieser, wie 20 : 32. Die Schweere ist also nur um $\frac{3}{5}$ grösser, als die Centerfliehkraft. Dieses so grosse Verhältniss verursachet nothwendig einen sehr beträchtlichen Unterscheid der Durchmesser dieses Planeten, und man könte besorgen, dass er so gross entspringen müsste, dass die Beobachtung bey diesem, ob zwar wenig, durch das Fernglas vergrösserten Planeten, dennoch gar zu deutlich in die Augen fallen müsste, welches wirklich nicht geschiehet, und die Theorie dadurch einen nachtheiligen Anstoss erleiden könte. Eine gründliche Prüfung hebet diese Schwierigkeit völlig. Nach der Huygenianischen Hypothese, welche annimmt, dass die Schweere in dem innern eines Planeten durch und durch gleich sey, ist der Unterscheid der Durchmesser in einer zweyfach kleinern Verhältniss zu dem Durchmesser des Aeqvators, als die Centerfliehkraft zur Schweere unter den Polen hat. Z. E.

da bey der Erde, die den Mittelpunkt fliehende Kraft des Aeqvators $\frac{1}{289}$ der Schweere unter den Polen ist; so muss in der Huygenianischen Hypothese der Durchmesser der Aeqvatorsfläche $\frac{1}{578}$ grösser, als die Erdachse seyn. Die Ursache ist diese: weil, da die Schweere der Voraussetzung gemäss, in dem innern des Erdklumpens, in allen Nähen zum Mittelpunkte [**82**] so gross, wie auf der Oberfläche ist, die Centrifugalkraft aber mit den Annäherungen zum Mittelpunkte abnimmt, selbige nicht allenthalben $\frac{1}{289}$ der Schweere ist, sondern vielmehr die ganze Verminderung des Gewichtes der flüssigen Säule in der Aeqvatorsfläche aus diesem Grunde nicht $\frac{1}{289}$, sondern die Hälfte davon, d. i. $\frac{1}{578}$, desselben beträgt. Dagegen hat in der Hypothese des Newton die Centerfliehkraft, welche die Achsendrehung erreget, in der ganzen Fläche des Aeqvators, bis zum Mittelpunkte, eine gleiche Verhältniss zur Schweere des Orts: weil diese in dem innern des Planeten, (wenn er durch und durch von gleichförmiger Dichtigkeit angenommen wird), mit dem Abstande vom Mittelpunkte in derselben Proportion, als die Centerfliehkraft, abnimmt, mithin diese jederzeit $\frac{1}{289}$ der erstern ist. Dieses verursachet eine Erleichterung der flüssigen Säule in der Aeqvatorsfläche, und auch die Erhebung derselben um $\frac{1}{289}$, welcher Unterschied der Durchmesser in diesem Lehrbegriffe noch dadurch vermehret wird, dass die Verkürzung der Achse eine Annäherung der Theile zum Mittelpunkte, mithin eine Vermehrung der Schweere; die Verlängerung des Aeqvatordurchmessers aber eine Entfernung der Theile von eben demselben Mittelpunkte, und daher eine Verringerung ihrer Gravität mit sich führet, und aus diesem Grunde die Abplattung des Newtonischen Sphäroids so vermehret, dass der Unterscheid der Durchmesser von $\frac{1}{289}$ bis zu $\frac{1}{230}$ erhoben wird.

[**83**] Nach diesen Gründen müsten die Durchmesser des Saturns noch in grösserem Verhältnisse, als das von 20 zu 32 ist, gegen einander seyn; sie müsten der Proportion von 1 zu 2 beynahe gleich kommen. Ein Unterscheid, der so gross ist, dass die geringste Aufmerksamkeit ihn nicht fehlen würde, so klein auch Saturn durch die Ferngläser erscheinen mag. Allein hieraus ist nur zu ersehen, dass die Voraussetzung der gleichförmigen Dichtigkeit, welche bey dem Erdkörper ziemlich richtig angebracht zu seyn scheinet, beym Saturn gar zu weit von der Warheit abweiche; welches schon an sich selber bey einem Planeten wahrscheinlich ist, dessen Klumpen dem

grossesten Theile, seines Inhaltes nach, aus den leichtesten Materien bestehet, und denen von schwererer Art in seinem Zusammensatze, bevor er den Zustand der Festigkeit bekommt, die Niedersinkung zum Mittelpunkte, nach Beschaffenheit ihrer Schweere, weit freyer verstattet, als diejenige Himmelskörper, deren viel dichterer Stoff den Niedersatz der Materien verzögert, und sie, ehe diese Niedersinkung geschehen kan, fest werden lässt. Indem wir also beym Saturn voraussetzen, dass die Dichtigkeit seiner Materien, in seinem Innern, mit der Annäherung zum Mittelpunkte zunehme, so nimmt die Schweere nicht mehr in diesem Verhältnisse ab; sondern die wachsende Dichtigkeit ersetzt den Mangel der Theile, die über die Höhe des in dem Planeten befindlichen Punkts gesetzt seyn, und durch ihre Anziehung zu dessen [**84**] Gravität nichts beytragen*). Wenn diese vorzügliche Dichtigkeit der tiefsten Materien sehr gross ist; so verwandelt sie, vermöge der Gesetze der Anziehung, die zum Mittelpunkte hin in dem innern abnehmende Schweere in eine fast gleichförmige, und setzet das Verhältniss der Durchmesser dem Huygenischen nahe, welches immer die Hälfte von dem Verhältniss zwischen der Centrifugalkraft und der Schweere ist, folglich, da diese gegen einander wie 2 : 3 waren; so wird der Unterscheid der Durchmesser dieses Planeten nicht $\frac{1}{3}$, sondern $\frac{1}{6}$ des Aeqvatordurchschnitts seyn: welcher Unterscheid schlüsslich noch dadurch verborgen wird, weil Saturn, dessen Achse mit der Fläche seiner Bahn jederzeit einen Winkel von 31 Graden macht, die Stellung desselben gegen seinen Aeqvator niemals, wie beym Jupiter, gerade zu darbietet, welches den vorigen Unterscheid fast um den dritten Theil, dem Scheine nach, vermindert. Man kan bey solchen Umständen, und vornemlich bey der so grossen Weite dieses Planeten leicht erachten: dass die [**85**] abgeplattete Gestalt seines Körpers nicht so leicht, als man wohl denken solte, in die Augen fallen werde; dennoch wird die Sternwissenschaft, deren Aufnehmen vornemlich auf die Vollkommenheit der

*) Denn nach den Newtonischen Gesetzen der Attraction wird ein Körper, der sich in dem inwendigen einer Kugel befindet, nur von demjenigen Theile derselben angezogen, der in der Weite, welche jener vom Mittelpunkte hat, um diesen sphärisch beschrieben worden. Der ausser diesem Abstande befindliche concentrische Theil thut, wegen des Gleichgewichts seiner Anziehungen, die einander aufheben, nichts dazu, weder den Körper zum Mittelpunkte hin, noch von ihm weg, zu bewegen.

Werkzeuge ankommt, die Entdeckung einer so merkwürdigen Eigenschaft, wo ich mir nicht zu sehr schmeichle, durch derselben Hülfe vielleicht zu erreichen, in den Stand gesetzet werden.

Was ich von der Figur des Saturns sage, kan gewissermassen der Naturlehre des Himmels zu einer allgemeinen Bemerkung dienen. Jupiter, der, nach einer genauen Ausrechnung, eine Verhältniss der Schweere zur Centrifugalkraft auf seinem Aeqvator wenigstens wie $9\frac{1}{4} : 1$ hat, solte, wenn sein Klumpen durch und durch von gleichförmiger Dichtigkeit wäre, nach den Lehrsätzen des Newton, einen noch grössern Unterscheid, als $\frac{1}{9}$, zwischen seiner Achse und dem Aeqvatorsdurchmesser, an sich zeigen. Allein Cassini hat ihn nur $\frac{1}{16}$, Ponet $\frac{1}{12}$, bisweilen $\frac{1}{14}$ befunden; wenigstens stimmen alle diese verschiedene Beobachtungen, welche durch ihren Unterscheid die Schwierigkeit dieser Abmessung bestätigen, darin überein, sie viel kleiner zu setzen, als sie es nach dem System des Newton, oder vielmehr nach seiner Hypothese, von der gleichförmigen Dichtigkeit seyn solte. Und wenn man daher die Voraussetzung der gleichförmigen Dichtigkeit, welche die so grosse Abweichung der Theorie von der Beobachtung veranlasset, in die viel wahrscheinlichere verändert, da die Dichtigkeit des
[86] planetischen Klumpens zu seinem Mittelpunkte hinzunehmend gesetzet wird; so wird man nicht allein an dem Jupiter die Beobachtung rechtfertigen, sondern auch bey dem Saturn, einem viel schwerer abzumessenden Planeten, die Ursache einer minderen Abplattung seines sphäroidischen Körpers deutlich einsehen können.

Wir haben aus der Erzeugung des saturnischen Ringes Anlass genommen, den kühnen Schritt zu wagen, die Zeit der Achsendrehung, welche die Ferngläser zu entdecken nicht vermögen, ihm durch Rechnung zu bestimmen. Lasset uns diese Probe einer physischen Vorhersagung, noch mit einer andern, an eben diesem Planeten vermehren, welche von vollkommeneren Werkzeugen künftiger Zeiten das Zeugniss ihrer Richtigkeit zu erwarten hat.

Der Voraussetzung gemäss: dass der Ring des Saturns eine Häufung der Theilchen sey, die, nachdem sie von der Oberfläche dieses Himmelskörpers als Dünste aufgestiegen, sich vermöge des Schwunges, den sie von der Achsendrehung desselben an sich haben und fortsetzen, in der Höhe ihres Abstandes frey in Zirkeln laufend erhalten, haben dieselbe nicht in allen ihren Entfernungen vom Mittelpunkte, gleiche periodische Umlaufszeiten; sondern diese verhalten sich vielmehr, wie die Qvadratwurzeln, aus den Würfeln ihres Abstandes, wenn sie sich durch die Gesetze der Centralkräfte schwebend erhalten sollen. Nun ist die Zeit, darinn, nach dieser Hypothese, die Theilchen des inwendigen Randes [87] ihren Umlauf verrichten, ohngefehr von 10 Stunden, und die Zeit des Zirkellaufs der Partikeln im auswendigen Rande ist, nach gehöriger Ausrechnung, 15 Stunden; also, wenn die niedrigsten Theile des Ringes ihren Umlauf 3 mal verrichtet haben, haben es die entferneteesten nur 2 mal gethan. Es ist aber wahrscheinlich, man mag die Hinderniss, die die Partikeln bey ihrer grossen Zerstreuung in der Ebene des Ringes einander leisten, so gering schätzen, als man will, dass das Nachbleiben der entferntern Theilchen, bey jeglichem ihrer Umläufe, die schneller bewegte niedrige Theile nach und nach verzögern und aufhalten: dagegen diese denen obern einen Theil ihrer Bewegung, zu einer geschwindern Umwendung, eindrücken müssen, welches, wenn diese Wechselwirkung nicht endlich unterbrochen würde, so lange dauren würde, bis die Theilchen des Ringes alle dahin gebracht wären, sowohl die niedrigen, als die weitern, in gleicher Zeit sich herumzuwenden, als in welchem Zustande sie in respectiver Ruhe gegen einander seyn, und durch die Wegrückung keine Wirkung in einander thun würden. Nun würde aber ein solcher Zustand, wenn die Bewegung des Ringes dahin ausschlüge, denselben gänzlich zerstören, weil, wenn man die Mitte von der Ebene des Ringes nimmt, und setzet, dass daselbst die Bewegung in dem Zustande verbleibe, darinn sie vorher war und seyn muss, um einen freyen Zirkellauf leisten zu können, die untern Theilchen, weil sie sehr zurück gehalten worden, sich nicht in ihrer Höhe schwebend erhalten, sondern [88] in schiefen und eccentrischen Bewegungen einander durchkreutzen, die entferntern aber durch den Eindruck einer grössern Bewegung, als sie vor die Centralkraft ihres Abstandes seyn soll, weiter von der Sonne abgewandt, als die Sonnenwirkung die äussere Grenze des Ringes bestimmt, durch dieselbe hinter dem Planeten zerstreuet und fortgeführet werden müsten.

Allein man darf alle diese Unordnung nicht befürchten. Der Mechanismus der erzeugenden Bewegung des Ringes führet auf eine Bestimmung, die denselben, vermittelst eben der Ursachen, die ihn zerstören sollen, in einen sichern Zustand versetzet, dadurch, dass er in etliche concentrische Zirkelstreifen getheilet wird, welche wegen der Zwischenräume, die sie absondern, keine Gemeinschaft mehr unter einander haben. Denn indem die Partikeln, die in dem inwendigen Rande des Ringes umlaufen, die obere durch ihre schnellere Bewegung etwas fortführen, und ihren Umlauf beschleunigen; so verursachen die vermehrten Grade der Geschwindigkeit in diesen ein Uebermaass der Centrifugalkraft, und eine Entfernung von dem Orte, da sie schwebeten. Wenn man aber voraussetzet, dass, indem dieselbe sich von den niedrigen zu trennen bestreben, sie einen gewissen Zusammenhang zu überwinden haben, der, ob es zwar zerstreuete Dünste seyn, dennoch bey diesen nicht ganz nichts bedeutend zu seyn scheinet; so wird dieser vermehrte Grad des Schwunges gedachten Zusammenhang zu überwinden [89] trachten: aber selbigen nicht überwinden, so lange der Ueberschuss der Centerfliehkraft, die er in gleicher Umlaufszeit mit den niedrigsten anwendet, über die Centralkraft ihres Orts, dieses Anhängen nicht übertrifft. Und aus diesem Grunde muss in einer gewissen Breite eines Streifens von diesem Ringe, obgleich, weil dessen Theile in gleicher Zeit ihren Umlauf verrichten, die obere eine Bestrebung anwenden, sich von den untern abzureissen, dennoch der Zusammenhang bestehen, aber nicht in grösserer Breite, weil, indem die Geschwindigkeit dieser in gleichen Zeiten unbewegten Theilchen, mit den Entfernungen, also mehr, als sie es nach den Centralgesetzen thun solte, zunimmt, wenn sie den Grad überschritten hat, den der Zusammenhang der Dunsttheilchen leisten kan, von diesen sich abreissen und einen Abstand annehmen müssen, welcher dem Ueberschusse der Umwendungskraft über die Centralkraft des Orts gemäss ist. Auf diese Weise wird der Zwischenraum bestimmet, der den ersten Streifen des Ringes von den übrigen absondert; und auf gleiche Weise macht die beschleunigte Bewegung der obern Theilchen, durch den schnellen Umlauf der untern, und der Zusammenhang derselben, welcher die Trennung zu hindern trachtet, den zweyten concentrischen Ring, von welchem der dritte um eine mässige Zwischenweite abstehet. Man könte die Zahl dieser Zirkelstreifen, und die Breite ihrer Zwischenräume, ausrechnen, wenn der Grad des Zusammenhanges bekannt wäre, welcher die Theilchen an einander hängt; allein wir können [90] uns begnügen, überhaupt die Zusammensetzung des Saturnischen Ringes, die dessen Zerstörung vorbeugt, und ihn durch freye Bewegungen schwebend erhält, mit gutem Grunde der Wahrscheinlichkeit errathen zu haben.

Diese Muthmassung vergnüget mich nicht wenig, vermittelst der Hoffnung, selbige noch wohl dereinst durch wirkliche Beobachtungen bestätiget zu sehen. Vor einigen Jahren verlautete aus London, dass, indem man mit einem neuen, vom Herrn Bradley verbesserten Newtonischen Sehrohre, den Saturn beobachtete, es geschienen habe, sein Ring sey eigentlich eine Zusammensetzung von vielen concentrischen Ringen, welche durch Zwischenräume abgesondert wären. Diese Nachricht ist seitdem nicht fortgesetzt worden*). Die [91] Werkzeuge des Gesichts haben die Kenntnisse der äussersten Gegenden des Weltgebäudes dem Verstande eröfnet. Wenn es nun vornemlich auf sie ankommt, neue Schritte darinn zu thun; so kan man von der Aufmerksamkeit des Jahrhunderts auf alle dasjenige, was die Einsichten der Menschen erweitern kan, wohl mit Wahrscheinlichkeit hoffen, dass sie sich vornemlich auf eine Seite wenden werde, welche ihr die grösste Hoffnung zu wichtigen Entdeckungen darbietet.

Wenn aber Saturn so glücklich gewesen, sich einen Ring zu verschaffen, warum ist denn kein anderer Planet mehr dieses Vortheils theilhaftig worden? die Ursache ist deutlich.

---

*) Nachdem ich dieses aufgesetzet; finde ich in den Memoires der königl. Academie der Wissenschaften zu Paris vom Jahre 1705 in einer Abhandlung des Herrn Cassini, von den Trabanten und dem Ringe des Saturns, auf der 571sten Seite des zweyten Theils der v. Steinwehrschen Uebersetzung, eine Bestätigung dieser Vermuthung, die fast keinen Zweifel ihrer Richtigkeit mehr übrig lässt. Nachdem Herr Cassini einen Gedanken vorgetragen, der gewisser massen eine kleine Annäherung zu derjenigen Wahrheit hätte seyn können, die wir herausgebracht haben, ob er gleich an sich unwahrscheinlich ist: nemlich, dass vielleicht dieser Ring ein Schwarm kleiner Trabanten sein möchte, die vom Saturn aus, eben so anzusehen wären, als die Milchstrasse von der Erde aus erscheinet (Welcher Gedanke Platz finden kan, wenn man vor diese kleine Trabanten die Dunsttheilchen nimmt, die mit eben der gleichen Bewegung sich um ihn schwingen); so sagt er ferner: Diesen Gedanken bestätigten die Observationen, die man in den Jahren gemacht, da der Ring des Saturns breiter und offener schien. Denn man sahe die Breite des Ringes durch eine dunkele elliptische Linie, deren nächster Theil, nach der Kugel zu, heller war, als der entfernteste, in zween Theile getheilet. Diese Linie bemerkte gleichsam einen kleinen Zwischenraum zwischen den zween Theilen, so wie die Weite der Kugel vom Ringe, durch die grösste Dunkelheit zwischen beyden, angezeiget wird.

Weil ein Ring aus den Ausdünstungen eines Planeten, der sie bey seinem [92] rohen Zustande aushauchet, entstehen soll, und die Achsendrehung dieser den Schwung geben muss, den sie nur fortzusetzen haben, wenn sie in die Höhe gelanget seyn, da sie mit dieser eingepflanzten Bewegung der Gravitation gegen den Planeten gerade das Gleichgewicht leisten können; so kan man leicht durch Rechnung bestimmen, zu welcher Höhe die Dünste von einem Planeten aufsteigen müssen, wenn sie durch die Bewegungen, die sie unter dem Aeqvator desselben hatten, sich in freyer Zirkelbewegung erhalten sollen, wenn man den Durchmesser des Planeten, die Zeit seiner Umdrehung, und die Schweere auf seiner Oberfläche kennet. Nach dem Gesetze der Centralbewegung wird die Entfernung eines Körpers, der um einen Planeten mit einer dessen Achsendrehung gleichen Geschwindigkeit frey im Zirkel laufen kan, in eben solchem Verhältnisse zum halben Durchmesser des Planeten seyn, als die den Mittelpunkt fliehende Kraft, unter dem Aeqvator desselben, zur Schweere ist. Aus diesen Gründen war die Entfernung des innern Randes des Saturnringes wie 8, wenn der halbe Diameter desselben wie 5 angenommen wird, welche zwey Zahlen in demselben Verhältnisse wie 32 : 20 ist, die, so wie wir vorher bemerket haben, die Proportion zwischen der Schweere und der Centerfliehkraft unter dem Aeqvator ausdrückt. Aus den gleichen Gründen, wenn man setzte, dass Jupiter einen auf diese Art erzeugten Ring haben solte, würde dessen kleinster halber Durchmesser die halbe Dicke des Jupiter 10 mal übertreffen, welches gerade [93] dahin treffen würde, wo sein äusserster Trabante um ihn läuft, und daher sowohl aus diesen Gründen, als auch, weil die Ausdünstung eines Planeten sich so weit von ihm nicht ausbreiten kan, unmöglich ist. Wenn man verlangte zu wissen, warum die Erde keinen Ring bekommen hat; so wird man die Beantwortung in der Grösse des halben Durchmessers finden, den nur sein innerer Rand hätte haben müssen, welcher 289 halbe Erddiameter müste gross geworden seyn. Bey den langsamer bewegten Planeten entfernet sich die Erzeugung eines Ringes noch weiter von der Möglichkeit; also bleibt kein Fall übrig, da ein Planet auf die Weise, wie wir es erkläret haben, einen Ring hätte bekommen können, als derjenige, darinn der Planet ist, welcher ihn würklich hat, welches eine nicht geringe Bestärkung der Glaubwürdigkeit unserer Erklärungsart ist.

Was mich aber fast versichert macht, dass der Ring, welcher den Saturn umgiebet, ihm nicht auf diejenige allgemeine Art entstanden, und durch die allgemeine Bildungsgesetze erzeugt worden, die durch das ganze System der Planeten geherrschet, und dem Saturn auch seine Trabanten verschaffet hat, dass, sage ich, diese äusserliche Materie nicht ihren Stoff dazu hergegeben, sondern er ein Geschöpf des Planeten selber sey, der seine flüchtigsten Theile durch die Wärme erhoben, und ihnen durch seine eigene Achsendrehung den Schwung zur Umwendung ertheilet hat, ist dieses, dass der [**94**] Ring nicht so wie die andern Trabanten desselben, und wie überhaupt alle umlaufende Körper, die in der Begleitung der Hauptplaneten befindlich seyn, in der allgemeinen Beziehungsfläche der planetischen Bewegungen gerichtet ist, sondern von ihr sehr abweicht: welches ein sicherer Beweis ist, dass er nicht aus dem allgemeinen Grundstoffe gebildet, und seine Bewegung aus dessen Herabsinken bekommen, sondern von dem Planeten, nach längst vollendeter Bildung aufgestiegen, und durch dessen eingepflanzte Umschwungskräfte, als sein abgeschiedener Theil, eine sich auf desselben Achsendrehung beziehende Bewegung und Richtung, bekommen habe.

Das Vergnügen, eine von den seltensten Besonderheiten des Himmels, in dem ganzen Umfange ihres Wesens und Erzeugung, begriffen zu haben, hat uns in eine so weitläuftige Abhandlung verwickelt. Lasset uns mit der Vergünstigung unserer gefälligen Leser dieselbe, wo es beliebig, bis zur Ausschweiffung treiben, um, nachdem wir uns auf eine angenehme Art willkührlichen Meinungen, mit einer Art von Ungebundenheit, überlassen haben, mit desto mehrerer Behutsamkeit und Sorgfalt, wiederum zu der Wahrheit zurück zu kehren

Könte man sich nicht einbilden, dass die Erde eben sowohl, wie Saturn, ehemals einen Ring gehabt habe? Er möchte nun von ihrer Oberfläche eben so, wie Saturns seiner, aufgestiegen seyn, und habe sich lange Zeit erhalten, indessen dass die Erde von einer viel schnelleren Umdrehung, [**95**] als die gegenwärtige ist, durch, wer weiss was vor Ursachen, bis zu gegenwärtigem Grade aufgehalten worden, oder dass man dem abwerts sinkenden allgemeinen Grundstoffe es zutrauet, denselben nach den Regeln, die wir oben erkläret, gebildet zu haben, welches man so genau nicht nehmen muss, wenn man seine Neigung zum sonderbaren, vergnügen will. Allein, was vor ein Vorrath von schönen Erläuterungen und Folgen bietet uns eine solche Idee dar. Ein Ring um die Erde! Welche Schönheit eines Anblicks vor diejenige, die erschaffen waren, die Erde als ein Paradies zu bewohnen; wie viel Beqvemlichkeit vor diese, welche die Natur von allen Seiten anlachen solte! Allein dieses ist noch nichts gegen die Bestätigung, die eine solche Hypothese aus der Urkunde der Schöpfungsgeschichte entlehnen kan, und die vor diejenige keine geringe Empfehlung zum Beyfalle ist, welche die Ehre der Offenbarung nicht zu entweihen, sondern zu bestätigen glauben, wenn sie sich ihrer bedienen, den Ausschweifungen ihres Witzes dadurch ein Ansehen zu geben. Das Wasser der Veste, deren die Mosaische Beschreibung erwehnet, hat den Auslegern schon nicht wenig Mühe verursachet. Könte man sich dieses Ringes nicht bedienen, sich aus dieser Schwierigkeit heraus zu helfen? Dieser Ring bestand ohne Zweifel aus wässrichten Dünsten; und man hat ausser dem Vortheile, den er den ersten Bewohnern der Erde verschaffen konte, noch diesen, ihn im benöthigten Falle zerbrechen zu lassen, um die Welt, die solcher [96] Schönheit sich unwürdig gemacht hatte, mit Ueberschwemmungen zu züchtigen. Entweder ein Comet, dessen Anziehung die regelmässige Bewegungen seiner Theile in Verwirrung brachte, oder die Verkühlung der Gegend seines Aufenthalts vereinigte dessen zerstreuete Dunsttheile, und stürzte sie, in einem der allergrausamsten Wolkenbrüche, auf den Erdboden nieder. Man weiss leichtlich, was die Folge hievon war. Allé Welt gieng im Wasser unter, und sog noch über dieses, in denen fremden und flüchtigen Dünsten dieses unnatürlichen Regens, denjenigen langsamen Gift ein, der alle Geschöpfe dem Tode und der Zerstörung näher brachte. Nunmehro war die Figur eines blassen und lichten Bogens von dem Horizonte verschwunden, und die neue Welt, welche sich dieses Anblicks niemals erinnern konte, ohne ein Schrecken vor dieses fürchterliche Werkzeug der göttlichen Rache zu empfinden, sahe vielleicht mit nicht geringer Bestürzung in dem ersten Regen denjenigen farbigten Bogen, der, seiner Figur nach, den erstern abzubilden schien, aber durch die Versicherung des versöhnten Himmels, ein Gnadenzeichen und Denkmaal einer fortwährenden Erhaltung des nunmehro veränderten Erdbodens, seyn solte. Die Aehnlichkeit der Gestalt dieses Erinnerungszeichens mit der bezeichneten Begebenheit, könte eine solche Hypothese denenjenigen anpreisen, die der herrschenden Neigung ergeben sind, die Wunder der Offenbarung mit den ordentlichen Naturgesetzen in ein System zu bringen. Ich finde es vor rathsamer, den [97] flüchtigen Beyfall, den solche Uebereinstimmungen erwecken können, dem wahren Vergnügen völlig aufzuopfern; welches aus der Wahrnehmung des regelmässigen Zusammenhanges entspringet, wenn physische Analogien einander zur Bezeichnung physischer Wahrheiten unterstützen.

Sechstes Hauptstück,
von dem
Zodiakallichte.

Die Sonne ist mit einem subtilen und dunstigen Wesen umgeben, welches in der Fläche ihres Aeqvators, mit einer nur geringen Ausbreitung auf beyden Seiten, bis zu einer grossen Höhe sie umgiebet, wovon man nicht versichert seyn kan, ob es, wie Herr von Mairan es abbildet, in der Figur eines erhaben geschliffenen Glases, (figura lenticulari,) mit der Oberfläche der Sonne zusammen stösst, oder wie der Ring des Saturns allenthalben von ihm abstehet. Es sey nun das eine oder das andere; so bleibet Aehnlichkeit genug übrig, um dieses Phänomenon mit dem Ringe des Saturns in Vergleichung zu stellen, und es aus einem übereinkommenden Ursprunge herzuleiten. Wenn diese ausgebreitete Materie ein Ausfluss aus der Sonne ist, wie es denn am wahrscheinlichsten ist, [98] sie davor zu halten; so wird man die Ursache nicht verfehlen können, die sie auf die, dem Sonnenäqvator gemeine Fläche gebracht hat. Der leichteste und flüchtigste Stoff, den das Sonnenfeuer von dessen Oberfläche erhebet, und schon lange erhoben hat, wird durch derselben Wirkung weit über sie fortgetrieben, und bleibet, nach Maasgebung seiner Leichtigkeit, in einer Entfernung schweben, wo die forttreibende Wirkung der Strahlen der Schweere dieser Dunsttheilchen das Gleichgewicht leistet, oder sie werden von dem Zuflusse neuer Partikeln unterstützet, welche beständig zu ihnen hinzu kommen. Nun, weil die Sonne, indem sie sich um die Achse drehet, diesen von ihrer Oberfläche abgerissenen Dünsten ihre Bewegung gleichmässig eindrückt; so behalten dieselbe einen gewissen Schwung zum Umlaufe, wodurch sie von beyden Seiten, den Centralgesetzen gemäss, in dem Zirkel ihrer Bewegung die fortgesetzte Aeqvatorsfläche der Sonne zu durchschneiden, bestrebt seyn; und daher, weil sie in gleicher Qvantität von beyden Hemisphärien sich zu derselben hindringen, daselbst sich mit gleichen Kräften häufen, und eine ausgebreitete Ebene, in diesem auf dem Sonnenäqvator beziehenden Plan, formiren.

Allein, ohnerachtet dieser Aehnlichkeit mit dem Saturnusringe, bleibt ein wesentlicher Unterschied übrig, welcher das Phänomenon des Zodiakallichtes von jenem sehr abweichend macht. Die Partikeln des erstern erhalten sich durch die eingepflanzte [99] Umdrehungsbewegung in frey schwebendem Zirkellaufe; allein die Theilchen des letztern werden durch die Kraft der Sonnenstrahlen in ihrer Höhe erhalten, ohne welcher die ihnen von der Sonnenumwendung beywohnende Bewegung gar weit fehlen würde, sie im freyen Umschwunge vom Falle abzuhalten. Denn, da die den Mittelpunkt fliehende Kraft der Achsendrehung auf der Oberfläche der Sonne noch nicht $\frac{1}{40000}$ der Attraction ist; so würden diese aufgestiegene Dünste 40000 halbe Sonnendiameter von ihr entfernet werden müssen, um in solcher Weite allererst eine Gravitation anzutreffen, die ihrer mitgetheilten Bewegung das Gleichgewicht leisten könte. Man ist also sicher, dieses Phänomenon der Sonne ihr nicht auf die, dem Saturnusringe gleiche Art zuzumessen.

Gleichwohl bleibet eine nicht geringe Wahrscheinlichkeit übrig, dass dieser Halsschmuck der Sonne vielleicht denselben Ursprung erkenne, den die gesammte Natur erkennet, nemlich die Bildung aus dem allgemeinen Grundstoff, dessen Theile, da sie in den höchsten Gegenden der Sonnenwelt herum geschwebet, nur allererst nach völlig vollendeter Bildung des ganzen Systems zu der Sonne, in einem späten Falle mit geschwächter, aber doch von Abend gegen Morgen gekrümmter Bewegung, herab gesunken, und, vermittelst dieser Art des Kreislaufes, die fortgesetzte Aeqvatorsfläche derselben durchschnitten, daselbst durch ihre Häufung von beyden Seiten, indem sie sich aufhielten, eine [100] in dieser Stellung ausgebreitete Ebene eingenommen haben, worinn sie sich zum Theil durch der Sonnenstrahlen Zurücktreibung, zum Theil durch ihre wirklich erlangte Kreissbewegung, jetzo in beständig gleicher Höhe erhalten. Die gegenwärtige Erklärung hat keine andere Würdigkeit, als diejenige, welche Muthmassungen zukommt, und keinen Anspruch, als nur auf einen willkührlichen Beyfall; das Urtheil des Lesers mag sich auf diejenige Seite wenden, welche ihm die annehmungswürdigste zu seyn dünket.

Siebendes Hauptstück,
von der
Schöpfung im ganzen Umfange ihrer Unendlichkeit, sowohl dem Raume, als der Zeit nach.

Das Weltgebäude setzet durch seine unermessliche Grösse, und durch die unendliche Mannigfaltigkeit und Schönheit, welche aus ihr von allen Seiten hervorleuchtet, in ein stilles Erstaunen. Wenn die Vorstellung aller dieser Vollkommenheit nun die Einbildungskraft rühret; so nimmt den Verstand anderer Seits eine andere Art der Entzückung ein, wenn er betrachtet, wie so viel Pracht, so viel Grösse, aus einer einzigen allgemeinen Regel, [**101**] mit einer ewigen und richtigen Ordnung, abfliesset. Der planetische Weltbau, indem die Sonne aus dem Mittelpunkte aller Kreise, mit ihrer mächtigen Anziehung, die bewohnte Kugeln ihres Systems in ewigen Kreisen umlaufend macht, ist gänzlich, wie wir gesehen haben, aus dem ursprünglich ausgebreiteten Grundstoff aller Weltmaterie gebildet worden. Alle Fixsterne, die das Auge an der holen Tiefe des Himmels entdecket, und die eine Art von Verschwendung anzuzeigen scheinet, sind Sonnen und Mittelpunkte von ähnlichen Systemen. Die Analogie erlaubt es also hier nicht, zu zweifeln, dass diese auf die gleiche Art, wie das, darinn wir uns befinden, aus denen kleinsten Theilen der elementarischen Materie, die den leeren Raum, diesen unendlichen Umfang der göttlichen Gegenwart, erfüllete, gebildet und erzeuget worden.

Wenn nun alle Welten und Weltordnungen dieselbe Art ihres Ursprungs erkennen: wenn die Anziehung unbeschränkt und allgemein, die Zurückstossung der Elemente aber ebenfalls durchgehends wirksam, wenn bey dem unendlichen das grosse und kleine beyderseits klein ist; solten nicht alle die Weltgebäude gleichermassen eine beziehende Verfassung und systematische Verbindung unter einander angenommen haben, als die Himmelskörper unserer Sonnenwelt im kleinen, wie Saturn, Jupiter und die Erde, die vor sich insonderheit Systeme seyn, und dennoch unter einander als Glieder in einem [**102**] noch grössern zusammen hängen? Wenn man in dem unermesslichen Raume, darinn alle Sonnen der Milchstrasse sich gebildet haben, einen Punkt annimmt, um welchen durch, ich weiss nicht was vor eine Ursache, die erste Bildung der Natur aus dem Chaos angefangen hat; so wird daselbst die grösste Mssse, und ein Körper von der ungemeinsten Attraction, entstanden seyn, der dadurch fähig geworden, in einer ungeheuren Sphäre um sich alle in der Bildung begriffene Systeme zu nöthigen, sich gegen ihn, als ihren Mittelpunkt, zu senken, und um ihn ein gleiches System im Ganzen zu errichten, als derselbe elementarische Grundstoff, der die Planeten bildete, um die Sonne im Kleinen gemacht hat. Die Beobachtung macht diese Muthmassung beynahe ungezweifelt. Das Heer der Gestirne macht, durch seine beziehende Stellung gegen einen gemeinschaftlichen Plan, eben sowohl ein System aus, als die Planeten unseres Sonnenbaues um die Sonne. Die Milchstrasse ist der Zodiakus dieser höheren Weltordnungen, die von seiner Zone so wenig als möglich, abweichen, und deren Streif immer von ihrem Lichte erleuchtet ist, so wie der Thierkreiss der Planeten von dem Scheine dieser Kugeln, obzwar nur in sehr wenig Punkten, hin und wieder schimmert. Eine jede dieser Sonnen macht mit ihren umlaufenden Planeten vor sich ein besonderes System aus; allein dieses hindert nicht, Theile eines noch grösseren Systems zu seyn, so wie Jupiter oder Saturn, ungeachtet ihrer eigenen Begleitung, in der systematischen [**103**] Verfassung eines noch grösseren Weltbaues beschränkt seyn. Kan man, an einer so genauen Uebereinstimmung in der Verfassung nicht die gleiche Ursache und Art der Erzeugung erkennen?

Wenn nun die Fixsterne ein System ausmachen, dessen Umfang durch die Anziehungssphäre desjenigen Körpers, der im Mittelpunkte befindlich ist, bestimmet wird, werden nicht mehr Sonnensystemata, und, so zu reden, mehr Milchstrassen entstanden seyn, die in dem Grenzenlosen Felde des Weltraums erzeuget worden? Wir haben mit Erstaunen Figuren am Himmel erblickt, welche nichts anders, als solche auf einen gemeinschaftlichen Plan beschränkte Fixsternensystemata, solche Milchstrassen, wenn ich mich so ausdrücken darf, seyn, die in verschiedenen Stellungen gegen das Auge, mit einem, ihrem unendlichen Abstande gemäss geschwächten Schimmer, elliptische Gestalten darstellen; es sind Systemata von, so zu sagen, unendliche mal unendlich grösserm Durchmesser, als der Diameter unseres Sonnenbaues, ist; aber ohne Zweifel auf gleiche Art entstanden, aus gleichen Ursachen geordnet und eingerichtet, und erhalten sich durch ein gleiches Triebwerk, als dieses, in ihrer Verfassung.

Wenn man diese Sternensystemata wiederum als Glieder an der grossen Kette der gesammten Natur ansiehet; so hat man eben so viel Ursache, wie vorher, sie in einer gegenseitigen Beziehung zu gedenken, und in Verbindungen, welche Kraft [**104**] des durch die ganze Natur herrschenden Gesetzes der ersten Bildung, ein neues noch grösseres System ausmachen, das durch die Anziehung eines Körpers von ungleich mächtigerer Attraction, als alle die vorige, waren, aus dem Mittelpunkte ihrer regelmässigen Stellungen regieret wird. Die Anziehung, welche die Ursache der systematischen Verfassung unter den Fixsternen der Milchstrasse ist, wirket auch noch in der Entfernung eben dieser Weltordnungen, um sie aus ihren Stellungen zu bringen, und die Welt in einem unvermeidlich bevorstehenden Chaos zu begraben, wenn nicht regelmässig ausgetheilte Schwungskräfte der Attraction das Gegengewicht leisten, und beyderseits in Verbindung diejenige Beziehung hervorbringen, die der Grund der systematischen Verfassung ist. Die Anziehung ist ohne Zweifel eine eben so weit ausgedehnte Eigenschaft der Materie, als die Coexistenz, welche den Raum macht, indem sie die Substanzen durch gegenseitige Abhängigkeiten verbindet, oder, eigentlicher zu reden, die Anziehung ist eben diese allgemeine Beziehung, welche die Theile der Natur in einem Raume vereinigt: sie erstrecket sich also auf die ganze Ausdehnung desselben, bis in alle Weiten ihrer Unendlichkeit. Wenn das Licht von diesen entfernten Systemen zu uns gelanget, das Licht, welches nur eine eingedrückte Bewegung ist, muss nicht vielmehr die Anziehung, diese ursprüngliche Bewegungsqvelle, welche eher, wie alle Bewegung ist: die keiner fremden Ursache bedarf, auch durch keine Hinderniss kan aufgehalten werden, [**105**] weil sie in das innerste der Materie, ohne einigen Stoss, selbst bey der allgemeinen Ruhe der Natur wirket, muss, sage ich, die Anziehung nicht diese Fixsternen-Systemata, ihrer unermesslichen Entfernungen ungeachtet, bei der ungebildeten Zerstreuung ihres Stoffes, im Anfange der Regung der Natur, in Bewegungen versetzet haben, die eben so, wie wir im Kleinen gesehen haben, die Qvelle der systematischen Verbindung, und der dauerhaften Beständigkeit ihrer Glieder ist, die sie vor den Verfall sichert?

Aber, welches wird denn endlich das Ende der systematischen Einrichtungen seyn? wo wird die Schöpfung selber aufhören? Man merket wohl, dass, um sie in einem Verhältnisse mit der Macht des unendlichen Wesens zu gedenken, sie gar keine Grenzen haben müsse. Man kommt der Unendlichkeit der Schöpfungskraft GOttes nicht näher, wenn man den Raum ihrer Offenbarung in einer Sphäre mit dem Radius der Milchstrasse beschrieben, einschliesset, als wenn man ihn in eine Kugel beschränken will, die einen Zoll im Durchmesser hat. Alles was endlich, was seine Schranken und ein bestimmtes Verhältniss zur Einheit hat, ist von dem unendlichen gleich weit entfernet. Nun wäre es ungereimt, die Gottheit mit einem unendlich kleinen Theile ihres schöpferischen Vermögens in Wirksamkeit zu setzen, und ihre unendliche Kraft, den Schatz einer wahren Unermesslichkeit, von Naturen und Welten unthätig, und in einem ewigen [**106**] Mangel der Ausübung verschlossen, zu gedenken. Ist es nicht vielmehr anständiger, oder besser zu sagen, ist es nicht nothwendig, den Inbegriff der Schöpfung also anzustellen, als er seyn muss, um ein Zeugniss von derjenigen Macht zu seyn, die durch keinen Maassstab kan abgemessen werden? Aus diesem Grunde ist das Feld der Offenbarung göttlicher Eigenschaften eben so unendlich, als diese selber sind*). Die Ewigkeit ist nicht hinlänglich, [**107**] die Zeugnisse des höchsten Wesens zu fassen, wo sie nicht mit der Unendlichkeit des Raumes verbunden wird.

---

*) Der Begriff einer unendlichen Ausdehnung der Welt findet unter den Metaphysikkündigern Gegner, und hat nur neulich an dem Herrn M. Weitenkampf einen gefunden. Wenn diese Herren, wegen der angeblichen Unmöglichkeit einer Menge ohne Zahl und Grenzen, sich zu dieser Idee nicht beqvemen können, so wolte ich nur vorläufig fragen: ob die künftige Folge der Ewigkeit nicht eine wahre Unendlichkeit von Mannigfaltigkeiten und Veränderungen in sich fassen wird? und ob diese unendliche Reihe nicht auf einmal schon jetzo dem göttlichen Verstande gänzlich gegenwärtig sey? Wenn es nun möglich war, dass GOtt den Begriff der Unendlichkeit, der seinem Verstande auf einmal darstehet, in einer auf einander folgenden Reihe würklich machen kan: warum solte derselbe nicht den Begriff einer andern Unendlichkeit in einem, dem Raume nach, verbundenen Zusammenhange darstellen, und dadurch den Umfang der Welt ohne Grenzen machen können? Indessen, dass man diese Frage wird zu beantworten suchen, so werde mich der Gelegenheit, die sich darbieten wird, bedienen, durch eine aus der Natur der Zahlen gezogene Erläuterung, die vermeinte Schwierigkeit zu heben, woferne man, bey genauer Erwegung, es noch als eine einer Erörterung bedürftige Frage ansehen kan: ob dasjenige, was eine durch die höchste Weisheit begleitete Macht hervorgebracht hat, sich zu offenbaren, zu demjenigen, was sie hat hervorbringen können. sich wie eine Differenzialgrösse verhalte?

Es ist wahr, die Ausbildung, die Form, die Schönheit und Vollkommenheit, sind Beziehungen der Grundstücke und der Substanzen, die den Stoff des Weltbaues ausmachen; und man bemerket es an den Anstalten, die die Weisheit GOttes noch zu aller Zeit trifft; es ist ihr auch am gemässesten, dass sie sich, aus dieser ihren eingepflanzten allgemeinen Gesetzen, durch eine ungezwungene Folge herauswickeln. Und daher kan man mit gutem Grunde setzen, dass die Anordnung und Einrichtung der Weltgebäude, aus dem Vorrathe des erschaffenen Naturstoffes, in einer Folge der Zeit, nach und nach geschehe; allein, die Grundmaterie selber, deren Eigenschaften und Kräfte allen Veränderungen zum Grunde liegen, ist eine unmittelbare Folge des göttlichen Daseyns: selbige muss also auf einmal so reich, so vollständig seyn, dass die Entwickelung ihrer Zusammensetzungen in dem Abflusse der Ewigkeit sich über einen Plan ausbreiten könne, der alles in sich schliesset, was seyn kan, der kein Maass annimmt, kurz, der unendlich ist.

[**108**] Wenn nun also die Schöpfung, dem Raume nach, unendlich ist, oder es wenigstens, der Materie nach, wirklich von Anbeginn her schon gewesen ist, der Form, oder der Ausbildung nach, aber es bereit ist, zu werden; so wird der Weltraum mit Welten ohne Zahl und ohne Ende belebet werden. Wird denn nun jene systematische Verbindung, die wir vorher bey allen Theilen insonderheit erwogen haben, auch aufs Ganze gehen, und das gesammte Universum, das All der Natur, in einem einzigen System, durch die Verbindung der Anziehung und der fliehenden Kraft, zusammen fassen? Ich sage ja; wenn nur lauter abgesonderte Weltgebäude, die unter einander keine vereinte Beziehung zu einem Ganzen hätten, vorhanden wären, so könte man wohl, wenn man diese Kette von Gliedern als wirklich unendlich annähme, gedenken, dass eine genaue Gleichheit der Anziehung ihrer Theile von allen Seiten diese Systemata von dem Verfall, den ihnen die innere Wechselanziehung drohet, sicher halten könne. Allein hiezu gehöret eine so genaue abgemessene Bestimmung in denen, nach der Attraction abgewogenen Entfernungen, dass auch die geringste Verrückung dem Universo den Untergang zuziehen, und sie in langen Perioden, die aber doch endlich zu Ende laufen müssen, dem Umsturze überliefern würde. Eine Weltverfassung, die sich ohne ein Wunder nicht erhielt, hat nicht den Character der Beständigkeit, die das Merkmal der Wahl GOttes

ist; man trifft es also dieser weit anständiger, wenn man der gesammten Schöpfung [109] ein einziges System machet, welches alle Welten und Weltordnungen, die den ganzen unendlichen Raum ausfüllen, auf einen einigen Mittelpunkt beziehend macht. Ein zerstreuetes Gewimmel von Weltgebäuden, sie möchten auch durch noch so weite Entfernungen von einander getrennet seyn, würde mit einem unverhinderten Hang zum Verderben und zur Zerstörung eilen, wenn nicht eine gewisse beziehende Einrichtung gegen einen allgemeinen Mittelpunkt, das Centrum der Attraction des Universi, und den Unterstützungspunkt der gesammten Natur durch systematische Bewegungen getroffen wäre.

Um diesen allgemeinen Mittelpunkt der Senkung der ganzen Natur, sowohl der gebildeten, als der rohen, in welchem sich ohne Zweifel der Klumpen von der ausnehmendsten Attraction befindet, der in seine Anziehungssphäre alle Welten und Ordnungen, die die Zeit hervorgebracht hat, und die Ewigkeit hervorbringen wird, begreiffet, kan man mit Wahrscheinlichkeit annehmen, dass die Natur den Anfang ihrer Bildung gemacht, und daselbst auch die Systemen am dichtesten gehäufet seyn; weiter von demselben aber in der Unendlichkeit des Raumes sich, mit immer grösseren Graden der Zerstreuung verlieren. Man könnte diese Regel aus der Analogie unseres Sonnenbaues abnehmen, und diese Verfassung kan ohnedem dazu dienen, dass in grossen Entfernungen nicht allein der allgemeine Centralkörper, sondern auch alle um ihn zunächst [110] laufende Systemata ihre Anziehung zusammen vereinigen, und sie gleichsam aus einem Klumpen gegen die Systemata des noch weiteren Abstandes ausüben. Dieses wird alsdenn mit dazu behülflich seyn, die ganze Natur in der ganzen Unendlichkeit ihrer Erstreckung, in einem einzigen Systema, zu begreifen.

Um nun der Errichtung dieses allgemeinen Systems der Natur, aus den mechanischen Gesetzen der zur Bildung strebenden Materie, nachzuspüren; so muss in dem unendlichen Raume des ausgebreiteten elementarischen Grundstoffes, an irgend einem Orte, dieser Grundstoff die dichteste Häufung gehabt haben, um durch die daselbst geschehende vorzügliche Bildung, dem gesammten Universo eine Masse verschaffet zu haben, die ihm zum Unterstützungspunkt dienete. Es ist zwar an dem, dass in einem unendlichen Raume kein Punkt eigentlich das Vorrecht haben kan, der Mittelpunkt zu heissen; aber, vermittelst einer gewissen Verhältniss, die sich auf die wesentliche Grade der Dichtigkeit des Urstoffes gründet, nach welcher diese zugleich mit ihrer Schöpfung an einem gewissen Orte vorzüglich dichter gehäuffet, und mit den Weiten von demselben in der Zerstreuung zunimmt, kan ein solcher Punkt das Vorrecht haben, der Mittelpunkt zu heissen, und er wird es auch wirklich, durch die Bildung der Centralmasse, von der kräftigsten Anziehung in demselben, zu dem sich alle übrige, in Particularbildungen begriffene elementarische Materie senket, [**111**] und dadurch, so weit sich auch die Auswickelung der Natur erstrecken mag, in der unendlichen Sphäre der Schöpfung, aus dem ganzen All, nur ein einziges System macht.

Das ist aber was wichtiges, und welches, woferne es Beyfall erlanget, der grössesten Aufmerksamkeit würdig ist, dass der Ordnung der Natur, in diesem unserm System zu Folge, die Schöpfung, oder vielmehr die Ausbildung der Natur, bey diesem Mittelpunkte zuerst anfängt, und mit stetiger Fortschreitung nach und nach in alle fernere Weiten ausgebreitet wird, um den unendlichen Raum in dem Fortgange der Ewigkeit mit Welten und Ordnungen zu erfüllen. Lasset uns dieser Vorstellung einen Augenblick mit stillem Vergnügen nachhängen. Ich finde nichts, das den Geist des Menschen zu einem edleren Erstaunen erheben kann, indem es ihm eine Aussicht in das unendliche Feld der Allmacht eröfnet, als diesen Theil der Theorie, der die successive Vollendung der Schöpfung betrifft. Wenn man mir zugiebt, dass die Materie, die der Stoff zu Bildung aller Welten ist, in dem ganzen unendlichen Raume der göttlichen Gegenwart nicht gleichförmig, sondern nach einem gewissen Gesetze ausgebreitet gewesen, das sich vielleicht auf die Dichtigkeit der Partikeln bezog, und nach welchem von einem gewissen Punkte, als dem Orte der dichtesten Häufung, mit den Weiten von diesem Mittelpunkte die Zerstreuung des Urstoffes zunahm; [**112**] so wird, in der ursprünglichen Regung der Natur, die Bildung zunächst diesem Centro angefangen, und denn, in fortschreitender Zeitfolge, der weitere Raum, nach und nach Welten und Weltordnungen, mit einer gegen diesen sich beziehenden systematischen Verfassung, gebildet haben. Ein jeder endlicher Periodus, dessen Länge zu der Grösse des zu vollbringenden Werks ein Verhältniss hat, wird immer nur eine endliche Sphäre, von diesem Mittelpunkte an, zur Ausbildung bringen; der übrige unendliche Theil wird indessen noch mit der Verwirrung und dem Chaos streiten, und um so viel weiter von dem Zustande der vollendeten Bildung entfernet seyn, je weiter dessen Abstand, von der Sphäre der schon ausgebildeten Natur, entfernet ist. Diesem zu Folge, ob wir gleich von dem Orte unseres Aufenthalts in dem Universo eine Aufsicht in eine, wie es scheinet, völlig vollendete Welt, und, so zu reden, in ein unendliches Heer von Weltordnungen, die systematisch verbunden sind, haben; so befinden wir uns doch eigentlich nur in einer Naheit zum Mittelpunkte der ganzen Natur, wo diese sich schon aus dem Chaos ausgewickelt, und ihre gehörige Vollkommenheit erlanget hat. Wenn wir eine gewisse Sphäre überschreiten könten; würden wir daselbst das Chaos und die Zerstreuung der Elemente erblicken, die nach dem Maasse, als sie sich diesem Mittelpunkte näher befinden, den rohen Zustand zum Theil verlassen, und der Vollkommenheit der Ausbildung näher sind, mit den Graden der Entfernung [**113**] aber sich nach und nach in einer völligen Zerstreuung verlieren. Wir würden sehen, wie der unendliche Raum der göttlichen Gegenwart, darinn der Vorrath zu allen möglichen Naturbildungen anzutreffen ist, in einer stillen Nacht begraben, voll von Materie, den künftig zu erzeugenden Welten zum Stoffe zu dienen, und von Triebfedern sie in Bewegung zu bringen, die, mit einer schwachen Regung, diejenige Bewegungen anfangen, womit die Unermesslichkeit dieser öden Räume dereinst noch soll belebet werden. Es ist vielleicht eine Reihe von Millionen Jahren und Jahrhunderten verflossen, ehe die Sphäre der gebildeten Natur, darinn wir uns befinden, zu der Vollkommenheit gediehen ist, die ihr jetzt beywohnet; und es wird vielleicht ein eben so langer Periodus vergehen, bis die Natur einen eben so weiten Schritt in dem Chaos thut: allein die Sphäre der ausgebildeten Natur ist unaufhörlich beschäftiget, sich auszubreiten. Die Schöpfung ist nicht das Werk von einem Augenblicke. Nachdem sie mit der Hervorbringung einer Unendlichkeit von Substanzen und Materie den Anfang gemachet hat; so ist sie mit immer zunehmenden Graden der Fruchtbarkeit, die ganze Folge der Ewigkeit hindurch, wirksam. Es werden Millionen, und ganze Gebürge von Millionen Jahrhunderten verfliessen, binnen welchen immer neue Welten und Weltordnungen nach einander in denen entfernten Weiten von dem Mittelpunkte der Natur, sich bilden, und zur Vollkommenheit gelangen werden; sie werden, ohnerachtet der systematischen [**114**] Verfassung, die unter ihren Theilen ist, eine allgemeine Beziehung auf den Mittelpunkt erlangen, welcher der erste Bildungspunkt, und das Centrum der Schöpfung durch das Anziehungsvermögen, seiner vorzüglichen Masse worden ist. Die Unendlichkeit der künftigen Zeitfolge, womit die Ewigkeit unerschöpflich ist, wird alle Räume der Gegenwart GOttes ganz und gar beleben, und in die Regelmässigkeit, die der Treflichkeit seines Entwurfes gemäss ist, nach und nach versetzen, und wenn man mit einer kühnen Vorstellung die ganze Ewigkeit, so zu sagen, in einem Begriffe zusammen fassen könte; so würde man auch den ganzen unendlichen Raum mit Weltordnungen angefüllet, und die Schöpfung vollendet ansehen können. Weil aber in der That von der Zeitfolge der Ewigkeit der rückständige Theil allemal unendlich, und der abgeflossene endlich ist; so ist die Sphäre der ausgebildeten Natur allemal nur ein unendlich kleiner Theil desjenigen Inbegriffs, der den Saamen zukünftiger Welten in sich hat, und sich aus dem rohen Zustande des Chaos, in längern oder kürzern Perioden, auszuwickeln trachtet. Die Schöpfung ist niemals vollendet. Sie hat zwar einmal angefangen, aber sie wird niemals aufhören. Sie ist immer geschäftig, mehr Auftritte der Natur, neue Dinge und neue Welten hervor zu bringen. Das Werk, welches sie zu Stande bringet, hat ein Verhältniss zu der Zeit, die sie darauf anwendet. Sie braucht nichts weniger, als eine Ewigkeit, um die ganze grenzenlose Weite [115] der unendlichen Räume, mit Welten ohne Zahl und ohne Ende, zu beleben. Man kan von ihr dasjenige sagen, was der erhabenste unter den deutschen Dichtern von der Ewigkeit schreibet:

Unendlichkeit! wer misset dich?
Vor dir sind Welten Tag, und Menschen Augenblicke;
Vielleicht die tausendste der Sonnen welzt jetzt sich,
Und tausend bleiben noch zurücke.

Wie eine Uhr, beseelt durch ein Gewicht,
Eilt eine Sonn, aus GOttes Kraft bewegt:
Ihr Trieb läuft ab, und eine andre schlägt,
Du aber bleibst, und zählst sie nicht.

v. Haller.

Es ist ein nicht geringes Vergnügen, mit seiner Einbildungskraft über die Grenze der vollendeten Schöpfung, in den Raum des Chaos, auszuschweifen, und die halb rohe Natur, in der Naheit zur Sphäre der ausgebildeten Welt, sich nach und nach durch alle Stuffen und Schattirungen der Unvollkommenheit, in dem ganzen ungebildeten Raume, verlieren zu sehen. Aber ist es nicht eine tadelnswürdige Kühnheit, wird man sagen, eine Hypothese aufzuwerfen, und sie, als einen Vorwurf der Ergötzung des Verstandes, anzupreisen, welche vielleicht nur gar zu willkührlich ist, wenn man behauptet, dass die Natur, nur einem unendlich kleinen Theile nach, ausgebildet sey, und unendliche Räume noch mit dem Chaos streiten, um [116] in der Folge künftiger Zeiten ganze Heere von Welten und Weltordnungen, in aller gehörigen Ordnung und Schönheit, darzustellen? Ich bin den Folgen, die meine Theorie darbietet, nicht so sehr ergeben, dass ich nicht erkennen solte, wie die Muthmassung, von der successiven Ausbreitung der Schöpfung, durch die unendllche Räume, die den Stoff dazu in sich fassen, den Einwurf der Unerweislichkeit nicht völlig ablehnen könne. Indessen verspreche ich mir doch von denenjenigen, welche die Grade der Wahrscheinlichkeit zu schätzen, im Stande sind, dass eine solche Charte der Unendlichkeit, ob sie gleich einen Vorwurf begreiffet, der bestimmt zu seyn scheinet, dem menschlichen Verstande auf ewig verborgen zu seyn, nicht um deswillen sofort als ein Hirngespinste werde angesehen werden, vornemlich, wenn man die Analogie zu Hülfe nimmt, welche uns allemal, in solchen Fällen, leiten muss, wo dem Verstande der Faden der untrüglichen Beweise mangelt.

Man kan aber auch die Analogie noch durch annehmungswürdige Gründe unterstützen, und die Einsicht des Lesers, wofern ich mich solches Beyfalls schmeicheln darf, wird sie vielleicht mit noch wichtigern vermehren können. Denn wenn man erweget, dass die Schöpfung den Character der Beständigkeit nicht mit sich führet, wofern sie der allgemeinen Bestrebung der Anziehung, die durch alle ihre Theile wirket, nicht eine eben so durchgängige Bestimmung entgegen setzet, die dem Hange [117] der ersten zum Verderben und zur Unordnung gnugsam widerstehen kan, wenn sie nicht Schwungskräfte ausgetheilet hat, die in der Verbindung, mit der Centralneigung, eine allgemeine systematische Verfassung festsetzen; so wird man genöthiget, einen allgemeinen Mittelpunkt des ganzen Welt-Alls anzunehmen, die alle Theile desselben in verbundener Beziehung zusammen hält, und aus dem ganzen Inbegriff der Natur nur ein System machet. Wenn man hiezu den Begriff, von der Bildung der Weltkörper, aus der zerstreueten elementarischen Materie füget, wie wir ihn in den vorhergehenden entworfen haben, jedoch ihn allhier nicht auf ein absonderliches System einschränkt, sondern über die ganze Natur ausdehnet; so wird man genöthiget, eine solche Austheilung des Grundstoffes, in dem Raume des ursprünglichen Chaos, zu gedenken, die natürlicher Weise einen Mittelpunkt der ganzen Schöpfung mit sich bringet, damit in diesen die wirksame Masse, die in ihrer Sphäre die gesammte Natur begreift, zusammengebracht, und die durchgängige Beziehung bewirket werden könne, wodurch alle Welten nur ein einziges Gebäude ausmachen. Es kan aber in dem unendlichen Raume, kaum eine Art der Austheilung des ursprünglichen Grundstoffes, gedacht werden, die einen wahren Mittel- und Senkungspunkt der gesammten Natur setzen solte, als wenn sie nach einem Gesetze der zunehmenden Zerstreuung, von diesem Punkte an, in alle ferne Weiten eingerichtet ist. Dieses Gesetze aber setzet zugleich einen Unterscheid in der Zeit, die [**118**] ein System in den verschiedenen Gegenden des unendlichen Raumes gebrauchet, zur Reife seiner Ausbildung zu kommen, so, dass diese Periode desto kürzer ist, je näher der Bildungsplatz eines Weltbaues sich dem Centro der Schöpfung befindet, weil daselbst die Elemente des Stoffes dichter gehäufet sind, und dagegen um desto länger Zeit erfordert, je weiter der Abstand ist, weil die Partikeln daselbst zerstreueter sind, und später zur Bildung zusammen kommen.

Wenn man die ganze Hypothese, die ich entwerfe, in dem ganzen Umfange sowohl dessen, was ich gesagt habe, als was ich noch eigentlich darlegen werde, erweget; so wird man die Kühnheit ihrer Forderungen wenigstens nicht vor unfähig halten, eine Entschuldigung anzunehmen. Man kan den unvermeidlichen Hang, den ein jegliches zur Vollkommenheit gebrachtes Weltgebäude nach und nach zu seinem Untergange hat, unter die Gründe rechnen, die es bewähren können, dass das Universum dagegen in andern Gegenden an Welten fruchtbar seyn werde, um den Mangel zu ersetzen, den es an einem Orte erlitten hat. Das ganze Stück der Natur, das wir kennen, ob es gleich nur ein A t o m u s in Ansehung dessen ist, was über oder unter unserem Gesichtskreise verborgen bleibt, bestätiget doch diese Fruchtbarkeit der Natur, die ohne Schranken ist, weil sie nicht anders, als die Ausübung der göttlichen Allmacht, selber ist. Unzählige Thiere und Pflanzen werden täglich zerstöret, [**119**] und sind ein Opfer der Vergänglichkeit; aber nicht weniger bringet die Natur, durch ein unerschöpftes Zeugungsvermögen, an anderen Orten wiederum hervor, und füllet das leere aus. Beträchtliche Stücke des Erdbodens, den wir bewohnen, werden wiederum in dem Meere begraben, aus dem sie ein günstiger Periodus hervorgezogen hatte; aber an anderen Orten ergänzet die Natur den Mangel, und bringet andere Gegenden hervor, die in der Tiefe des Wesens verborgen waren, um neue Reichthümer ihrer Fruchtbarkeit über dieselbe auszubreiten. Auf die gleiche Art vergehen Welten und Weltordnungen, und werden von dem Abgrunde der Ewigkeiten verschlungen; dagegen ist die Schöpfung immerfort geschäftig, in andern Himmelsgegenden neue Bildungen zu verrichten, und den Abgang mit Vortheile zu ergänzen.

Man darf nicht erstaunen, selbst in dem Grossen der Werke GOttes, eine Vergänglicheit zu verstatten. Alles, was endlich ist, was einen Anfang und Ursprung hat, hat das Merkmaal seiner eingeschränkten Natur in sich; es muss vergehen, und ein Ende haben. Die Dauer eines Weltbaues hat, durch die Vortreflichkeit ihrer Errichtung, eine Beständigkeit in sich, die, unsern Begriffen nach, einer unendlichen Dauer nahe kommt. Vielleicht werden tausend, vielleicht Millionen Jahrhunderte sie nicht vernichten; allein, weil die Eitelkeit, die an denen endlichen Naturen haftet, beständig an ihrer Zerstörung arbeitet; so wird die [**120**] Ewigkeit alle mögliche Perioden in sich halten, um durch einen allmählichen Verfall den Zeitpunkt ihres Unterganges doch endlich herbey zu führen. Newton, dieser grosse Bewunderer der Eigenschaften GOttes, aus der Vollkommenheit seiner Werke, der mit der tiefsten Einsicht, in die Treflichkeit der Natur, die grösste Ehrfurcht gegen die Offenbarung der göttlichen Allmacht verband, sahe sich genöthiget, der Natur ihren Verfall durch den natürlichen Hang, den die Mechanik der Bewegungen dazu hat, vorher zu verkündigen. Wenn eine systematische Verfassung, durch die wesentliche Folge der Hinfälligkeit, in grossen Zeitläuften auch den allerkleinsten Theil, den man sich nur gedenken mag, dem Zustande ihrer Verwirrung nähert; so muss in dem unendlichen Ablaufe der Ewigkeit doch ein Zeitpunkt seyn, da diese allmähliche Verminderung alle Bewegung erschöpfet hat.

Wir dürfen aber den Untergang eines Weltgebäudes nicht als einen wahren Verlust der Natur bedauren. Sie beweiset ihren Reichthum in einer Art von Verschwendung, welche, indem einige Theile der Vergänglichkeit den Tribut bezahlen, sich durch unzehlige neue Zeugungen in dem ganzen Umfange ihrer Vollkommenheit unbeschadet erhält. Welch eine unzehlige Menge Blumen und Insecten zerstöret ein einziger kalter Tag; aber wie wenig vermisset man sie, ohnerachtet es herrliche Kunstwerke der Natur und Beweisthümer der göttlichen Allmacht seyn; an einem andern Orte wird dieser Abgang mit Ueberfluss wiederum ersetzet. Der [121] Mensch, der das Meisterstück der Schöpfung zu seyn scheinet, ist selbst von diesem Gesetze nicht ausgenommen. Die Natur beweiset, dass sie eben so reich, eben so unerschöpfet, in Hervorbringung des treflichsten unter den Creaturen, als des geringschätzigsten, ist, und dass selbst deren Untergang eine nothwendige Schattirung in der Mannigfaltigkeit ihrer Sonnen ist, weil die Erzeugung derselben ihr nichts kostet. Die schädlichen Wirkungen der angesteckten Luft, die Erdbeben, die Ueberschwemmungen, vertilgen ganze Völker von dem Erdboden; allein es scheinet nicht, dass die Natur dadurch einigen Nachtheil erlitten habe. Auf gleiche Weise verlassen ganze Welten und Systemen den Schauplatz, nachdem sie ihre Rolle ausgespielet haben. Die Unendlichkeit der Schöpfung ist gross genug, um eine Welt, oder eine Milchstrasse von Welten, gegen sie anzusehen, wie man eine Blume, oder ein Insect, in Vergleichung gegen die Erde, ansiehet. Indessen, dass die Natur mit veränderlichen Auftritten die Ewigkeit auszieret, bleibt GOtt in einer unaufhörlichen Schöpfung geschäftig, den Zeug zur Bildung noch grösserer Welten zu formen.

Der stets mit einem gleichen Auge, weil er, der Schöpfer, ja von allen,
Sieht einen Helden untergehn, und einen kleinen Sperling fallen,
Sieht eine Wasserblase springen, und eine ganze Welt vergehn.

Pope,
nach Brockes Uebersetzung.

[122] Last uns also unser Auge, an diese erschreckliche Umstürzungen als an die gewöhnlichen Wege der Vorsehung, gewöhnen, und sie sogar mit einer Art von Wohlgefallen ansehen. Und in der That ist dem Reichthume der Natur nichts anständiger als dieses. Denn wenn ein Weltsystem in der langen Folge seiner Dauer alle Mannigfaltigkeit erschöpfet, die seine Einrichtung fassen kan, wenn es nun ein überflüs-

siges Glied in der Kette der Wesen geworden; so ist nichts geziemender, als dass es in dem Schauspiele der ablaufenden Veränderungen des Universi die letzte Rolle spielet, die jedem endlichen Dinge gebühret, nemlich der Vergänglichkeit ihr Gebühr abtrage. Die Natur zeiget, wie gedacht, schon in dem kleinen Theile ihres Inbegriffes, diese Regel ihres Verfahrens, die das ewige Schicksal ihr im ganzen vorgeschrieben hat, und ich sage es nochmals, die Grösse desjenigen was untergehen soll, ist hierin nicht im geringsten hinderlich, denn alles was gross ist, wird klein, ja es wird gleichsam nur ein Punkt, wenn man es mit dem Unendlichen vergleicht, welches die Schöpfung in dem unbeschränkten Raume, die Folge der Ewigkeit hindurch, darstellen wird.

Es scheinet, dass dieses denen Welten, so wie allen Naturdingen verhängte Ende, einem gewissen Gesetze unterworfen sey, dessen Erwegung der Theorie einen neuen Zug der Anständigkeit giebet. Nachdemselben hebt es bey denen Weltkörpern an, die sich dem Mittelpunkte des Welt-Alls am nächsten [**123**] befinden, so wie die Erzeugung und Bildung neben diesem Centro zuerst angefangen: von da breitet sich das Verderben und die Zerstörung nach und nach in die weiteren Entfernungen aus, um alle Welt, welche ihre Periode zurück geleget hat, durch einen allmählichen Verfall der Bewegungen, zuletzt in einem einzigen Chaos zu begraben. Andererseits ist die Natur auf der entgegengesetzten Grenze der ausgebildeten Welt, unablässig beschäftiget, aus dem rohen Zeuge der zerstreueten Elemente Welten zu bilden, und, indem sie an der einen Seite neben dem Mittelpunkte veraltet, so ist sie auf der andern jung und an neuen Zeugungen fruchtbar. Die ausgebildete Welt befindet sich diesem nach zwischen den Ruinen der zerstörten, und zwischen dem Chaos der ungebildeten Natur mitten inne beschräncket, und wenn man wie es wahrscheinlich ist, sich vorstellet, dass eine schon zur Vollkommenheit gediehene Welt, eine längere Zeit dauren könne, als sie bedurft hat, gebildet zu werden; so wird ungeachtet aller der Verheerungen, die die Vergänglichkeit unaufhörlich anrichtet, der Umfang des Universi dennoch überhaupt zunehmen.

Will man aber noch zuletzt einer Idee Platz lassen, die eben so wahrscheinlich, als der Verfassung der göttlichen Werke, wohlanständig ist; so wird die Zufriedenheit welche eine solche Abschilderung der Veränderungen der Natur erreget, bis zum höchsten Grade des Wohlgefallens erhoben. [124] Kan man nicht glauben, die Natur, welche vermögend war sich aus dem Chaos in eine regelmässige Ordnung und in ein geschicktes System zu setzen, sey ebenfalls im Stande, aus dem neuen Chaos, darinn sie die Verminderung ihrer Bewegungen versenket hat, sich wiederum eben so leicht herzustellen, und die erste Verbindung zu erneuren? Können die Federn, welche den Stoff der zerstreuten Materie in Bewegung und Ordnung brachten, nachdem sie der Stillstand der Maschine zur Ruhe gebracht hat, durch erweiterte Kräfte nicht wiederum in Wirksamkeit gesetzt werden, und sich nach eben denselben allgemeinen Regeln zur Uebereinstimmung einschränken, wodurch die ursprüngliche Bildung zuwege gebracht worden ist? Man wird nicht lange Bedenken tragen, dieses zuzugeben, wenn man erweget, dass, nachdem die endliche Mattigkeit der Umlaufs-Bewegungen in dem Weltgebäude die Planeten und Cometen insgesamt auf die Sonne niedergestürtzt hat, dieser ihre Glut einen unermesslichen Zuwachs durch die Vermischung so vieler und grosser Klumpen bekommen muss, vornehmlich da die entfernete Kugeln des Sonnensystems, unserer vorher erwiesenen Theorie zufolge, den leichtesten und im Feuer wirksamsten Stoff der ganzen Natur, in sich enthalten. Dieses durch neue Nahrung und die flüchtigste Materie in die gröste Heftigkeit versetzte Feuer, wird ohne Zweifel nicht allein alles wiederum in die kleinsten Elemente auflösen, sondern auch dieselbe in dieser Art, mit einer der Hitze gemässen Ausdehnungskraft, [125] und mit einer Schnelligkeit, welche durch keinen Widerstand des Mittelraums geschwächet wird, in dieselben weiten Räume wiederum ausbreiten und zerstreuen, welche sie vor der ersten Bildung der Natur eingenommen hatten, um, nachdem die Heftigkeit des Centralfeuers durch eine beynahe gänzliche Zerstreuung ihrer Masse gedämpfet worden, durch Verbindung der Attractions- und Zurückstossungskräfte, die alten Zeugungen und systematisch beziehende Bewegungen, mit nicht minderer Regelmässigkeit zu wiederholen und ein neues Weltgebäude darzustellen. Wenn denn ein besonderes Planetensystem auf diese Weise in Verfall gerathen und durch wesentliche Kräfte sich daraus wiederum hergestellet hat, wenn es wohl gar dieses Spiel mehr wie einmal wiederholet; so wird endlich die Periode herannahen, die auf gleiche Weise das grosse System, darinn die Fixsterne Glieder seyn, durch den Verfall ihrer Bewegungen, in einem

Chaos versamlen wird. Man wird hier noch weniger zweifeln, dass die Vereinigung einer so unendlichen Menge Feuerschätze, als diese brennenden Sonnen sind, zusammt dem Gefolge ihrer Planeten den Stoff ihrer Massen durch die unnenbare Glut aufgelöset, in den alten Raum ihrer Bildungssphäre zerstreuen und daselbst die Materialien zu neuen Bildungen durch dieselbe mechanische Gesetze hergeben werden, woraus wiederum der öde Raum mit Welten und Systemen kan belebet werden. Wenn wir denn diesen Phönix der Natur, der sich nur darum verbrennet, um aus seiner Asche [**126**] wiederum verjüngt aufzuleben, durch alle Unendlichkeit der Zeiten und Räume hindurch folgen: wenn man siehet, wie sie sogar in der Gegend da sie verfält und veraltet an neuen Auftritten unerschöpft und auf der anderen Grenze der Schöpfung in dem Raum der ungebildeten rohen Materie mit stetigen Schritten zur Ausdehnung des Plans der göttlichen Offenbarung fortschreitet, um die Ewigkeit sowohl, als alle Räume mit ihren Wundern zu füllen; so versenket sich der Geist, der alles dieses überdencket, in ein tiefes Erstaunen; aber annoch mit diesem so grossen Gegenstande unzufrieden, dessen Vergänglichkeit die Seele nicht gnugsam zufrieden stellen kann, wünschet er dasjenige Wesen von nahem kennen zu lernen, dessen Verstand, dessen Grösse die Quelle desjenigen Lichtes ist, das sich über die gesammte Natur, gleichsam als aus einem Mittelpunkte, ausbreitet. Mit welcher Art der Ehrfurcht muss nicht die Seele so gar ihr eigen Wesen ansehen, wenn sie betrachtet, dass sie noch alle diese Veränderungen überleben soll, sie kan zu sich selber sagen, was der philosophische Dichter von der Ewigkeit saget:

Wenn denn ein zweytes Nichts, wird diese Welt begraben;
Wenn von dem Alles selbst, nichts bleibet als die Stelle;
Wenn mancher Himmel noch, von andern Sternen helle,
Wird seinen Lauf vollendet haben;
[127] Wirst du so jung als jetzt, von deinem Tod gleich weit,
Gleich ewig künftig seyn, wie heut.

v. Haller.

O glücklich wenn sie unter dem Tumult der Elemente und den Träumen der Natur jederzeit auf eine Höhe gesetzet ist, von da sie die Verheerungen, die die Hinfälligkeit den Dingen der Welt verursacht, gleichsam unter ihren Füssen kan vorbey rauschen sehen. Eine Glückseligkeit, welche die Vernunft nicht einmal zu erwünschen sich erkühnen darf, lehret uns die Offenbarung mit Ueberzeugung hoffen. Wenn denn die Fesseln, welche uns an die Eitelkeit der Creaturen geknüpft halten, in dem Augenblicke, welcher zu der Verwandelung unseres Wesens bestimmt worden, abgefallen seyn, so wird der unsterbliche Geist von der Abhängigkeit der endlichen Dinge befreyet, in der Gemeinschaft mit dem unendlichen Wesen, den Genuss der wahren Glückseligkeit finden. Die ganze Natur, welche eine allgemeine harmonische Beziehung zu dem Wohlgefallen der Gottheit hat, kan diejenige vernünftige Creatur nicht anders als mit immerwährender Zufriedenheit erfüllen, die sich mit dieser Urquelle aller Vollkommenheit vereint befindet. Die Natur von diesem Mittelpunkte aus gesehen, wird von allen Seiten lauter Sicherheit, lauter Wohlanständigkeit zeigen. Die veränderlichen Scenen der Natur vermögen nicht, den Ruhestand der Glückseligkeit eines Geistes zu verrücken, der einmal zu solcher [128] Höhe erhoben ist. Indem er diesen Zustand, mit einer süssen Hofnung, schon zum voraus kostet; kan er seinen Mund in denjenigen Lobgesängen üben, davon dereinst alle Ewigkeiten erschallen sollen.

Wenn dereinst der Bau der Welt, in sein Nichts
zurück geeilet
Und sich deiner Hände Werk nicht durch Tag
und Nacht mehr theilet;
Denn soll mein gerührt Gemüthe, sich durch dich
gestärkt bemühn,
In Verehrung deiner Allmacht, stets vor deinen
Thron zu ziehn;
Mein von Dank erfüllter Mund soll durch alle
Ewigkeiten,
Dir und deiner Majestät ein unendlich Lob
bereiten;
Ist dabey gleich kein vollkomnes, denn o HErr!
so gross bist du,
Dich nach Würdigkeit zu loben, reicht die
Ewigkeit nicht zu.

Addisson

Nach Gottscheds Uebersetzung.

---

[129]

Zugabe

zum siebenden Hauptstücke.

Allgemeine Theorie und Geschichte der Sonne überhaupt.

Es ist noch eine Hauptfrage deren Auflösung in der Naturlehre des Himmels, und in einer vollständigen Cosmogonie unentbehrlich ist. Woher wird nemlich der Mittelpunkt eines jeden Systems von einem flammenden Cörper eingenommen? Unser planetische Weltbau hat die Sonne zum Centralkörper, und die Fixsterne die wir sehen, sind allem Ansehen nach Mittelpunkte ähnlicher Systematum.

Um zu begreifen, woher in der Bildung eines Weltgebäudes, der Körper, der zum Mittelpunkte der Attraction dienet, ein feuriger Körper hat werden müssen, indessen dass die übrige Kugeln seiner Anziehungssphäre dunkele und kalte Weltkörper blieben, darf man nur die Art der Erzeugung eines Weltbaues sich zurück erinnern, die wir in dem vorhergehenden umständlich entworfen haben. In dem weit ausgedehnten Raume, darinn der ausgebreitete elementarische Grundstoff sich zu Bildungen und systematischen Bewegungen anschickt, bilden sich die Planeten und Cometen nur allein aus demjenigen Theile, des zum Mittelpunkte der Attraction sinkenden elementarischen Grundstoffes, welcher durch den Fall und die Wechselwirkung, den [**130**] gesammten Partikeln zu der genauen Einschränkung der Richtung und Geschwindigkeit, die zum Umschwunge erfordert wird, bestimmt worden. Dieser Theil ist, wie oben dargethan worden, der mindeste von der ganzen Menge der abwärts sinkenden Materie, und zwar nur der Ausschuss dichterer Sorten, welche durch den Wiederstand der andern zu diesem Grade der Genauheit haben gelangen können. Es befinden sich in diesem Gemenge, heranschwebende Sorten vorzüglicher Leichtigkeit, die, durch die Wiederstrebung des Raumes gehindert, durch ihren Fall zu der gehörigen Schnelligkeit der periodischen Umwendungen nicht durchdringen, und die folglich in der Mattigkeit ihres Schwunges insgesamt zum Centralkörper hinabgestürtzet werden. Weil nun eben diese leichteren und flüchtigen Theile auch die wirksamsten seyn, das Feuer zu unterhalten; so sehen wir, dass durch ihren Zusatz der Körper und Mittelpunkt des Systems den Vorzug erhält, eine flammende Kugel, mit einem Worte, eine Sonne zu werden. Dagegen wird der schweerere und unkräftige Stoff und der Mangel dieser feuernährenden Theilchen, aus den Planeten nur kalte und todte Klumpen machen, die solcher Eigenschaft beraubt seyn.

Dieser Zusatz so leichter Materien ist es auch, wodurch die Sonne die specifisch mindere Dichtigkeit überkommen hat, dadurch sie auch so gar unserer Erde, dem dritten Planeten in dem Abstande von ihr, 4 mal an Dichtigkeit nachstehet;

obgleich [131] es natürlich ist, zu glauben, dass sie in diesem Mittelpunkte des Weltbaues, als in dessen niedrigsten Orte, die schweeresten und dichtesten Gattungen der Materie sich befinden solten, wodurch sie, ohne dem Zusatz einer so grossen Menge des leichtesten Stoffes, die Dichtigkeit aller Planeten übertreffen würde.

Die Vermengung dichterer und schweerer Sorten der Elementen, zu diesen leichtesten und flüchtigsten, dienet gleichfalls den Centralkörper zu der heftigsten Glut, die auf seiner Oberfläche brennen und unterhalten werden soll, geschickt zu machen. Denn wir wissen, dass das Feuer, in dessen nährenden Stoffe dichte Materien unter den flüchtigen sich vermengt befinden, einen grossen Vorzug der Heftigkeit vor denenjenigen Flammen hat, die nur von den leichten Gattungen unterhalten wird. Diese Untermischung aber, einiger schweeren Sorten unter die leichteren, ist eine nothwendige Folge unsers Lehrbegriffes von der Bildung der Weltkörper, und hat noch diesen Nutzen, dass die Gewalt der Glut, die brennbare Materie der Oberfläche nicht plötzlich zerstreue, und dass selbige, durch den Zufluss der Nahrung aus dem innern, allmählig und beständig genähret wird.

Nachdem die Frage nun aufgelöset ist, woher der Centralkörper eines grossen Sternsystems, eine flammende Kugel d. i. eine Sonne sey; so scheinet es nicht überflüssig zu seyn, sich mit diesem Vorwurfe noch einige Zeit zu beschäftigen, und [132] den Zustand eines solchen Himmelskörpers mit einer sorgfältigen Prüfung zu erforschen; vornemlich, da die Muthmassungen allhier aus tüchtigeren Gründen sich herleiten lassen, als sie es gemeiniglich, bey den Untersuchungen der Beschaffenheit entferneter Himmelskörper, zu seyn pflegen.

Zuvörderst setze ich fest, dass man nicht zweifeln könne, die Sonne sey wirklich ein flammender Körper, und nicht eine bis zum höchsten Grade erhitzte Masse geschmoltzener und glüender Materie, wie einige aus gewissen Schwierigkeiten, welche sie bey der ersteren Meinung zu finden vermeinet, haben schliessen wollen. Denn wenn man erweget, dass ein flammendes Feuer, vor einer jeden andern Art der Hitze, diesen wesentlichen Vorzug hat, dass es, so zu sagen, aus sich selbst wirksam, anstatt sich durch die Mittheilung zu verringern, oder zu erschöpfen, vielmehr eben dadurch mehr Stärke und Heftigkeit überkommt, und also nur Stoff und Nahrung zum Unterhalte erfordert, um immer fort zu währen; dahingegen die Glut einer, auf den höchsten Grad erhitzten Masse, ein blos leidender Zustand ist, der sich durch die Gemeinschaft der berührenden Materie unaufhörlich vermindert, und keine eigene Kräfte hat, sich aus einem kleinen Anfange auszubreiten, oder bey der Verminderung wiederum aufzuleben, wenn man, sage ich, dieses erweget, so wird man, ich geschweige der anderen Gründe, schon hieraus sattsam ersehen können, dass der Sonne, der Quelle des Lichtes und der Wärme in [133] jeglichem Weltbau, jene Eigenschaft wahrscheinlicher Weise müsse beygeleget werden.

Wenn die Sonne nun, oder die Sonnen überhaupt flammende Kugeln seyn; so ist die erste Beschaffenheit ihrer Oberfläche, die sich hieraus abnehmen läst, dass auf ihnen Luft befindlich seyn müsse, weil ohne Luft kein Feuer brennet. Dieser Umstand giebt Anlass zu merkwürdigen Folgerungen. Denn wenn man erstlich die Athmosphäre der Sonne und ihr Gewicht in Verhältniss des Sonnenklumpens setzet; in welchen Stande der Zusammendrückung wird diese Luft nicht seyn, und wie vermögend wird sie nicht eben dadurch werden, die heftigsten Grade des Feuers durch ihre Federkraft zu unterhalten? In dieser Athmosphäre erheben sich, allem Vermuthen nach, auch die Rauchwolken von denen durch die Flamme aufgelöseten Materien, die, wie man nicht zweifeln darf, eine Mischung von groben und leichteren Theilchen, in sich haben, welche, nachdem sie sich zu einer Höhe, die vor sie eine kühlere Luft heget, erhoben haben, in schweren Pech- und Schwefelregen hinabstürzen und der Flamme neue Nahrung zuführen. Eben diese Athmosphäre ist auch, aus den gleichen Ursachen wie auf unserer Erde, von denen Bewegungen der Winde nicht befreyet, welche aber, dem Ansehen nach, alles was die Einbildungskraft nur sich vorzustellen vermag, an Heftigkeit weit übertreffen müssen. Wenn irgend eine Gegend auf der Oberfläche der Sonne, entweder durch die erstickende Gewalt der ausbrechenden Dämpfe, oder durch den sparsamen Zufluss brenbarer [134] Materien, in dem Ausbruche der Flamme nachläst; so erkühlet die darüber befindliche Luft einiger massen, und, indem sie sich zusammenziehet, giebt sie der daneben befindlichen Platz, mit einer dem Ueberschusse ihrer Ausspannung gemässen Gewalt, in ihren Raum zu dringen, um die erloschene Flamme anzufachen.

Gleichwohl verschlinget alle Flamme immer viele Luft, und es ist kein Zweifel, dass die Federkraft des flüssigen Luftelements, das die Sonne umgiebet, dadurch in einiger Zeit nicht geringen Nachtheil erleiden müsse. Wenn man dasjenige, was Herr Hales hievon, bey der Wirkung der Flamme in unserer Athmosphäre, durch sorgfältige Versuche bewähret hat, hier in grossen anwendet; so kan man die immerwährende Bestrebung der aus der Flamme gehenden Rauchtheilchen, die Elasticität der Sonnen Athmosphäre zu zernichten, als einen Hauptknoten ansehen, dessen Auflösung mit Schwierigkeiten verbunden ist. Denn dadurch, dass die Flamme, die über der ganzen Fläche der Sonne brennet, sich selber die Luft benimmt, die ihr zum Brennen unentbehrlich ist, so ist die Sonne in Gefahr gar zu verlöschen, wenn der gröste Theil ihrer Athmosphäre verschlungen worden. Es ist wahr, das Feuer erzeuget auch, durch Auflösung gewisser Materien, Luft; aber die Versuche beweisen, dass allezeit mehr verschlungen, als erzeuget wird. Zwar, wenn ein Theil des Sonnenfeuers, unter erstickenden Dämpfen der Luft, die zu ihrer Erhaltung dienet [**135**] beraubet wird; so werden, wie wir schon angemerket haben, heftige Stürme sie zerstreuen und wegzuführen bemühet seyn. Allein im ganzen wird man die Ersetzung dieses nöthigen Elements auf folgende Art sich begreiflich machen können, wenn man in Betrachtung ziehet, dass da bey einem flammenden Feuer, die Hitze fast nur über sich, und nur wenig unter sich würket, wenn sie durch die angeführte Ursache ersticket worden, ihre Heftigkeit gegen das innere des Sonnenkörpers kehret, und dessen tiefe Schlünde nöthiget, die in ihren Höhlen verschlossene Luft hervorbrechen zu lassen, und das Feuer aufs neue anzufachen: wenn man in diesem ihrem Eingeweide durch eine Freyheit, die bey einem so unbekannten Gegenstande nicht verboten ist, vornemlich Materien setzet, die, wie der Salpeter, an elastischer Luft unerschöpflich ergiebig seyn; so wird das Sonnenfeuer überaus lange Perioden hindurch an dem Zuflusse immer erneueter Luft, nicht leichtlich Mangel leiden können.

Gleichwohl siehet man, die deutlichen Merkmaale der Vergänglichkeit auch an diesem unschätzbaren Feuer, das die Natur zur Fackel der Welt aufgestecket. Es kommt eine Zeit, darinn sie wird erloschen seyn. Die Entziehung der flüchtigsten und feinsten Materien, die, durch die Heftigkeit der Hitze zerstreuet, niemals wieder zurück kehren, und den Stoff des Zodiakallichtes vermehren, die Häufung unverbrenlicher und ausgebrannter Materien, Z. E. der Asche auf der Oberfläche, endlich auch [136] der Mangel der Luft, werden der Sonne ein Ziel setzen, da ihre Flamme dereinst erlöschen, und ihren Ort, der anjetzo der Mittelpunkt des Lichtes und des Lebens dem ganzen Weltgebäude ist, ewige Finsternisse einnehmen werden. Die abwechselnde Bestrebung ihres Feuers, durch die Eröfnung neuer Grüfte, wiederum aufzuleben, wodurch sie sich vieleicht vor ihrem Untergange etlichemal herstellet, könnte eine Erklärung des Verschwindens und der Wiedererscheinung einiger Fixsterne abgeben. Es würden Sonnen seyn, welche ihrem Erlöschen nahe sind, und die noch etlichemal aus ihrem Schutte aufzuleben trachten. Es mag diese Erklärung Beyfall verdienen, oder nicht, so wird man sich doch gewiss diese Betrachtung dazu dienen lassen, einzusehen, dass, da der Vollkommenheit aller Weltordnungen, es sey auf die eine oder andere Art, ein unvermeidlicher Verfall drohet, man keine Schwierigkeit in dem oben angeführten Gesetze ihres Unterganges, durch den Hang der mechanischen Einrichtung, finden werde, welche dadurch aber vornemlich annehmungswürdig wird, weil sie den Saamen der Wiedererneurung, selbst in der Vermengung mit dem Chaos, bey sich führet.

Zuletzt lasset uns der Einbildungskraft ein so wunderseltsames Object, als eine brennende Sonne ist, gleichsam von nahen vorstellen. Man siehet in einem Anblicke weite Feuerseen, die ihre Flammen gen Himmel erheben, rasende Stürme, deren Wuth die Heftigkeit der ersten verdoppelt, welche, [137] indem sie selbige über ihre Ufer aufschwellend machen, bald die erhabene Gegenden dieses Weltkörpers bedecken, bald sie in ihre Grenzen zurücksinken lassen: ausgebrannte Felsen, die aus den flammenden Schlünden ihre fürchterliche Spitzen herausstrecken, und deren Ueberschwemmung oder Entblössung von dem wallenden Feuerelemente, das abwechselnde Erscheinen und Verschwinden der Sonnenflecken, verursachet: dicke Dämpfe, die das Feuer ersticken, und die, durch die Gewalt der Winde erhoben, finstre Wolken ausmachen, welche in feurigen Regengüssen wiederum herabstürzen, und als brennende Ströhme, von den Höhen des festen Sonnenlandes *) sich in die flammende

---

*) Ich schreibe nicht ohne Ursache der Sonnen alle Unebenheiten des festen Landes, der Gebürge und der Thäler zu, die wir auf unserer Erde und andern Weltkörpern antreffen. Die Bildung einer Weltkugel, die sich aus einem flüssigen Zustande in einen

Thäler [138] ergiessen, das Krachen der Elemente, den Schutt ausgebrannter Materien, und die mit der Zerstörung ringende Natur, welche, selbst mit dem abscheulichsten Zustande ihrer Zerrüttungen die Schönheit der Welt und den Nutzen der Creaturen, bewirket.

Wenn denn die Mittelpunkte aller grossen Weltsystemen flammende Körper seyn; so ist dieses am meisten von dem Centralkörper desjenigen unermesslichen Systems zu vermuthen, welches die Fixsterne ausmachen. Wird nun aber dieser Cörper, dessen Masse zu der Grösse seines Systems ein Verhältniss haben muss, wenn er ein selbstleuchtender Körper oder eine Sonne wäre, nicht mit vorzüglichem Glanze und Grösse in die Augen fallen? Gleichwohl sehen wir keinen dergleichen sich ausnehmend unterscheidenden Fixstern unter dem Himmelsheere hervorschimmern. In der That, man darf es sich nicht befremden lassen, wenn dieses nicht geschicht. Wenn er gleich 10000 mahl unsere Sonne an Grösse überträffe, so könnte er doch, wenn man seine Entfernung 100 mahl grösser, als des Sirius seine annimmt, nicht grösser und heller, als dieser, erscheinen.

Vielleicht aber ist es den künftigen Zeiten aufgehoben, wenigstens noch dereinst die Gegend zu [139] entdecken, wo der Mittelpunkt *) des Fixsternensystems, darein unsere Sonne

---

festen verändert, bringt nothwendig solche Ungleichheiten auf der Oberfläche zuwege. Wenn die Oberfläche sich härtet, indessen, dass in dem flüssigen inwendigen Theile solcher Masse, die Materien sich noch nach Massgebung ihrer Schweere zum Mittelpunkte, hinsenken; so werden die Partickeln des elastischen Luft- oder Feuerelements, das sich in diesen Materien mit untergemengt befindet, heraus gejagt, und häuffen sich unter der indessen festgewordenen Rinde, unter welcher sie grosse, und nach Proportion des Sonnenklumpens ungeheure Höhlen erzeugen, in die gedachte oberste Rinde, zuletzt mit mannigfaltigen Einbeugungen hereinsinkt, und sowohl erhöhete Gegenden und Gebirge, als auch Thäler und Fluthbette weiter Feuerseen dadurch zubereitet.

*) Ich habe eine Muthmassung, nach welcher es mir sehr wahrscheinlich zu seyn dünket, dass der Sirius oder Hundsstern, in dem System der Sterne, die die Milchstrasse ausmachen, der Centralkörper sey, und den Mittelpunkt einnehme, zu welchen sie sich alle beziehen. Wenn man dieses System, nach dem Entwurfe des ersten Theils dieser Abhandlung, wie ein Gewimmel von Sonnen, die zu einer gemeinschaftlichen Fläche gehäuft seyn, ansiehet, welches nach allen Seiten von dem Mittelpunkte derselben ausgestreuet ist, und durch einen gewissen, so zu sagen, zirkelförmigten Raum, der durch die geringe Abweichungen derselben vom Beziehungsplane,

gehöret, befindlich [140] ist, oder vielleicht wohl gar zu bestimmen, wohin man den Centralkörper des Universi, nach welchem alle Theile desselben mit einstimmiger Senkung zielen, setzen müsse. Von was vor einer Beschaffenheit dieses Fundamentalstücke der ganzen Schöpfung sey, und was auf ihm befindlich, wollen wir dem Herrn Wrigt von Durham zu bestimmen überlassen, der mit einer fanatischen Begeisterung, ein kräftiges Wesen von der Götterart mit geistlichen Anziehungs- und Zurückstossungskräften, das, in einer unendlichen Sphäre um sich wirksam, alle Tugend an sich zöge, die Laster aber, zurücktriebe, in diesem glücklichen Orte, gleichsam auf einen Thron der gesammten Natur, erhöhete. Wir wollen die Kühnheit unserer Muthmassungen, welchen wir vielleicht nur gar zu viel erlaubt haben, nicht [141] bis zu willkührlichen Erdichtungen den Zügel schiessen lassen. Die Gottheit ist in der Unendlichkeit des ganzen Weltraumes allenthalben gleich gegenwärtig; allenthalben, wo Naturen seyn, welche fähig seyn, sich über die Abhängigkeit der Geschöpfe,

---

sich auch in die Breite von beyden Seiten etwas ausdehnet, ausmacht: so wird die Sonne, die sich gleichfalls diesem Plane nahe befindet, die Erscheinung dieser zirkelförmigten, weislicht schimmernden Zone, nach derjenigen Seite hin, am breitesten sehen, nach welcher sie sich der äussersten Grenze des Systems am nächsten befindet; denn es ist leicht zu vermuthen, dass sie sich nicht eben gerade im Mittelpunkte aufhalten werde. Nun ist der Streif der Milchstrasse, in dem Theile zwischen dem Zeichen des Schwaans und des Schützens, am breitesten, folglich wird dieses die Seite seyn, da der Platz unserer Sonne der äussersten Peripherie des zirkelförmigten Systems am nächsten ist: und in diesem Theile werden wir den Ort, wo die Sternbilder des Adlers und Fuchses mit der Gans stehen, insonderheit vor den allernächsten halten, weil daselbst aus dem Zwischenraume, da die Milchstrasse sich theilet, die grösseste scheinbare Zerstreuung der Sterne erhellet. Wenn man daher ohngefehr von dem Orte neben dem Schwanze des Adlers, eine Linie mitten durch die Fläche der Milchstrasse bis zu dem gegen überstehenden Punkte ziehet; so muss diese auf den Mittelpunkt des Systems zutreffen, und sie trift in der That sehr genau auf den Sirius, den hellesten Stern am ganzen Himmel, der, wegen dieser glücklichen, mit seiner vorzüglichen Gestalt sowohl harmonierenden Zusammentreffung, es zu verdienen scheinet, dass man ihn vor den Centralkörper selber halte. Er würde, nach diesem Begriffe, auch gerade in dem Streife der Milchstrasse gesehen werden, wenn der Stand unserer Sonne der beym Schwanze des Adlers von dem Plane derselben etwas abweichet, nicht den optischen Abstand des Mittelpunktes gegen die andere Seite solcher Zone, verursachte.

zu der Gemeinschaft des höchsten Wesens, empor zu schwingen, befindet es sich gleich nahe. Die ganze Schöpfung ist von ihren Kräften durchdrungen, aber nur derjenige, der sich von dem Geschöpfe zu befreyen weiss, welcher so edel ist, einzusehen, dass in dem Genusse dieser Urqvelle der Vollkommenheit die höchste Staffell der Glückseligkeit einzig und allein zu suchen, der allein ist fähig, diesem wahren Beziehungspunkte aller Treflichkeit sich näher, als irgend etwas anders in der ganzen Natur, zu befinden. Indessen wenn ich, ohne an der enthusiastischen Vorstellung des Engelländers Theil zu nehmen, von den verschiedenen Graden der Geisterwelt aus der physischen Beziehung ihrer Wohnplätze gegen den Mittelpunkt der Schöpfung, muthmassen soll, so wollte mit mehrer Wahrscheinlichkeit die vollkommensten Classen vernünftiger Wesen, weiter von diesem Mittelpunkte, als nahe bey demselben, suchen. Die Vollkommenheit mit Vernunft begabter Geschöpfe, in so weit sie von der Beschaffenheit der Materie abhänget, in deren Verbindung sie beschränket seyn, kommt gar sehr auf die Feinigkeit des Stoffes an, dessen Einfluss dieselbe zur Vorstellung der Welt und zur Gegenwirkung in dieselbe bestimmt. Die Trägheit und der Widerstand der Materie schränket die Freyheit des geistigen [**142**] Wesens zum Wirken und die Deutlichkeit ihrer Empfindung von äussern Dingen gar zu sehr ein, sie macht ihre Fähigkeiten stumpf, indem sie deren Bewegungen nicht mit gehöriger Leichtigkeit gehorchet. Daher wenn man, wie es wahrscheinlich ist, nahe zum Mittelpunkte der Natur die dichtesten und schweersten Sorten der Materie, und dagegen in der grösseren Entfernung, die zunehmenden Grade der Feinigkeit und Leichtigkeit derselben, der Analogie gemäss, die in unsern Weltbau herrschet, annimmt; so ist die Folge begreiflich. Die vernünftigen Wesen deren Erzeugungsplatz und Aufenthalt näher zu dem Mittelpunkte der Schöpfung sich befindet, sind in eine steife und unbewegliche Materie versenket, die ihre Kräfte in einer unüberwindlichen Trägheit verschlossen enthält, und auch eben so unfähig ist, die Eindrücke des Universi, mit der nöthigen Deutlichkeit und Leichtigkeit, zu übertragen und mitzutheilen. Man wird diese denkende Wesen also in die niedrige Classe zu zehlen haben; dagegen wird, mit den Entfernungen vom allgemeinen Centro, diese Vollkommenheit der Geisterwelt, welche auf der gewechselten Abhängigkeit derselben von der Materie beruhet, wie eine beständige Leiter wachsen. In der tiefsten Erniedrigung zu diesem Senkungspunkte hat man diesem zufolge die schlechtesten und unvollkommensten Gattungen denkender Naturen zu setzen, und hiewärtshin ist, wo diese Treflichkeit der Wesen sich, mit allen Schattierungen der Verminderung, endlich in den gänzlichen Mangel der Ueberlegung und des Denkens [**143**] verlieret. In der That, wenn man erweget, dass der Mittelpunkt der Natur zugleich der Anfang ihrer Bildung aus dem rohen Zeuge, und ihre Grenze mit dem Chaos, ausmacht: wenn man dazu setzet, dass die Vollkommenheit geistiger Wesen, welche wohl eine äusserste Grenze ihres Anfanges hat, wo ihre Fähigkeiten mit der Unvernunft zusammenstossen, aber keine Grenzen der Forsetzung, über welche sie nicht könte erhoben werden, sondern nach der Seite hin, eine völlige Unendlichkeit vor sich findet; so wird man, wenn ja ein Gesetze statt finden soll, nach welchem der vernünftigen Creaturen Wohnplätze, nach der Ordnung ihrer Beziehung zum gemeinschaftlichen Mittelpunkte, vertheilet seyn, die niedrigste und unvollkommenste Gattung, die gleichsam den Anfang des Geschlechtes der Geisterwelt ausmacht, an demjenigen Orte zu setzen haben, der der Anfang des gesammten Universi zu nennen ist, um zugleich mit diesem in gleicher Fortschreitung alle Unendlichkeit der Zeit und der Räume mit ins unendliche wachsenden Graden der Vollkommenheit des Denkungsvermögens, zu erfüllen, und sich, gleichsam nach und nach, dem Ziele der höchsten Treflichkeit, nemlich der Gottheit zu näheren, ohne es doch jemals erreichen zu können.

---

[144] Achtes Hauptstück,

Allgemeiner Beweis von der Richtigkeit einer mechanischen Lehrverfassung, der Einrichtung des Weltbaues überhaupt, insonderheit von der Gewissheit der gegenwärtigen.

Man kan das Weltgebäude nicht ansehen, ohne die treflichste Anordnung in ihrer Einrichtung, und die sicheren Merkmaale der Hand GOttes, in der Vollkommenheit ihrer Beziehungen, zu kennen. Die Vernunft, nachdem sie so viel Schönheit, so viel Treflichkeit erwogen und bewundert hat, entrüstet sich mit Recht über die kühne Thorheit, welche sich unterstehen darf, alles dieses dem Zufalle, und einem glücklichen Ohngefehr, zuzuschreiben. Es muss die höchste Weisheit den

Entwurf gemacht, und eine unendliche Macht selbige ausgeführet haben, sonst wäre es unmöglich, so viele in einem Zweck zusammen kommende Absichten, in der Verfassung des Weltgebäudes, anzutreffen. Es kommt nur noch darauf an, zu entscheiden, ob der Entwurf der Einrichtung des Universi von dem höchsten Verstande schon in die wesentliche Bestimmungen der ewigen Naturen gelegt, und in die allgemeine Bewegungsgesetze gepflanzet sey, um sich aus ihnen, auf eine der vollkommensten Ordnung anständige Art, ungezwungen zu entwickeln; oder ob die allgemeine Eigenschaften der Bestandtheile der Welt die völlige Unfähigkeit [**145**] zur Uebereinstimmung, und nicht die geringste Beziehung zur Verbindung, haben, und durchaus einer fremden Hand bedurft haben, um diejenige Einschränkung und Zusammenfügung zu überkommen, welche Vollkommenheit und Schönheit an sich blicken lässt. Ein fast allgemeines Vorurtheil hat die meisten Weltweisen, gegen die Fähigkeit der Natur, etwas ordentliches durch ihre allgemeine Gesetze hervorzubringen, eingenommen, gleich als wenn es GOtt die Regierung der Welt streitig machen hiesse, wenn man die ursprüngliche Bildungen in den Naturkräften suchet, und als wenn diese ein von der Gottheit unabhängiges Principium, und ein ewiges blindes Schicksaal, wäre.

Wenn man aber erweget, dass die Natur und die ewigen Gesetze, welche den Substanzen zu ihrer Wechselwirkung vorgeschrieben seyn, kein selbständiges, und ohne GOtt nothwendiges, Principium sey, dass eben dadurch, weil sie so viel Uebereinstimmung und Ordnung in demjenigen zeiget, was sie durch allgemeine Gesetze hervorbringet, zu ersehen ist, dass die Wesen aller Dinge, in einem gewissen Grundwesen, ihren gemeinschaftlichen Ursprung haben müssen, und dass sie darum lauter gewechselte Beziehungen und lauter Harmonie zeigen, weil ihre Eigenschaften in einem einzigen höchsten Verstande ihre Quelle haben, dessen weise Idee sie in durchgängigen Beziehungen entworfen, und ihnen diejenige Fähigkeit eingepflanzet hat, dadurch sie lauter Schönheit, lauter Ordnung, in dem ihnen [**146**] selbst gelassenen Zustande ihrer Wirksamkeit, hervorbringen: wenn man, sage ich, dieses erweget, so wird die Natur uns würdiger, als sie gemeiniglich angesehen wird, erscheinen, und man wird von ihren Auswickelungen nichts, als Uebereinstimmung, nichts als Ordnung, erwarten. Wenn man hingegen einem ungegründeten Vorurtheile Platz lässet, dass die allgemeine Naturgesetze, an und vor sich selber, nichts als Unordnung zuwege bringen, und aller Uebereinstimmung zum Nutzen, welche bey der Verfassung der Natur hervor leuchtet, die unmittelbare Hand GOttes anzeiget; so wird man genöthiget, die ganze Natur in Wunder zu verkehren. Man wird den schönen farbigten Bogen, der in den Regentropfen erscheinet, wenn dieselben die Farben des Sonnenlichts absondern, wegen seiner Schönheit, den Regen, wegen seines Nutzens, die Winde, wegen der unentbehrlichen Vortheile, die sie in unendlichen Arten der menschlichen Bedürfnisse leisten; kurz, alle Veränderungen der Welt, welche Wohlanständigkeit und Ordnung mit sich führen, nicht aus den eingepflanzten Kräften der Materie herleiten sollen. Das Beginnen der Naturforscher, die sich mit einer solchen Weltweisheit abgegeben haben, wird, vor dem Richterstuhle der Religion, eine feyerliche Abbitte thun müssen. Es wird in der That alsdenn keine Natur mehr seyn; es wird nur ein GOtt in der Maschine die Veränderungen der Welt hervor bringen. Aber, was wird denn dieses seltsame Mittel, die Gewissheit des höchsten Wesens aus der wesentlichen Unfähigkeit [**147**] der Natur zu beweisen, vor eine Wirkung zur Ueberführung des Epikurers thun. Wenn die Naturen der Dinge, durch die ewigen Gesetze ihrer Wesen, nichts als Unordnung und Ungereimtheit zuwege bringen; so werden sie eben dadurch den Charakter ihrer Unabhängigkeit von GOtt beweisen: und was vor einen Begriff wird man sich von einer Gottheit machen können, welcher die allgemeinen Naturgesetze nur durch eine Art von Zwange gehorchen, und an und vor sich dessen weisesten Entwürfen widerstreiten? Wird der Feind der Vorsehung nicht eben so viel Siege über diese falschen Grundsätze davon tragen, als er Uebereinstimmungen aufweisen kan, welche die allgemeinen Wirkungsgesetze der Natur, ohne alle besondere Einschränkungen, hervorbringen? und wird es ihm wohl an solchen Beyspielen fehlen können? Dagegen lasset uns mit grösserer Anständigkeit und Richtigkeit also schliessen: Die Natur, ihren allgemeinen Eigenschaften überlassen, ist an lauter schönen und vollkommenen Früchten fruchtbar, welche nicht allein an sich Uebereinstimmung und Treflichkeit zeigen, sondern auch mit dem ganzen Umfange ihrer Wesen, mit dem Nutzen der Menschen, und der Verherrlichung der göttlichen Eigenschaften, wohl harmoniren. Hieraus folget, dass ihre wesentlichen Eigenschaften keine unabhängige Nothwendigkeit haben können; sondern, dass sie ihren Ursprung in einem einzigen Verstande, als dem Grunde und der Quelle aller Wesen, haben müssen, in welchem sie, unter gemeinschaftlichen Beziehungen, entworfen [**148**] sind. Alles, was sich auf einander, zu einer gewechselten Harmonie, beziehet, muss in einem einzigen Wesen, von welchem es insgesammt abhänget, unter einander verbunden werden. Also ist ein Wesen aller Wesen, ein unendlicher Verstand und selbständige Weisheit vorhanden, daraus die Natur, auch sogar ihrer Möglichkeit nach, in dem ganzen Inbegriffe der Bestimmungen, ihren Ursprung ziehet. Nunmehro darf man die Fähigkeit der Natur, als dem Daseyn eines höchsten Wesens nachtheilig, nicht bestreiten; je vollkommener sie in ihren Entwickelungen ist, je besser ihre allgemeinen Gesetze zur Ordnung und Uebereinstimmung führen; ein desto sicherer Beweisthum der Gottheit ist sie, von welcher sie diese Verhältnisse entlehnet. Ihre Hervorbringungen sind nicht mehr Wirkungen des Ohngefehrs, und Folgen des Zufalls; es fliesset alles nach unwandelbaren Gesetzen von ihr ab, welche darum lauter geschicktes darstellen müssen, weil sie lauter Züge aus dem allerweisesten Entwurfe seyn, aus dem dle Unordnung verbannet ist. Nicht der ohngefehre Zusammenlauf der Atomen des L u c r e z hat die Welt gebildet; eingepflanzte Kräfte und Gesetze, die den weisesten Verstand zur Quelle haben, sind ein unwandelbarer Ursprung derjenigen Ordnung gewesen, die aus ihnen nicht von ohngefehr, sondern nothwendig abfliessen muste.

Wenn man sich also eines alten und ungegründeten Vorurtheils, und der faulen Weltweisheit, entschlagen kan, die, unter einer andächtigen Mine, [**149**] eine träge Unwissenheit zu verbergen trachtet; so hoffe ich, auf unwiedersprechliche Gründe, eine sichere Ueberzeugung zu gründen: d a s s d i e W e l t e i n e m e c h a n i s c h e E n t w i c k e l u n g, a u s d e n a l l g e m e i n e n N a t u r g e s e t z e n, z u m U r s p r u n g e i h r e r V e r f a s s u n g, e r k e n n e; u n d d a s s z w e y t e n s d i e A r t d e r m e c h a n i s c h e n E r z e u g u n g, d i e w i r v o r g e s t e l l e t h a b e n, d i e w a h r e s e y. Wenn man beurtheilen will, ob die Natur genugsame Fähigkeiten habe, durch eine mechanische Folge ihrer Bewegungsgesetze, die Anordnung des Weltbaues zuwege zu bringen; so muss man vorhero erwegen, wie einfach die Bewegungen seyn, welche die Weltkörper beobachten, und dass sie nichts an sich haben, was eine genauere Bestimmung erforderte, als es die allgemeinen Regeln der Naturkräfte mit sich führen. Die Umlaufsbewegungen bestehen aus der Verbindung der sinkenden Kraft, die eine gewisse Folge aus den Eigenschaften der Materie ist, und aus der schiessenden Bewegung, die, als die Wirkung der ersteren, als eine, durch das Herabsinken, erlangte Geschwindigkeit, kan angesehen werden, in der nur eine gewisse Ursache nöthig gewesen, den senkrechten Fall seitwärts abzubeugen. Nach einmal erlangter Bestimmung dieser Bewegungen ist nichts ferner nöthig, sie auf immer zu erhalten. Sie bestehen in dem leeren Raume, durch die Verbindung der einmal eingedrückten schiessenden Kraft, mit der aus den wesentlichen Naturkräften fliessenden Attraction, und leiden weiterhin keine Veränderung. Allein die Analogien, [**150**] in der Uebereinstimmung dieser Bewegungen, bezeigen die Wirklichkeit eines mechanischen Ursprunges so deutlich, dass man daran keinen Zweifel tragen kan. Denn

1. Haben diese Bewegungen eine durchgehends übereinstimmende Richtung, dass von sechs Hauptplaneten, von 10 Trabanten, sowohl in ihrer fortrückenden Bewegung, als in ihren Umdrehungen um die Achse, nicht ein einziger ist, der nach einer andern Seite, als von Abend gegen Morgen, sich bewegete. Diese Richtungen sind überdem so genau zusammentreffend, dass sie nur wenig von einer gemeinschaftlichen Fläche abweichen, und diese Fläche, auf welche sich alles beziehet, ist die Aeqvatorsfläche des Körpers, der, in dem Mittelpunkte des ganzen Systems, sich nach eben derselben Gegend um die Achse drehet, und der, durch seine vorzügliche Attraction, der Beziehungspunkt aller Bewegungen geworden, und folglich an denenselben so genau, als möglich, hat Theil nehmen müssen. Ein Beweis, dass die gesammte Bewegungen auf eine, den allgemeinen Naturgesetzen gemässe, mechanische Art entstanden und bestimmet worden, und dass die Ursache, welche entweder die Seitenbewegungen eindrückte, oder richtete, den ganzen Raum des Planetengebäudes beherrschet hat, und darinn den Gesetzen gehorchet, welche die, in einem gemeinschaftlich bewegten Raume, befindliche Materie beobachtet, dass alle verschiedene Bewegungen zuletzt eine einzige Richtung annehmen, und sich insgesammt [**151**] so genau, als möglich, auf eine einzige Fläche beziehend machen.

2. Sind die Geschwindigkeiten so beschaffen, als sie es in einem Raume seyn müssen, da die bewegende Kraft in dem Mittelpunkte ist, nemlich, sie nehmen in beständigen Graden mit den Entfernungen von diesem ab, und verlieren

sich, in der grössesten Weite, in eine gänzliche Mattigkeit der Bewegung, welche den senkrechten Fall nur sehr wenig seitwärts beuget. Vom Merkur an, welcher die grösste Schwungskraft hat, siehet man diese stufenweise sich vermindern, und in dem äussersten Cometen so gering seyn, als sie es seyn kan, um nicht gerade in die Sonne zu fallen. Man kan nicht einwenden, dass die Regeln der Centralbewegungen, in Zirkelkreisen, es so erheischen, dass, je näher zum Mittelpunkte der allgemeinen Senkung, desto grösser die Umschwungsgeschwindigkeit seyn müsse; denn woher müssen eben die, diesem Centro nahen Himmelskörper, Zirkelförmigte Kreise haben? woher sind nicht die nächsten sehr eccentrisch, und die entfernteren in Zirkeln umlaufend? oder vielmehr, da sie alle von dieser abgemessenen geometrischen Genauheit abweichen; warum nimmt diese Abweichung mit den Entfernungen zu? Bezeichnen diese Verhältnisse nicht den Punkt, zu dem alle Bewegung ursprünglich sich gedränget, und, nach dem Maasse der Naheit, auch grössere Grade erlanget hat, bevor andere Bestimmungen ihre Richtungen in die gegenwärtige verändert haben?

[152] Will man nun aber die Verfassung des Weltbaues, und den Ursprung der Bewegungen, von den allgemeinen Naturgesetzen ausnehmen, um sie der unmittelbaren Hand GOttes zuzuschreiben; so wird man alsbald inne, das die angeführte Analogien einen solchen Begriff offenbar widerlegen. Denn was erstlich die durchgängige Uebereinstimmung in der Richtung betrifft, so ist offenbar, dass hier kein Grund sey, woher die Weltkörper, gerade nach einer einzigen Gegend, ihre Umläufe anstellen müsten, wenn der Mechanismus ihrer Erzeugung sie nicht dahin bestimmet hätte. Denn der Raum, in dem sie laufen, ist unendlich wenig widerstehend, und schränket ihre Bewegungen so wenig nach der einen Seite, als nach der andern, ein; also würde die Wahl GOttes, ohne den geringsten Bewegungsgrund, sich nicht an eine einzige Bestimmung binden, sondern sich mit mehrerer Freyheit in allerley Abwechselungen und Verschiedenheit zeigen. Noch mehr: warum sind die Kreise der Planeten so genau auf eine gemeinschaftliche Fläche beziehend, nemlich auf die Aeqvatorsfläche desjenigen grossen Körpers, der in dem Mittelpunkte aller Bewegung ihre Umläufe regieret? Diese Analogie, an statt einen Bewegungsgrund der Wohlanständigkeit an sich zu zeigen, ist vielmehr die Ursache einer gewissen Verwirrung,

welche durch eine freye Abweichung der Planetenkreise würde gehoben werden: denn die Anziehungen der Planeten stören anjetzo gewissermassen die Gleichförmigkeit ihrer Bewegungen, und würden einander gar nicht hinderlich seyn, [153] wenn sie sich nicht so genau auf eine gemeinschaftliche Fläche bezögen.

Noch mehr, als alle diese Analogien, zeiget sich das deutlichste Merkmaal von der Hand der Natur, an dem Mangel der genauesten Bestimmung, in denjenigen Verhältnissen, die sie zu erreichen bestrebt gewesen. Wenn es am besten wäre, dass die Planetenkreise beynahe auf eine gemeinschaftliche Fläche gestellet wären, warum sind sie es nicht ganz genau? und warum ist ein Theil derjenigen Abweichung übrig geblieben, welche hat vermieden werden sollen? Wenn darum die der Laufbahne der Sonne nahen Planeten, die der Attraction das Gleichgewicht haltende Grösse der Schwungskraft empfangen haben, warum fehlet noch etwas an dieser völligen Gleichheit? und woher sind ihre Umläufe nicht vollkommen Zirkelrund, wenn bloss die weiseste Absicht, durch das grösste Vermögen unterstützet, diese Bestimmung hervorzubringen, getrachtet hat? Ist es nicht klar einzusehen, dass diejenige Ursache, welche die Laufbahnen der Himmelskörper gestellet hat, indem sie selbige auf eine gemeinschaftliche Fläche zu bringen bestrebt gewesen, es nicht völlig hat ausrichten können; ingleichen, dass die Kraft, welche den Himmelsraum beherrschete, als alle Materie, die nunmehro in Kugeln gebildet ist, ihre Umschwungsgeschwindigkeiten erhielt, sie zwar nahe beym Mittelpunkte in ein Gleichgewicht mit der senkenden Gewalt zu bringen getrachtet hat; aber die völlige Genauheit nicht hat erreichen können. [154] Ist nicht das gewöhnliche Verfahren der Natur hieran zu erkennen, welches, durch die Dazwischenkunft der verschiedenen Mitwürkungen, allemal von der ganz abgemessenen Bestimmung abweichend gemacht wird? und wird man wohl lediglich in den Endzwecken, des unmittelbar so gebietenden höchsten Willens, die Gründe dieser Beschaffenheit finden? Man kan, ohne eine Hartnäckigkeit zu bezeigen, nicht in Abrede seyn, dass die gepriesene Erklärungsart von den Natureigenschaften, durch Anführung ihres Nutzens, Grund anzugeben, hier nicht die verhofte Probe halte. Es war gewiss, in Ansehung des Nutzens, der Welt ganz gleichgültig, ob die Planetenkreise völlig zirkelrund, oder ob sie ein wenig eccentrisch wären; ob sie mit der Fläche ihrer allgemeinen Beziehung völlig zusammen treffen, oder noch etwas davon abweichen solten; vielmehr, wenn es ja nöthig war, in dieser Art von Uebereinstimmungen beschränkt zu seyn, so war es am besten, sie völlig an sich haben. Wenn es wahr ist, was der Philosoph sagte: dass GOtt beständig die Geometrie ausübet: wenn dieses auch in den Wegen der allgemeinen Naturgesetze hervor leuchtet; so würde gewiss diese Regel, bey den unmittelbaren Werken des allmächtigen Wortes, vollkommen zu spüren seyn, und diese würden alle Vollkommenheit der geometrischen Genauheit an sich zeigen. Die Cometen gehören mit unter diese Mängel der Natur. Man kan nicht leugnen, dass, in Ansehung ihres Laufes und der Veränderungen, die sie dadurch erleiden, sie als [**155**] unvollkommene Glieder der Schöpfung anzusehen seyn, welche weder dienen können, vernünftigen Wesen bequeme Wohnplätze abzugeben, noch dem Besten des ganzen Systems dadurch nützlich zu werden, dass sie, wie man vermuthet hat, der Sonne dereinst zur Nahrung dieneten; denn es ist gewiss, dass die meisten derselben diesen Zweck nicht eher, als bey dem Umsturze des ganzen planetischen Gebäudes, erreichen würden. In dem Lehrbegriffe, von der unmittelbaren höchsten Anordnung der Welt, ohne eine natürliche Entwickelung aus allgemeinen Naturgesetzen, würde eine solche Anmerkung anstössig seyn, ob sie gleich gewiss ist. Allein in einer mechanischen Erklärungsart verherrlichet sich dadurch die Schönheit der Welt, und die Offenbarung der Allmacht, nicht wenig. Die Natur, indem sie alle mögliche Stufen der Mannigfaltigkeit in sich fasset, erstrecket ihren Umfang über alle Gattungen von der Vollkommenheit bis zum Nichts, und die Mängel selber sind ein Zeichen des Ueberflusses, an welchem ihr Innbegriff unerschöpft ist.

Es ist zu glauben, dass die angeführten Analogien so viel über das Vorurtheil vermögen würden, den mechanischen Ursprung des Weltgebäudes annehmungswürdig zu machen, wenn nicht noch gewisse Gründe, die aus der Natur der Sache selber hergenommen sind, dieser Lehrverfassung gänzlich zu widersprechen schienen. Der Himmelsraum ist, wie schon mehrmalen gedacht, leer, oder wenigstens mit unendlich dünner Materie angefüllet, [**156**] welche folglich kein Mittel hat abgeben können, denen Himmelskörpern gemeinschaftliche Bewegungen einzudrücken. Diese Schwierigkeit ist so bedeutend und gültig, dass N e w t o n, welcher Ursache hatte, den Einsichten seiner Weltweisheit, so viel als irgend ein Sterblicher zu vertrauen, sich genöthiget sahe, allhier die Hoffnung aufzugeben, die Eindrückung der den Planeten beywohnenden Schwungskräfte, ohnerachtet aller Uebereinstimmung, welche auf einen mechanischen Ursprung zeigete, durch die Gesetze der Natur und die Kräfte der Materie, aufzulösen. Ob es gleich vor einen Philosophen eine betrübte Entschliessung ist, bey einer zusammengesetzten, und noch weit von den einfachen Grundgesetzen entferneten Beschaffenheit, die Bemühung der Untersuchung aufzugeben, und sich mit der Anführung des unmittelbaren Willens GOttes zu begnügen; so erkannte doch Newton hier die Grenzscheidung, welche die Natur und den Finger GOttes, den Lauf der eingeführten Gesetze der ersteren, und den Wink des letzteren, von einander scheidet. Nach eines so grossen Weltweisen Verzweifelung scheinet es eine Vermessenheit zu seyn, noch einen glücklichen Fortgang in einer Sache, von solcher Schwierigkeit, zu hoffen.

Allein eben dieselbe Schwierigkeit, welche dem Newton die Hoffnung benahm, die denen Himmelskörpern ertheilte Schwungskräfte, deren Richtung und Bestimmungen das Systematische des Weltbaues ausmachet, aus denen Kräften der Natur [157] zu begreiffen, ist die Qvelle der Lehrverfassung gewesen, die wir in den vorigen Hauptstücken vorgetragen haben. Sie gründet einen mechanischen Lehrbegriff; aber einen solchen, der weit von demjenigen entfernet ist, welchen Newton unzulänglich befand, und um dessen willen er alle Unterursachen verwarf, weil er (wenn ich es mir unterstehen darf, zu sagen,) darinn irrete, dass er ihn vor den einzigen, unter allen möglichen seiner Art, hielte. Es ist ganz leicht und natürlich, selbst vermittelst der Schwierigkeit des Newton, durch eine kurze und gründliche Schlussfolge auf die Gewissheit derjenigen mechanischen Erklärungsart zu kommen, die wir in dieser Abhandlung entworfen haben. Wenn man voraussetzt, (wie man denn nicht umhin kan, es zu bekennen,) dass die obigen Analogien es mit grössester Gewissheit festsetzen, dass die harmonirenden, und sich auf einander ordentlich beziehenden Bewegungen und Kreise der Himmelskörper, eine natürliche Ursache, als ihren Ursprung, anzeigen; so kan diese doch nicht dieselbe Materie seyn, welche anjetzt den Himmelsraum erfüllet. Also muss diejenige, welche ehedem diese Räume erfüllete, und deren Bewegung der Grund von den gegenwärtigen Umläufen der Himmelskörper gewesen ist, nachdem sie sich auf diese Kugeln versammlet, und dadurch die Räume gereiniget hat, die man anjetzt leer siehet, oder, welches unmittelbar hieraus herfliesset, die Materie selber, daraus die Planeten, die Cometen, ja die Sonne, bestehen, müssen anfänglich in dem Raume des planetischen Systems ausgebreitet [**158**] gewesen seyn, und in diesem Zustande sich in Bewegungen versetzet haben, welche sie behalten haben, als sie sich in besondere Klumpen vereinigten, und die Himmelskörper bildeten, welche alle den ehemals zerstreueten Stoff der Weltmaterie in sich fassen. Man ist hiebey nicht lange in Verlegenheit, das Triebwerk zu entdecken, welches diesen Stoff der sich bildenden Natur in Bewegung gesetzt haben möge. Der Antrieb selber, der die Vereinigung der Massen zuwege brachte, die Kraft der Anziehung, welche der Materie wesentlich beywohnet, und sich daher, bey der ersten Regung der Natur, zur ersten Ursache der Bewegung so wohl schicket, war die Quelle derselben. Die Richtung, welche bey dieser Kraft immer gerade zum Mittelpunkte hin zielet, macht allhier kein Bedenken; denn es ist gewiss, dass der feine Stoff zerstreueter Elemente in der senkrechten Bewegung, sowohl durch die Mannigfaltigkeit der Attractionspunkte, als durch die Hinderniss, die einander ihre durchkreutzende Richtungslinien leisten, hat in verschiedene Seitenbewegungen ausschlagen müssen, bey denen das gewisse Naturgesetz, welches macht, dass alle einander, durch gewechselte Wirkung einschränkende Materie, sich zuletzt auf einen solchen Zustand bringet, da eine der andern so wenig Veränderung, als möglich, mehr zuziehet, sowohl die Einförmigkeit der Richtung, als auch die gehörigen Grade der Geschwindigkeiten, hervorgebracht hat, die in jedem Abstande nach der Centralkraft abgewogen seyn, und durch deren Verbindung weder über noch [**159**] unter sich auszuschweifen trachten: da alle Elemente also nicht allein nach einer Seite, sondern auch bey nahe in parallelen und freyen Zirkeln, um den gemeinschaftlichen Senkungspunkt, in dem dünnen Himmelsraume umlaufend gemacht worden. Diese Bewegungen der Theile musten hernach fortdauern, als sich planetische Kugeln daraus gebildet hatten, und bestehen anjetzt durch die Verbindung des einmal eingepflanzten Schwunges mit der Centralkraft, in unbeschränkte künftige Zeiten. Auf diesem so begreiflichen Grunde beruhen die Einförmigkeit der Richtungen in den Planetenkreisen, die genaue Beziehung auf eine gemeinschaftliche Fläche, die Mässigung der Schwungskräfte nach der Attraction des Ortes, die mit den Entfernungen abnehmende Genauheit dieser Analogien, und die freye Abweichung der äussersten Himmelskörper nach beyden Seiten sowohl, als nach entgegengesetzter Richtung. Wenn diese Zeichen der gewechselten Abhängigkeit in denen Bestimmungen der Erzeugung auf eine, durch den ganzen Raum verbreitete ursprünglich bewegte Materie, mit offenbarer Gewissheit zeigen; so beweiset der gänzliche Mangel aller Materien in diesem nunmehro leeren Himmelsraume, ausser derjenigen, woraus die Körper der Planeten, der Sonne und der Cometen zusammengesetzt seyn, dass diese selber im Anfange in diesem Zustande der Ausbreitung, müsse gewesen seyn. Die Leichtigkeit und Richtigkeit, mit welcher aus diesem angenommenen Grundsatze, alle Phänomena des Weltbaues in den vorigen Hauptstücken [**160**] hergeleitet worden, ist eine Vollendung solcher Muthmassung, und giebt ihr einen Werth, der nicht mehr willkührlich ist.

Die Gewissheit einer mechanischen Lehrverfassung von dem Ursprunge des Weltgebäudes, vornemlich des unsrigen, wird auf den höchsten Gipfel der Ueberzeugung erhoben, wenn man die Bildung der Himmelskörper selber, die Wichtigkeit und Grösse ihrer Massen nach dem Verhältnissen erweget, die sie, in Ansehung ihres Abstandes von dem Mittelpunkte der Gravitation, haben. Denn erstlich ist die Dichtigkeit ihres Stoffes, wenn man sie im ganzen ihres Klumpens erweget, in beständigen Graden mit den Entfernungen von der Sonne abnehmend: eine Bestimmung, die so deutlich auf die mechanische Bestimmungen der ersten Bildung zielet, dass man nichts mehr verlangen kan. Sie sind aus solchen Materien zusammengesetzet, deren die von schwererer Art einen tiefern Ort zu dem gemeinschaftlichen Senkungspunkte; die von leichterer Art aber, einen entferneteren Abstand bekommen haben: welche Bedingung, in aller Art der natürlichen Erzeugung, nothwendig ist. Aber bey einer unmittelbar aus dem göttlichen Willen fliessenden Errichtung, ist nicht der mindeste Grund zu gedachten Verhältnisse anzutreffen. Denn ob es gleich scheinen möchte, dass die entferneteren Kugeln aus leichterem Stoffe bestehen müsten, damit sie von der geringern Kraft der Sonnenstrahlen die nöthige Wirkung verspüren [**161**] könnten; so ist dieses doch nur ein Zweck, der auf die Beschaffenheit der auf der Oberfläche befindlichen Materien, und nicht auf die tieferen Sorten seines inwendigen Klumpens zielet, als in welche die Sonnenwärme niemals einige Wirkung thut, die auch nur dienen die Attraction des Planeten, welche die ihn umgebenden Körper zu ihm sinkend machen soll, zu bewirken, und daher nicht die mindeste Beziehung auf die Stärke oder Schwäche der Sonnenstrahlen haben darf. Wenn man daher fraget, woher die aus den richtigen Rechnungen des Newton gezogene Dichtigkeiten der Erde, des Jupiters, des Saturns sich gegeneinander wie 400, 94½ und 64 verhalten; so wäre es ungereimt die Ursache der Absicht GOttes, welcher sie nach den Graden der Sonnenwärme gemässiget hat, beyzumessen; denn da kan unsere Erde uns zum Gegenbeweise dienen, bey der die Sonne nur in eine so geringe Tiefe unter der Oberfläche durch ihre Strahlen wirket, dass derjenige Theil ihres Klumpens, der dazu einige Beziehung haben muss, bey weitem nicht den millionsten Theil des ganzen beträgt, wovon das übrige in Ansehung dieser Absicht völlig gleichgültig ist. Wenn also der Stoff, daraus die Himmelskörper bestehen, ein ordentliches mit den Entfernungen harmonirendes Verhältniss, gegen einander hat, und die Planeten einander anjetzt nicht einschränken können, da sie nun in leerem Raume von einander abstehen; so muss ihre Materie vordem in einem Zustande gewesen seyn, da sie in einander gemeinschaftliche Wirkung thun können, um sich in die, ihrer specifischen [**162**] Schweere proportionirte Oerter, einzuschränken, welches nicht anders hat geschehen können, als dass ihre Theile vor der Bildung in dem ganzen Raume des Systems ausgebreitet gewesen, und, dem allgemeinen Gesetze der Bewegung gemäss, Oerter gewonnen haben, welche ihrer Dichtigkeit gebühren.

Das Verhältniss unter der Grösse der planetischen Massen, welches mit den Entfernungen zunimmt, ist der zweyte Grund der die mechanische Bildung der Himmelskörper, und vornemlich unsere Theorie von derselben, klärlich beweiset. Warum nehmen die Massen der Himmelskörper ohngefehr mit den Entfernungen zu? Wenn man einer der Wahl GOttes alles zuschreibenden Lehrart nachgehet; so könnte keine andere Absicht gedacht werden, warum die entfernetern Planeten grössere Massen haben müssen, als damit sie die vorzügliche Stärke ihrer Anziehung in ihrer Sphäre einen oder etliche Monde begreifen könten, welche dienen sollen den Bewohnern, welche vor sie bestimmt sind, den Aufenthalt bequemlich zu machen. Allein dieser Zweck konte eben sowohl durch eine vorzügliche Dichtigkeit in dem inwendigen ihres Klumpens erhalten werden, und warum muste denn die aus besonderen Gründen fliessende Leichtigkeit des Stoffes, welche diesem Verhältniss entgegen ist bleiben, und durch den Vorzug des Volumens so weit übertroffen werden, dass dennoch die Masse der obern wichtiger als der untern ihre würde? Wenn man nicht auf die Art der natürlichen Erzeugung dieser [**163**] Körper Acht hat; so wird man schwerlich von diesem Verhältnisse Grund geben können: aber in Betrachtung derselben ist nichts leichter, als diese Bestimmung zu begreifen. Als der Stoff aller Weltkörper in den Raum des planetischen Systems noch ausgebreitet war; so bildete die Anziehung aus diesen Theilchen Kugeln, welche ohne Zweifel um desto grösser werden musten, je weiter der Ort ihrer Bildungssphäre von demjenigen allgemeinen Centralkörper entfernet war, der aus dem Mittelpunkte des ganzen Raumes, durch eine vorzüglich mächtige Attraction diese Vereinigung, so viel an ihm ist, einschränkete und hinderte.

Man wird die Merkmale dieser Bildung der Himmelskörper aus dem, im Anfange ausgebreitet gewesenem Grundstoffe mit Vergnügen an der Weite der Zwischenräume gewahr, die ihre Kreise von einander scheiden, und die nach diesem Begriffe als die leeren Fächer müssen angesehen werden, aus denen die Planeten die Materie zu ihrer Bildung hergenommen haben. Man siehet, wie diese Zwischenräume zwischen den Kreisen ein Verhältniss zu der Grösse der Massen haben, die daraus gebildet seyn. Die Weite zwischen dem Kreise des Jupiters und des Mars ist so gross, dass der darinn beschlossene Raum die Fläche aller unteren Planetenkreise zusammengenommen übertrift: allein er ist des grössesten unter allen Planeten würdig, desjenigen, der mehr Masse hat, als alle übrigen zusammen. Man kan diese Entfernung des Jupiters von dem Mars nicht der Absicht beymessen, dass ihre Attractionen einander so wenig als [**164**] möglich, hindern solten. Denn nach solchem Grunde würde sich der Planet zwischen zwey Kreisen allemal demjenigen am nächsten befinden, dessen mit der seinigen vereinigte Attraction die beyderseitigen Umläufe um die Sonne, am wenigsten stöhren kan: folglich demjenigen, der die kleinste Masse hat. Weil nun nach den richtigen Rechnungen Newtons die Gewalt, womit Jupiter in den Lauf des Mars wirken kan, zu derjenigen, die er in den Saturn durch die vereinigte Anziehung ausübet, wie $\frac{1}{12512}$ zu $\frac{1}{200}$ verhält; so kan man leicht die Rechnung machen, um wie viel Jupiter sich dem Kreise des Mars näher befinden müste, als des Saturns seinem, wenn ihr Abstand durch die Absicht ihrer äusserlichen Beziehung, und nicht durch den Mechanismus ihrer Erzeugung bestimmt worden wäre. Da dieses sich nun aber ganz anders befindet: da ein planetischer Kreis in Ansehung der zwey Kreise, die über und unter ihm seyn, sich oft von demjenigen abstehender befindet, in welchem ein kleinerer Planet läuft, als die Bahn dessen von grösserer Masse; die Weite des Raumes aber um den Kreis eines jeden Planeten, allemal ein richtiges Verhältniss zu seiner Masse hat; so ist klar, dass die Art der Erzeugung diese Verhältnisse müsse bestimmt haben, und dass, weil diese Bestimmungen so, wie die Ursache und die Folgen derselben scheinen, verbunden zu seyn, man es wohl am richtigsten treffen wird, wenn man die, zwischen den Kreisen begriffene Räume als die Behältnisse desjenigen Stoffes ansiehet, daraus sich die [**165**] Planeten gebildet haben: woraus unmittelbar folget, dass deren Grösse dieser ihren Massen proportionirt seyn muss, welches Verhältniss aber bey denen entfernetern Planeten durch die, in dem ersten Zustande grössere Zerstreuung der elementarischen Materie in diesen Gegenden vermehret wird. Daher von zwey Planeten die an Masse einander ziemlich gleich kommen, der entferntere einen grössern Bildungsraum, d. i. einen grössern Abstand von den beyden nächsten Kreisen haben muss, sowohl weil der Stoff daselbst an sich specifisch leichterer Art, als auch, weil er zerstreuter war, als bey dem, so sich näher zu der Sonne bildete. Daher obgleich die Erde zusammt dem Monde der Venus noch nicht an körperlichen Innhalte gleich zu seyn scheinet, so hat sie dennoch um sich einen grössern Bildungsraum erfordert: weil sie sich aus einem mehr zerstreuten Stoffe zu bilden hatten, als dieser untere Planet. Vom Saturn ist aus diesen Gründen zu vermuthen, dass seine Bildungssphäre sich auf der abgelegenen Seite viel weiter wird ausgebreitet haben, als auf der Seite gegen den Mittelpunkt hin, (wie denn dieses fast von allen Planeten gilt;) und daher wird der Zwischenraum zwischen den Saturnuskreise, und der Bahn des diesem Planeten zunächst obern Himmelskörpers, den man über ihn vermuthen kan, viel weiter, als zwischen eben demselben und dem Jupiter, seyn.

Also gehet alles in dem planetischen Weltbaue stuffenweise, mit richtigen Beziehungen zu der ersten erzeugenden Kraft, die neben dem Mittelpunkte wirksamer als in der Ferne gewesen, in alle [166] unbeschränkte Weiten fort. Die Verminderung der eingedruckten schiessenden Kraft, die Abweichung von der genauesten Uebereinstimmung in der Richtung und der Stellung der Kreise, die Dichtigkeiten der Himmelskörper, die Sparsamkeit der Natur in Absehen auf den Raum ihrer Bildung: alles vermindert sich stuffenartig von dem Centro in die weiten Entfernungen; alles zeiget, dass die erste Ursache an die mechanischen Regeln der Bewegung gebunden gewesen, und nicht durch eine freye Wahl gehandelt hat.

Allein was so deutlich, als irgend sonsten etwas, die natürliche Bildung der Himmelskugeln aus dem ursprünglich in dem Raume des Himmels, der nunmehro leer ist, ausgebreitet gewesenen Grundstoffe anzeiget, ist diejenige Uebereinstimmung, die ich von dem Herrn von Buffon entlehne, die aber in seiner Theorie bey weitem den Nutzen, als in der unsrigen, nicht hat. Denn nach seiner Bemerkung, wenn man die Planeten, deren Massen man durch Rechnung bestimmen kan, zusammen summiret: nemlich den Saturn, den Jupiter, die Erde und den Mond; so geben sie einen Klumpen, dessen Dichtigkeit der Dichtigkeit des Sonnenkörpers wie 640 zu 650 beykömmt, welche, da es die Hauptstücke in den planetischen System sind, gegen die übrigen Planeten Mars, Venus und Merkur kaum verdienen gerechnet zu werden; so wird man billig über die merkwürdige Gleichheit erstaunen, die zwischen der Materie des gesammten planetischen Gebäudes, wenn es als in einem Klumpen vereinigt betrachtet wird, und zwischen [167] der Masse der Sonnen herrschet. Es wäre ein unverantwortlicher Leichtsinn, diese Analogie einem Ungefehr zuzuschreiben, welche unter einer Mannigfaltigkeit so unendlich verschiedener Materien, deren nur allein auf unserer Erde einige anzutreffen sind, die 15 tausendmal an Dichtigkeit von einander übertroffen worden, dennoch im ganzen der Verhältniss von 1 bis 1 so nahe kommen: und man muss zugeben, dass wenn man die Sonne als ein Mengsel von allen Sorten Materie, die in dem planetischen Gebäude von einander geschieden seyn, betrachtet, alle insgesammt sich in einem Raume scheinen gebildet zu haben, der ursprünglich mit gleichförmig ausgebreiteten Stoffe erfüllet war, und auf dem Centralkörper sich ohne Unterschied versammlet, zur Bildung der Planeten aber nach Massgebung der Höhen eingetheilet worden. Ich überlasse es denen, die die mechanische Erzeugung der Weltkörper nicht zugeben können, aus dem Bewegungsgründen der Wahl

GOttes diese so besondere Uebereinstimmung, wo sie können, zu erklären. Ich will endlich aufhören, eine Sache von so überzeugender Deutlichkeit, als die Entwickelung des Weltgebäudes aus den Kräften der Natur ist, auf mehr Beweisthümer zu gründen. Wenn man im Stande ist, bey so vieler Ueberführung unbeweglich zu bleiben; so muss man entweder gar zu tief in den Fesseln des Vorurtheils liegen, oder gänzlich unfähig seyn, sich über den Wust hergebrachter Meinungen, zu der Betrachtung der allerreinsten Wahrheit, empor zu schwingen. Indessen ist zu glauben, dass niemand als die Blödsinnigen, [**168**] auf deren Beyfall man nicht rechnen darf, die Richtigkeit dieser Theorie verkennen könte, wenn die Uebereinstimmungen, die der Weltbau in allen seinen Verbindungen zu dem Nutzen der vernünftigen Creatur hat, nicht etwas mehr, als blosse allgemeine Naturgesetze zum Grunde zu haben schienen. Man glaubt auch mit Recht, dass geschickte Anordnungen, welche auf einen würdigen Zweck abzielen, einen weisen Verstand zum Urheber haben müssen, und man wird völlig befriedigt werden, wenn man bedenkt, dass, da die Naturen der Dinge keine andere, als eben diese Urquelle erkennen, ihre wesentliche und allgemeine Beschaffenheiten eine natürliche Neigung zu anständigen und unter einander wohl übereinstimmenden Folgen haben müssen. Man wird sich also nicht befremden dörfen, wenn man zum gewechselten Vortheile der Creaturen gereichende Einrichtungen der Weltverfassung gewahr wird, selbige einer natürlichen Folge aus den allgemeinen Gesetzen der Natur beyzumessen, denn was aus diesem herfliesset, ist nicht die Wirkung des blinden Zufalles oder der unvernünftigen Nothwendigkeit: es gründet sich zuletzt doch in der höchsten Weisheit, von der die allgemeinen Beschaffenheiten ihre Uebereinstimmung entlehnen. Der eine Schluss ist ganz richtig: Wenn in der Verfassung der Welt, Ordnung und Schönheit hervorleuchten; so ist ein GOtt. Allein, der andere ist nicht weniger gegründet: Wenn diese Ordnung aus allgemeinen Naturgesetzen hat herfliessen können; so ist die ganze Natur nothwendig eine Wirkung der höchsten Weisheit.

[**169**] Wenn man es sich aber durchaus belieben lässt, die unmittelbare Anwendung der göttlichen Weisheit an allen Anordnungen der Natur, die unter sich Harmonie und nützliche Zwecke begreiffen, zu erkennen, indem man der Entwickelung aus allgemeinen Bewegungsgesetzen keine übereinstimmende

Folgen zutrauet; so wollte ich rathen, in der Beschauung des Weltbaues seine Augen nicht auf einen einzigen unter den Himmelskörpern, sondern auf das Ganze zu richten, um sich aus diesem Wahne auf einmal heraus zu reissen. Wenn die schiefe Lage der Erdachse, gegen die Fläche ihres jährlichen Laufes, durch die beliebte Abwechselung der Jahreszeiten, ein Beweisthum der unmittelbaren Hand GOttes seyn soll, so darf man nur diese Beschaffenheit bey den andern Himmelskörpern dagegen halten; so wird man gewahr werden, dass sie bey jedem derselben abwechselt, und dass in dieser Verschiedenheit es auch einige giebt, die sie gar nicht haben: wie z. E. Jupiter, dessen Achse senkrecht zu dem Plane seines Kreises ist, und Mars, dessen seine es beynahe ist, welche beyde keine Verschiedenheit der Jahreszeiten geniessen, und doch eben sowohl Werke der höchsten Weisheit, als die andern, sind. Die Begleitung der Monde beym Saturn, dem Jupiter und der Erde, würden scheinen, besondere Anordnungen des Wesens zu seyn, wenn die freye Abweichung von diesem Zwecke, durch das ganze System des Weltbaues, nicht anzeigte, dass die Natur, ohne durch einen ausserordentlichen Zwang in ihrem freyen Betragen gestört zu seyn, diese Bestimmungen hervorgebracht habe. Jupiter hat vier Monde, Saturn [**170**] fünf, die Erde einen, die übrigen Planeten gar keinen; ob es gleich scheinet, dass diese, wegen ihrer längeren Nächte, derselben bedürftiger wären, als jene. Wenn man die proportionirte Gleichheit, der den Planeten eingedrückten Schwungskräfte, mit den Centralneigungen ihres Abstandes, als die Ursache, woher sie beynahe in Zirkeln um die Sonne laufen, und, durch die Gleichmässigkeit der von dieser ertheilten Wärme, zu Wohnplätzen vernünftiger Creaturen geschickt werden, bewundert, und sie, als den unmittelbaren Finger der Allmacht, ansiehet; so wird man auf einmal auf die allgemeinen Gesetze der Natur zurück geführet, wenn man erweget, dass diese planetische Beschaffenheit sich nach und nach, mit allen Stufen der Verminderung, in der Tiefe des Himmels verlieret, und dass eben die höchste Weisheit, welche an der gemässigten Bewegung der Planeten ein Wohlgefallen gehabt hat, auch die Mängel nicht ausgeschlossen, mit welchen sich das System endiget, indem es in der völligen Unregelmässigkeit und Unordnung aufhöret. Die Natur, ohnerachtet sie eine wesentliche Bestimmung zur Vollkommenheit und Ordnung hat, fasset in dem Umfange ihrer Mannigfaltigkeit alle mögliche Abwechselungen, sogar bis auf die Mängel und Abweichungen, in sich. Eben dieselbe unbeschränkte Fruchtbarkeit derselben hat die bewohnten Himmelskugeln sowohl, als die Cometen, die nützlichen Berge und die schädlichen Klippen, die bewohnbaren Landschaften und öden Wüsteneyen, die Tugenden und Laster, hervorgebracht.

[171] Allgemeine

Naturgeschichte und Theorie des Himmels.

Dritter Theil,

welcher

einen Versuch einer auf die Analogien der Natur gegründeten Vergleichung, zwischen den Einwohnern verschiedener Planeten, in sich enthält.

Wer das Verhältniss aller Welten, von einem Theil zum anderen weis,
Wer aller Sonnen Menge kennet, und jeglichen Planetenkreis:
Wer die verschiedenen Bewohner von einem jeden Stern erkennet,
Dem ist allein, warum die Dinge so seyn, als wie sie seyn, vergönnet,
Zu fassen, und uns zu erklären. Pope.

[173] **Anhang,**

von

den Bewohnern der Gestirne.

Weil ich davor halte, dass es den Charakter der Weltweisheit entehren heisse, wenn man sich ihrer gebrauchet, mit einer Art von Leichtsinn freye Ausschweifungen des Witzes, mit einiger Scheinbarkeit, zu behaupten, wenn man sich gleich erklären wolte, dass es nur geschähe, um zu belustigen; [174] so werde in gegenwärtigem Versuche keine anderen Sätze anführen, als solche, die zur Erweiterung unseres Erkenntnisses wirklich beytragen können, und deren Wahrscheinlichkeit zugleich so wohl gegründet ist, dass man sich kaum entbrechen kan, sie gelten zu lassen.

Obgleich es scheinen möchte, dass in dieser Art des Vorwurfes, die Freyheit zu erdichten, keine eigentliche Schranken habe, und dass man in dem Urtheil von der Beschaffenheit der Einwohner entlegener Welten, mit weit grösserer Ungebundenheit, der Phantasey könne den Zügel schiessen lassen, als ein Mahler in der Abbildung der Gewächse oder Thiere unentdeckter Länder, und dass dergleichen Gedanken weder recht erwiesen, noch widerleget werden könten; so muss man doch gestehen, dass die Entfernungen der Himmelskörper von der Sonne gewisse Verhältnisse mit sich führen, welche einen wesentlichen Einfluss, in die verschiedenen Eigenschaften der denkenden Naturen, nach sich ziehen, die auf denenselben befindlich sind, als deren Art zu wirken und zu leiden, an die Beschaffenheit der Materie, mit der sie verknüpfet seyn, gebunden ist, und von dem Maass der Eindrücke abhänget, die die Welt, nach den Eigenschaften der Beziehung ihres Wohnplatzes, zu dem Mittelpunkte der Attraction und der Wärme, in ihnen erwecket.

Ich bin der Meinung, dass es eben nicht nothwendig sey, zu behaupten, alle Planeten müssten bewohnt seyn, ob es gleich eine Ungereimtheit wäre, [**175**] dieses, in Ansehung aller, oder auch nur der meisten, zu leugnen. Bey dem Reichthume der Natur, da Welten und Systeme, in Ansehung des Ganzen der Schöpfung, nur Sonnenstäubchen seyn, könnte es auch wohl öde und unbewohnte Gegenden geben, die nicht auf das genaueste zu dem Zwecke der Natur, nemlich der Betrachtung vernünftiger Wesen, genutzet würden. Es wäre, als wenn man sich aus dem Grunde der Weisheit GOttes ein Bedenken machen wolte, zuzugeben, dass sandigte und unbewohnte Wüsteneyen grosse Strecken des Erdbodens einnehmen, und dass es verlassene Inseln im Weltmeere gebe, darauf kein Mensch befindlich ist. Indessen ist ein Planet, viel weniger in Ansehung des Ganzen der Schöpfung, als eine Wüste, oder Insel, in Ansehung des Erdbodens.

Vielleicht, dass sich noch nicht alle Himmelskörper völlig ausgebildet haben; es gehören Jahrhunderte, und vielleicht tausende von Jahren dazu, bis ein grosser Himmelskörper einen festen Stand seiner Materien erlanget hat. Jupiter scheinet noch in diesem Streite zu seyn. Die merkliche Abwechselung seiner Gestalt, zu verschiedenen Zeiten, hat die Astronomen schon vorlängst muthmassen lassen, dass er grosse Umstürzungen erleiden müsse, und bey weiten so ruhig auf seiner Oberfläche nicht sey, als es ein bewohnbarer Planet seyn muss. Wenn er keine Bewohner hat, und auch keine jemals haben solte, was vor ein unendlich kleiner Aufwand der [**176**]

Natur wäre dieses, in Ansehung der Unermesslichkeit der ganzen Schöpfung? Und wäre es nicht vielmehr ein Zeichen der Armuth, als des Ueberflusses derselben, wenn sie in jedem Punkte des Raumes so sorgfältig seyn solte, alle ihre Reichthümer aufzuzeigen?

Allein, man kan noch mit mehr Befriedigung vermuthen, dass, wenn er gleich jetzt unbewohnt ist, er dennoch es dereinst werden wird, wenn die Periode seiner Bildung wird vollendet seyn. Vielleicht ist unsere Erde tausend oder mehr Jahre vorhanden gewesen, ehe sie sich in Verfassung befunden hat, Menschen, Thiere und Gewächse unterhalten zu können. Dass ein Planet nun einige tausend Jahre später zu dieser Vollkommenheit kommt, das thut dem Zwecke seines Daseyns keinen Abbruch. Er wird eben um deswillen auch ins zukünftige länger in der Vollkommenheit seiner Verfassung, wenn er sie einmal erreichet hat, verbleiben; denn es ist einmal ein gewisses Naturgesetz: alles, was einen Anfang hat, nähert sich beständig seinem Untergange, und ist demselben um so viel näher, je mehr es sich von dem Punkte seines Anfanges entfernet hat.

Die satyrische Vorstellung jenes witzigen Kopfes aus dem Haag, welcher, nach der Anführung der allgemeinen Nachrichten aus dem R. d. Wissenschaften, die Einbildung von der nothwendigen Bevölkerung aller Weltkörper, auf der lächerlichen Seite vorzustellen wuste, kan nicht anders, [177] als gebilliget werden. »Diejenigen Creaturen,« spricht er, »welche die Wälder auf dem Kopfe eines Bettlers bewohnen, »hatten schon lange ihren Aufenthalt vor eine unermessliche »Kugel, und sich selber, als das Meisterstück der Schöpfung, »angesehen, als einer unter ihnen, den der Himmel mit einer »feinern Seele begabet hatte, ein kleiner Fontenelle seines »Geschlechts, den Kopf eines Edelmanns unvermuthet gewahr »ward. Alsbald rief er alle witzige Köpfe seines Quartiers »zusammen, und sagte ihnen mit Entzückung: wir sind nicht »die einzigen belebten Wesen der ganzen Natur: sehet hier »ein neues Land, hie wohnen mehr Läuse.« Wenn der Ausgang dieses Schlusses ein Lachen erwecket; so geschicht es nicht um deswillen, weil er von der Menschen Art, zu urtheilen, weit abgehet; sondern, weil eben derselbe Irrthum, der bey dem Menschen eine gleiche Ursache zum Grunde hat, bey diesen mehr Entschuldigung zu verdienen scheinet.

Lasst uns ohne Vorurtheil urtheilen. Dieses Insekt,

welches, sowohl seiner Art zu leben, als auch seiner Nichtswürdigkeit nach, die Beschaffenheit der meisten Menschen sehr wohl ausdrückt, kan mit gutem Fuge zu einer solchen Vergleichung gebraucht werden. Weil, seiner Einbildung nach, der Natur an seinem Daseyn unendlich viel gelegen ist: so hält es die ganze übrige Schöpfung vor vergeblich, die nicht eine genaue Abzielung auf sein Geschlechte, als den Mittelpunkt ihrer Zwecke, mit sich führet. Der Mensch, welcher gleich unendlich [**178**] weit von der obersten Stufe der Wesen abstehet, ist so verwegen, von der Nothwendigkeit seines Daseyns, sich mit gleicher Einbildung zu schmeicheln. Die Unendlichkeit der Schöpfung fasset alle Naturen, die ihr überschwenglicher Reichthum hervorbringt, mit gleicher Nothwendigkeit in sich. Von der erhabensten Classe, unter den denkenden Wesen, bis zu dem verachtetesten Insekt, ist ihr kein Glied gleichgültig; und es kan keins fehlen, ohne dass die Schönheit des Ganzen, welche in dem Zusammenhange bestehet, dadurch unterbrochen würde. Indessen wird alles, durch allgemeine Gesetze, bestimmet, welche die Natur, durch die Verbindung ihrer ursprünglich eingepflanzten Kräfte, bewirket. Weil sie in ihrem Verfahren lauter Wohlanständigkeit und Ordnung hervorbringt; so darf keine einzelne Absicht ihre Folgen stören und unterbrechen. Bey ihrer ersten Bildung war die Erzeugung eines Planeten nur eine unendlich kleine Folge ihrer Fruchtbarkeit; und nun wäre es etwas ungereimtes, dass ihre so wohlgegründete Gesetze, den besondern Zwecken dieses Atomus nachgeben solten. Wenn die Beschaffenheit eines Himmelskörpers der Bevölkerung natürliche Hindernisse entgegen setzet: so wird er unbewohnt seyn, obgleich es an und vor sich schöner wäre, dass er Einwohner hätte. Die Treflichkeit der Schöpfung verlieret dadurch nichts: denn das Unendliche ist unter allen Grössen diejenige, welche, durch Entziehung eines endlichen Theiles, nicht vermindert wird. Es wäre, als wenn man klagen wolte, dass der Raum, zwischen dem [**179**] Jupiter und dem Mars, so unnöthig leer stehet, und dass es Cometen giebt, welche nicht bevölkert sind. In der That, jenes Insekt mag uns so nichtswürdig scheinen, als es wolle, es ist der Natur gewiss an der Erhaltung ihrer ganzen Classe mehr gelegen, als an einer kleinen Zahl vortreflicherer Geschöpfe, deren es dennoch unendlich viel giebt, wenn ihnen gleich eine Gegend, oder Ort, beraubet seyn solte. Weil sie in Hervorbringung beyder unerschöpflich ist, so sieht man ja gleich unbekümmert, beyde in ihrer Erhaltung und Zerstörung, den allgemeinen Gesetzen überlassen. Hat wohl jemals der Besitzer jener bewohnten Wälder, auf dem Kopfe des Bettlers, grössere Verheerungen unter dem Geschlechte dieser Colonie gemacht, als der Sohn Philipps, in dem Geschlechte seiner Mitbürger, anrichtete, als es ihm sein böser Genius in den Kopf gesetzet hatte, dass die Welt nur um seinetwillen hervorgebracht sey?

Indessen sind doch die meisten unter den Planeten gewiss bewohnt, und die es nicht sind, werden es dereinst werden. Was vor Verhältnisse werden nun, unter den verschiedenen Arten dieser Einwohner, durch die Beziehung ihres Ortes in dem Weltgebäude zu dem Mittelpunkte, daraus sich die Wärme verbreitet, die alles belebt, verursachet werden. Denn es ist gewiss, dass diese, unter den Materien dieser Himmelskörper, nach Proportion ihres Abstandes, gewisse Verhältnisse in ihren Bestimmungen mit sich führet. Der Mensch, welcher **[180]** unter allen vernünftigen Wesen dasjenige ist, welches wir am deutlichsten kennen, ob uns gleich seine innere Beschaffenheit annoch ein unerforschtes Problema ist, muss in dieser Vergleichung zum Grunde und zum allgemeinen Beziehungspunkte dienen. Wir wollen ihn allhier nicht nach seinen moralischen Eigenschaften, auch nicht nach der physischen Einrichtung seines Baues betrachten: wir wollen nur untersuchen, was das Vermögen, vernünftig zu denken, und die Bewegung seines Leibes, die diesem gehorchet, durch die, dem Abstande von der Sonne proportionirte Beschaffenheit der Materie, an die er geknüpfet ist, vor Einschränkungen leide. Des unendlichen Abstandes ungeachtet, welcher zwischen der Kraft, zu denken, und der Bewegung der Materie, zwischen dem vernünftigen Geiste, und dem Körper, anzutreffen ist, so ist es doch gewiss, dass der Mensch, der alle seine Begriffe und Vorstellungen von dem Eindrucke her hat, die das Universum, vermittelst des Körpers, in seiner Seele erreget, sowohl in Ansehung der Deutlichkeit derselben, als auch der Fertigkeit, dieselbe zu verbinden und zu vergleichen, welche man das Vermögen zu denken nennet, von der Beschaffenheit dieser Materie völlig abhängt, an die der Schöpfer ihn gebunden hat.

Der Mensch ist erschaffen, die Eindrücke und Rührungen, die die Welt in ihm erregen soll, durch denjenigen Körper anzunehmen, der der sichtbare Theil seines Wesens ist, und dessen Materie nicht allein dem unsichtbaren Geiste, welcher ihn bewohnet, [**181**] dienet, die ersten Begriffe der äusseren Gegenstände einzudrücken; sondern auch in der innern Handlung diese zu wiederholen, zu verbinden: kurz, zu denken, unentbehrlich ist*). Nach dem Maasse, als sein Körper sich ausbildet, bekommen die Fähigkeiten seiner denkenden Natur, auch die gehörigen Grade der Vollkommenheit, und erlangen allererst ein gesetztes und männliches Vermögen, wenn die Fasern seiner Werkzeuge die Festigkeit und Dauerhaftigkeit überkommen haben, welche die Vollendung ihrer Ausbildung ist. Diejenigen Fähigkeiten entwickeln sich bey ihm früh genug, durch welche er der Nothdurft, die die Abhängigkeit von den äusserlichen Dingen ihm zuziehet, genug thun kan. Bey einigen Menschen bleibt es bey diesem Grade der Auswickelung. Das Vermögen, abgezogene Begriffe zu verbinden, und durch eine freye Anwendung der Einsichten, über den Hang der Leidenschaften zu herrschen, findet sich spät ein, bey einigen niemals in ihrem ganzen Leben; bey allen aber ist es schwach: es dienet den unteren Kräften, über die es doch herrschen solte, und in deren Regierung der Vorzug seiner [**182**] Natur bestehet. Wenn man das Leben der meisten Menschen ansiehet: so scheinet diese Creatur geschaffen zu seyn, um wie eine Pflanze Saft in sich zu ziehen und zu wachsen, sein Geschlecht fortzusetzen, endlich alt zu werden, und zu sterben. Er erreichet unter allen Geschöpfen am wenigsten den Zweck seines Daseyns, weil er seine vorzügliche Fähigkeiten zu solchen Absichten verbrauchet, die die übrigen Creaturen mit weit minderen, und doch weit sicherer und anständiger, erreichen. Er würde auch das Verachtungswürdigste unter allen, zum wenigsten in den Augen der wahren Weisheit, seyn, wenn die Hoffnung des Künftigen ihn nicht erhübe, und denen, in ihm verschlossenen Kräften, nicht die Periode einer völligen Auswickelung bevorstünde.

Wenn man die Ursache der Hindernisse untersuchet, welche die menschliche Natur in einer so tiefen Erniedrigung erhalten; so findet sie sich in der Grobheit der Materie, darinn

---

*) Es ist aus den Gründen der Psychologie ausgemacht, dass, vermöge der jetzigen Verfassung, darinn die Schöpfung Seele und Leib von einander abhängig gemachet hat, die erstere nicht allein alle Begriffe des Universi durch des letztern Gemeinschaft und Einfluss überkommen muss; sondern auch die Ausübung seiner Denkungskraft selber auf dessen Verfassung ankommt, und von dessen Beyhülfe die nöthige Fähigkeit dazu entlehnet.

sein geistiger Theil versenket ist, in der Unbiegsamkeit der Fasern, und der Trägheit und Unbeweglichkeit der Säfte, welche dessen Regungen gehorchen sollen. Die Nerven und Flüssigkeiten seines Gehirnes liefern ihm nur grobe und undeutliche Begriffe, und weil er der Reitzung der sinnlichen Empfindungen, in dem inwendigen seines Denkungsvermögens, nicht genugsam kräftige Vorstellungen zum Gleichgewichte entgegen stellen kan: so wird er von seinen Leidenschaften hingerissen, von dem Getümmel der Elemente, die seine Maschine unterhalten, übertäubet und gestöret. Die Bemühungen der Vernunft, sich dagegen zu erheben, [**183**] und diese Verwirrung durch das Licht der Urtheilskraft zu vertreiben, sind wie die Sonnenblicke, wenn dicke Wolken ihre Heiterkeit unablässig unterbrechen und verdunkeln.

Diese Grobheit des Stoffes und des Gewebes in dem Baue der menschlichen Natur ist die Ursache derjenigen Trägheit, welche die Fähigkeiten der Seele in einer beständigen Mattigkeit und Kraftlosigkeit erhält. Die Handlung des Nachdenkens, und der durch die Vernunft aufgeklärten Vorstellungen ist ein mühsamer Zustand, darein die Seele sich nicht ohne Wiederstand setzen kan, und aus welchem sie, durch einen natürlichen Hang der körperlichen Maschine, alsbald in den leidenden Zustand zurückfällt, da die sämtlichen Reizungen alle ihre Handlungen bestimmen und regieren.

Diese Trägheit seiner Denkungskraft, welche eine Folge der Abhängigkeit von einer groben und ungelenksamen Materie ist, ist nicht allein die Quelle des Lasters, sondern auch des Irrthums. Durch die Schwierigkeit, welche mit der Bemühung verbunden ist, den Nebel der verwirrten Begriffe zu zerstreuen, und das durch verglichene Ideen entspringende allgemeine Erkenntniss von den sinnlichen Eindrücken abzusondern, abgehalten, giebt sie lieber einem übereilten Beyfalle Platz, und beruhigt sich in dem Besitze einer Einsicht, welche ihr die Trägheit ihrer Natur und der Wiederstand der Materie kaum von der Seite erblicken lassen.

In dieser Abhängigkeit schwinden die geistigen Fähigkeiten zugleich mit der Lebhaftigkeit des Leibes: wenn das hohe Alter durch den geschwächten Umlauf [**184**] der Säfte nur dicke Säfte in dem Körper kochet, wenn die Beugsamkeit der Fasern, und die Behendigkeit in allen Bewegungen abnimmt, so erstarren die Kräfte des Geistes in einer gleichen Ermattung. Die Hurtigkeit der Gedanken, die Klarheit der Vorstellung, die Lebhaftigkeit des Witzes und das Erinnerungsvermögne werden kraftlos und erkalten. Die durch lange Erfahrung eingepfropften Begriffe ersetzen noch einigermassen den Abgang dieser Kräfte und der Verstand würde sein Unvermögen noch deutlicher verrathen, wenn die Heftigkeit der Leidenschaften, die dessen Zügel nöthig haben, nicht zugleich, und noch eher als er, abnehmen möchten.

Es erhellet demnach hieraus deutlich, dass die Kräfte der menschlichen Seele von den Hindernissen einer groben Materie, an die sie innigst verbunden werden, eingeschränket und gehemmet werden; aber es ist etwas noch merkwürdigers, dass diese specifische Beschaffenheit des Stoffes eine wesentliche Beziehung zu dem Grade des Hinflusses hat, womit die Sonne nach dem Masse ihres Abstandes sie belebet, und zu den Verrichtungen der animalischen Oeconomie tüchtig macht. Diese nothwendige Beziehung zu dem Feuer, welches sich aus dem Mittelpunkte des Weltsystems verbreitet, um die Materie in der nöthigen Regung zu erhalten, ist der Grund einer Analogie, die eben hieraus, zwischen den verschiedenen Bewohnern der Planeten, vest gesetzet wird: und eine jede Classe derselben ist vermöge dieser Verhältniss an den Ort durch die Nothwendigkeit [**185**] ihrer Natur gebunden, der ihr in dem Universo angewiesen worden.

Die Einwohner der Erde und der Venus können ohne ihr beyderseitiges Verderben ihre Wohnplätze gegeneinander nicht vertauschen. Der erstere, dessen Bildungsstoff vor den Grad der Wärme seines Abstandes proportionirt, und daher vor einen noch grössern zu leicht und flüchtig ist, würde in einer erhitzteren Sphäre gewaltsame Bewegungen und eine Zerrüttung seiner Natur erleiden, die von der Zerstreuung und Austrocknung der Säfte und einer gewaltsamen Spannung seiner elastischen Fasern entstehen würde; der letztere dessen gröberer Bau und Trägheit der Elemente seiner Bildung, eines grossen Einflusses der Sonne bedarf, würde in einer kühleren Himmelsgegend erstarren und in einer Leblosigkeit verderben. Eben so müssen es weit leichtere und flüchtigere Materie seyn, daraus der Körper des Jupiters Bewohners bestehet, damit die geringe Regung, womit die Sonne in diesem Abstande würken kan, diese Maschinen eben so kräftig bewegen könne, als sie es in den unteren Gegenden verrichtet, und damit alles in einem allgemeinen Begriffe zusammenfasse. Der Stoff woraus die Einwohner verschiedener Planeten, ja so gar die Thiere und Gewächse auf denselben, gebildet seyn, muss überhaupt um desto leichterer und feinerer Art, und die Elasticität der Fasern sammt der vortheilhaften Anlage ihres Baues, um desto vollkommener seyn, nach dem Masse als sie weiter von der Sonne abstehen.

[**186**] Dieses Verhältniss ist so natürlich und wohl gegründet, dass nicht allein die Bewegungsgründe des Endzwecks darauf führen, welche in der Naturlehre gemeiniglich nur als schwache Gründe angesehen werden, sondern zugleich die Proportion der specifischen Beschaffenheit der Materien woraus die Planeten bestehen, welche sowohl durch die Rechnungen des Newton, als auch durch die Gründe der Cosmogonie ausgemacht sind, dieselbe bestätigen, nach welchen der Stoff, woraus die Himmelskörper gebildet sind, bey den entfernetern allemal leichterer Art, als bey den nahen ist, welches nothwendig an denen Geschöpfen, die sich auf ihnen erzeugen und unterhalten, ein gleiches Verhältniss nach sich ziehen muss.

Wir haben eine Vergleichung zwischen der Beschaffenheit der Materie, damit die vernünftigen Geschöpfe auf den Planeten wesentlich vereinigt seyn, ausgemacht: und es lässt sich auch nach der Einleitung dieser Betrachtung leichtlich erachten, dass diese Verhältnisse eine Folge, auch in Ansehung ihrer geistigen Fähigkeit, nach sich ziehen werde. Wenn demnach diese geistige Fähigkeiten eine nothwendige Abhängigkeit von dem Stoffe der Maschine haben, welche sie bewohnen; so werden wir mit mehr als wahrscheinlicher Vermuthung schliessen können: dass die Treflichkeit der denkenden Naturen, die Hurtigkeit in ihren Vorstellungen, die Deutlichkeit und Lebhaftigkeit der Begriffe, die sie durch äusserlichen Eindruck bekommen, sammt dem Vermögen sie zusammen zusetzen, endlich auch [**187**] die Behendigkeit in der wirklichen Ausübung, kurz, der ganze Umfang ihrer Vollkommenheit unter einer gewissen Regel stehen, nach welcher dieselben, nach dem Verhältniss des Abstandes ihrer Wohnplätze von der Sonne, immer treflicher und vollkommener werden.

Da dieses Verhältniss einen Grad der Glaubwürdigkeit hat, der nicht weit von einer ausgemachten Gewissheit entfernet ist, so finden wir ein ofnes Feld zu angenehmen Muthmassungen, die aus der Vergleichung der Eigenschaften dieser verschiedenen Bewohner entspringen. Die menschliche Natur, welche in der Leiter der Wesen gleichsam die mittelste Sprosse inne hat, siehet sich zwischen den zwey äussersten Grenzen der Vollkommenheit mitten inne, von deren beyden Enden sie gleich weit entfernet ist. Wenn die Vorstellung der erhabensten Classen vernünftiger Creaturen, die den Jupiter oder den Saturn bewohnen, ihre Eifersucht reitzet, und sie durch die Erkenntniss ihrer eigenen Niedrigkeit demüthiget; so kan der Anblick der niedrigen Stufen sie wiederum zufrieden sprechen und beruhigen, die in den Planeten Venus und Merkur weit unter der Vollkommenheit der menschlichen Natur erniedrigt seyn. Welch ein verwunderungswürdiger Anblick! Von der einen Seite sahen wir denkende Geschöpfe, bey denen ein Grönländer oder Hottentotte ein Newton seyn würde; und auf der andern Seite andere, die diesen als einen Affen bewundern.

[188] Da jüngst die obern Wesen sahn,
Was unlängst recht verwunderlich,
Ein Sterblicher bey uns gethan,
Und wie er der Natur Gesetz entfaltet;
wunderten sie sich,
Dass durch ein irdisches Geschöpf dergleichen
möglich zu geschehn
Und sahen unsern Newton an, so wie
wir einen Affen sehn. Pope.

Zu welch einem Fortgange in der Erkenntniss, wird die Einsicht jener glückseligen Wesen der obersten Himmelssphären nicht gelangen! Welche schöne Folgen, wird diese Erleuchtung der Einsichten nicht in ihre sittliche Beschaffenheit haben! Die Einsichten des Verstandes, wenn sie die gehörigen Grade der Vollständigkeit und Deutlichkeit besitzen, haben weit lebhaftere Reitzungen als die sinnlichen Anlockungen an sich, und sind vermögend, diese siegreich zu beherrschen, und unter den Fuss zu treten. Wie herrlich wird sich die Gottheit selbst, die sich in allen Geschöpfen mahlet in diesen denkenden Naturen nicht mahlen, welche als ein von den Stürmen der Leidenschaften unbewegtes Meer ihr Bild ruhig aufnehmen, und zurückstrahlen! Wir wollen diese Muthmassungen nicht über die, einer physischen Abhandlung vorgezeichnete Grenzen erstrecken, wir bemerken nur nochmals die oben angeführte Analogie: dass die Vollkommenheit der Geisterwelt sowohl, als der materialischen in den Planeten, von dem Merkur an bis zum Saturn, oder vielleicht noch über ihm, [189] (woferne noch andere Planeten seyn,) in einer richtigen Gradenfolge, nach der Proportion ihrer Entfernungen von der Sonne, wachse und fortschreite.

Indessen, dass dieses aus den Folgen der physischen Beziehung ihrer Wohnplätze zu dem Mittelpunkte der Welt zum Theil natürlich herfliesset, zum Theil geziemend veranlasset wird: so bestätigt anderer Seits der wirkliche Anblick der vortreflichsten, und sich vor die vorzügliche Vollkommenheit dieser Naturen in den obern Gegenden anschickende Anstalten, diese Regel so deutlich, dass sie beynahe einen Anspruch auf eine völlige Ueberzeugung machen sollte. Die Hurtigkeit der Handlungen, die mit den Vorzügen einer erhabenen Natur verbunden ist, schicket sich besser zu den schnell abwechselnden Zeitperioden jener Sphären, als die Langsamkeit träger und unvollkomener Geschöpfe.

Die Sehröhre lehren uns, dass die Abwechselung des Tages und der Nacht im Jupiter in 10 Stunden geschehe. Was würde der Bewohner der Erde, wenn er in diesen Planeten gesetzt würde, bey dieser Eintheilung wohl anfangen? Die 10 Stunden würden kaum zu derjenigen Ruhe zureichen, die diese grobe Maschine zu ihrer Erholung durch den Schlaf gebrauchet. Was würden die Vorbereitung zu den Verrichtungen des Wachens, das Kleiden, die Zeit die zum Essen angewandt wird, nicht vor einen Antheil an der folgenden Zeit abfordern, und wie würde eine Creatur, deren Handlungen mit solcher Langsamkeit geschehen, nicht zerstreuet, und zu etwas tüchtigen **[190]** unvermögend gemacht werden, deren 5 Stunden Geschäfte plötzlich durch die Dazwischenkunft einer eben so langen Finsterniss unterbrochen würden? Dagegen wenn Jupiter von vollkommneren Creaturen bewohnet ist, die mit einer feinern Bildung mehr elastische Kräfte, und eine grössere Behendigkeit in der Ausübung verbinden; so kan man glauben, dass diese 5 Stunden ihnen eben dasselbe und mehr sind, als was die 12 Stunden des Tages vor die niedrige Classe der Menschen betragen. Wir wissen, dass das Bedürfniss der Zeit etwas relatives ist, welches nicht anders, als aus der Grösse desjenigen was verrichtet werden soll, mit der Geschwindigkeit der Ausübung verglichen, kan erkannt und verstanden werden. Daher eben dieselbe Zeit, die vor eine Art der Geschöpfe gleichsam nur ein Augenblick ist, vor eine andere eine lange Periode seyn kan, in der sich eine grosse Folge der Veränderungen durch eine schnelle Wirksamkeit auswickelt. Saturn hat nach der wahrscheinlichen Berechnung seiner Umwälzung, die wir oben dargelegt haben, eine noch weit kürzere Abtheilung des Tages und der Nacht, und lässet daher an der Natur seiner Bewohner noch vorzüglichere Fähigkeiten vermuthen.

Endlich stimmet alles überein das angeführte Gesetz zu bestätigen. Die Natur hat ihren Vorrath augenscheinlich auf der entlegenen Seite der Welt am reichlichsten ausgebreitet. Die Monde, die den geschäftigen Wesen dieser glückseligen Gegenden, durch eine hinlängliche Ersetzung die Entziehung des Tageslichts vergüten, sind in grössester [**191**] Menge daselbst angebracht, und die Natur scheinet sorgfältig gewesen zu seyn, ihrer Wirksamkeit alle Beyhülfe zu leisten, damit ihnen fast keine Zeit hinderlich sey, solche anzuwenden. Jupiter hat in Ansehung der Monde einen augenscheinlichen Vorzug vor allen unteren Planeten, und Saturn wiederum vor ihm, dessen Anstalten an dem schönen und nützlichen Ringe der ihn umgiebt, noch grössere Vorzüge von seiner Beschaffenheit wahrscheinlich machen; dahingegen die untern Planeten, bey denen dieser Vorrath unnützlich würde verschwendet seyn, deren Classe weit näher an die Unvernunft grenzet, solcher Vortheile entweder gar nicht, oder doch sehr wenig theilhaftig geworden sind.

Man kan aber, (damit ich einem Einwurfe zuvor komme, der alle diese angeführte Uebereinstimmung vereiteln könnte,) den grösseren Abstand von der Sonne, dieser Quelle des Lichts und des Lebens, nicht als ein Uebel ansehen, wogegen die Weitläuftigkeit solcher Anstalten bey den entferneteru Planeten nur vorgekehrt werden, um ihm einigermassen abzuhelfen, und dass in der That die obern Planeten eine weniger vortheilhafte Lage im Weltgebäude und eine Stellung hätten, die der Vollkommenheit ihrer Anstalten nachtheilig wäre, weil sie von der Sonne einen schwächern Einfluss erhalten. Denn wir wissen, dass die Wirkung des Lichts und der Wärme nicht durch deren absolute Intensität, sondern durch die Fähigkeit der Materie, womit sie solche annimmt, und ihrem Antriebe weniger oder mehr wiederstehet, bestimmt werde, [**192**] und dass daher eben derselbe Abstand, der vor eine Art grober Materie ein gemässigtes Clima kan genannt werden, subtilere Flüssigkeiten zerstreuen, und vor sie von schädlicher Heftigkeit seyn würde; mithin nur ein feinerer und aus beweglichern Elementen bestehender Stoff dazu gehöret, um die Entfernungen des Jupiters oder Saturns von der Sonne beyden zu einer glücklichen Stellung zu machen.

Endlich scheinet noch die Treflichkeit der Naturen in diesen oberen Himmelsgegenden, durch einen physischen Zusammenhang mit einer Dauerhaftigkeit, deren sie würdig ist, verbunden zu seyn. Das Verderben und der Tod können diesen treflichen Geschöpfen nicht so viel, als uns niedrigen Naturen anhaben. Eben dieselbe Trägheit der Materie und Grobheit des Stoffes, die bey den unteren Stuffen das specifische Principium ihrer Erniedrigung ist, ist auch die Ursache desjenigen Hanges, den sie zum Verderben haben. Wenn die Säfte, die das Thier oder den Menschen nähren und wachsen machen, indem sie sich zwischen seine Fäserchen einverleiben und an seine Masse ansetzen, nicht mehr zugleich dessen Gefässe und Canäle in der Raumesausdehnung vergrössern können, wenn das Wachsthum schon vollendet ist; so müssen diese sich ansetzende Nahrungssäfte durch eben den mechanischen Trieb, der das Thier zu nähren angewandt wird, die Höle seiner Gefässe verengen und verstopfen, und den Bau der ganzen Maschine, in einer nach und nach zunehmenden Erstarrung, zu Grunde richten. Es ist zu glauben, dass, obgleich die Vergänglichkeit auch an den vollkommensten Naturen naget, [**193**] dennoch der Vorzug in der Feinigkeit des Stoffes, in der Elasticität der Gefässe, und der Leichtigkeit und Wirksamkeit der Säfte, woraus jene vollkommnere Wesen, welche in den entferneten Planeten wohnen, gebildet seyn, diese Hinfälligkeit, welche eine Folge aus der Trägheit einer groben Materie ist, weit länger aufhalten, und diesen Creaturen eine Dauer, deren Länge ihrer Vollkommenheit proportionirt ist, verschaffen werde, so wie die Hinfälligkeit des Lebens der Menschen ein richtiges Verhältniss zu ihrer Nichtswürdigkeit hat.

Ich kan diese Betrachtung nicht verlassen, ohne einem Zweifel zuvor zu kommen, welcher natürlicher Weise aus der Vergleichung dieser Meinungen mit unseren vorigen Sätzen entspringen könnte. Wir haben in den Anstalten des Weltbaues an der Menge der Trabanten, welche die Planeten der entferntesten Kreise erleuchten, an der Schnelligkeit der Achsendrehungen, und dem gegen die Sonnenwirkung proportionirten Stoffe ihres Zusammensatzes, die Weisheit GOttes erkannt, welche alles dem Vortheile der vernünftigen Wesen, die sie bewohnen, so zuträglich angeordnet hat. Aber wie wollte man anjetzt mit der Lehrverfassung der Absichten einen mechanischen Lehrbegriff zusammen reimen, so dass, was die höchste Weisheit selbst entwarf, der rohen Materie, und das

Regiment der Vorsehung, der sich selbst überlassenen Natur zur Ausführung aufgetragen worden? Ist das erstere nicht vielmehr ein Geständniss, dass die Anordnung des Weltbaues nicht durch die allgemeinen Gesetze der letzteren entwickelt worden.

[**194**] Man wird diese Zweifel bald zerstreuen, wenn man auf dasjenige nur zurück denckt, was in gleicher Absicht in dem vorigen angeführet worden. Muss nicht die Mechanik aller natürlichen Bewegungen einen wesentlichen Hang zu lauter solchen Folgen haben, die mit dem Project der höchsten Vernunft in dem ganzen Umfange der Verbindungen wohl zusammenstimmen? Wie kan sie abirrende Bestrebungen, und eine ungebundene Zerstreuung in ihren Beginnen haben, da alle ihre Eigenschaften, aus welchen sich diese Folgen entwickeln, selbst ihre Bestimmung aus der ewigen Idee des göttlichen Verstandes haben, in welchem sich alles nothwendig auf einander beziehen, und zusammenschicken muss? Wenn man sich recht besinnet, wie kan man die Art zu urtheilen rechtfertigen, dass man die Natur als ein wiederwärtiges Subject ansiehet, welches nur durch eine Art von Zwange, der ihrem freyen Betragen Schranken setzt, in dem Gleise der Ordnung und der gemeinschaftlichen Harmonie kan erhalten werden, woferne man nicht etwa davor hält, dass sie ein sich selbst genugsames Principium sey, dessen Eigenschaften keine Ursache erkennen, und welche GOtt, so gut als es sich thun lässt, in den Plan seiner Absichten zu zwingen trachtet. Je näher man die Natur wird kennen lernen, desto mehr wird man einsehen, dass die allgemeinen Beschaffenheiten der Dinge einander nicht fremd und getrennt seyn. Man wird hinlänglich überführet werden, dass sie wesentliche Verwandtschaften haben, durch die sie sich von selber anschicken, einander in Errichtung vollkommener [**195**] Verfassungen zu unterstützen, die Wechselwirkung der Elemente zur Schönheit der materialischen und doch auch zugleich zu den Vortheilen der Geisterwelt, und dass überhaupt die einzelnen Naturen der Dinge in dem Felde der ewigen Wahrheiten schon untereinander, so zu sagen, ein System ausmachen, in welchem eine auf die andere beziehend ist; man wird auch alsbald inne werden, dass die Verwandtschaft ihnen von der Gemeinschaft des Ursprungs eigen ist, aus dem sie insgesammt ihre wesentlichen Bestimmungen geschöpft haben.

Und um daher diese wiederholte Betrachtung zu dem

vorhabenden Zwecke anzuwenden: Eben dieselbe allgemeine Bewegungsgesetze, die den obersten Planeten einen entfernten Platz von dem Mittelpunkte der Anziehung und der Trägheit in dem Weltsystem angewiesen haben, haben sie dadurch zugleich in die vortheilhafteste Verfassung gesetzt, ihre Bildungen am weitesten von dem Beziehungspunkte der groben Materie, und zwar mit grösserer Freyheit anzustellen; sie haben sie aber auch zugleich in eine regelmässige Verhältniss zu dem Einflusse der Wärme versetzt, welche sich, nach gleichem Gesetze, aus eben dem Mittelpunkte ausbreitet. Da nun eben diese Bestimmungen es sind, welche die Bildung der Weltkörper in diesen entferneten Gegenden ungehinderter, die Erzeugung der davon abhängenden Bewegungen schneller und kurz zu sagen, das System wohlanständiger gemacht haben, da endlich die geistigen Wesen eine nothwendige Abhängigkeit von der Materie haben, an die sie persönlich gebunden sind; so ist kein Wunder, dass [**196**] die Vollkommenheit der Natur von beyderley Orten in einem einzigen Zusammenhange der Ursachen, und aus gleichen Gründen bewirket worden. Diese Uebereinstimmung ist also bey genauer Erwegung nichts plötzliches oder unerwartetes, und weil die letzteren Wesen durch ein gleiches Principium in die allgemeine Verfassung der materialischen Natur eingeflochten worden; so wird die Geisterwelt aus eben den Ursachen in den entferneten Sphären vollkommener seyn, weswegen es die körperliche ist.

So hänget denn alles in dem ganzen Umfange der Natur in einer ununterbrochenen Gradfolge zusammen, durch die ewige Harmonie, die alle Glieder auf einander beziehend macht. Die Vollkommenheiten GOttes haben sich in unsern Stufen deutlich offenbaret, und sind nicht weniger herrlich in den niedrigsten Classen, als in den erhabnern.

> Welch eine Kette die von GOtt den Anfang
> nimmt, was vor Naturen
> Von himmlischen und irrdischen, von Engeln,
> Menschen bis zum Vieh,
> Vom Seraphim bis zum Gewürm. O Weite
> die das Auge nie
> Erreichen und betrachten kan!
> Von dem Unendlichen zu dir, von dir zum
> Nichts! Pope.

Wir haben die bisherige Muthmassungen treulich an dem Leitfaden der physischen Verhältnisse fortgeführet, welcher sie auf dem Pfade einer vernünftigen Glaubwürdigkeit erhalten hat. Wollen wir uns noch eine Ausschweifung aus diesem [**197**] Gleise in das Feld der Phantasie erlauben? Wer zeiget uns die Grenze wo die gegründete Wahrscheinlichkeit aufhöret, und die willkührlichen Erdichtungen anheben? Wer ist so kühn, eine Beantwortung der Frage zu wagen: ob die Sünde ihre Herrschaft auch in den andern Kugeln des Weltbaues ausübe, oder ob die Tugend allein ihr Regiment daselbst aufgeschlagen.

Die Sterne sind vielleicht ein Sitz verklärter Geister,
Wie hier das Laster herrscht, ist dort die Tugend Meister.
v. Haller.

Gehört nicht ein gewisser Mittelstand zwischen der Weisheit und Unvernunft zu der unglücklichen Fähigkeit sündigen zu können. Wer weiss, sind also die Bewohner jener entferneten Weltkörper nicht zu erhaben und zu weise, um sich bis zu der Thorheit, die in der Sünde steckt, herabzulassen, diejenigen aber, die in den unteren Planeten wohnen, zu fest an die Materie geheftet und mit gar zu geringen Fähigkeiten des Geistes versehen, um die Verantwortung ihrer Handlungen vor dem Richterstuhle der Gerechtigkeit tragen zu dörfen? Auf diese Weise wäre die Erde, und vielleicht noch der Mars, (damit der elende Trost uns ja nicht genommen werde, Gefährten des Unglücks zu haben,) allein in der gefährlichen Mittelstrasse, wo die Versuchung der sinnlichen Reitzungen gegen die Oberherrschaft des Geistes ein starkes Vermögen zur Verleitung haben, dieser aber dennoch diejenige Fähigkeit nicht verleugnen kan, wodurch er [**198**] im Stande ist, ihnen Wiederstand zu leisten, wenn es seiner Trägheit nicht vielmehr gefiele, sich durch dieselbe hinreissen zu lassen, wo also der gefährliche Zwischenpunkt zwischen der Schwachheit und dem Vermögen ist, da eben dieselbe Vorzüge, die ihn über die niederen Classen erheben, ihn auf eine Höhe stellen, von welcher er wiederum unendlich tiefer unter diese herabsinken kan. In der That sind die beyden Planeten, die Erde und der Mars, die mittelsten Glieder des planetischen Systems, und es läst sich von ihren Bewohnern vielleicht nicht mit Unwahrscheinlichkeit ein mittlerer Stand der physischen sowohl, als moralischen Beschaffenheit zwischen den zwey Endpunkten vermuthen, allein ich will diese Betrachtung lieber denenjenigen überlassen, die mehr Beruhigung bey einem unerweisslichen

Erkenntnisse, und mehr Neigung dessen Verantwortung zu übernehmen, bey sich finden.

Beschluss.

Es ist uns nicht einmal recht bekannt, was der Mensch anjetzo wirklich ist, ob uns gleich das Bewustseyn und die Sinne hievon belehren solten; wie vielweniger werden wir errathen können, was er dereinst werden soll. Dennoch schnappet die Wissbegierde der menschlichen Seele sehr begierig nach diesem von ihr so entfernten Gegenstande, und strebet, in solchem dunkeln Erkenntnisse, einiges Licht zu bekommen.

Solte die unsterbliche Seele wohl in der ganzen Unendlichkeit ihrer künftigen Dauer, die das [**199**] Grab selber nicht unterbricht, sondern nur verändert, an diesen Punkt des Weltraumes, an unsere Erde jederzeit geheftet bleiben? Solte sie niemals von den übrigen Wundern der Schöpfung eines näheren Anschauens theilhaftig werden? Wer weis, ist es ihr nicht zugedacht, dass sie dereinst jene entfernte Kugeln des Weltgebäudes, und die Treflichkeit ihrer Anstalten, die schon von weitem ihre Neugierde so reitzen, von nahem soll kennen lernen? Vielleicht bilden sich darum noch einige Kugeln des Planetensystems aus, um nach vollendetem Ablaufe der Zeit, die unserem Aufenthalte allhier vorgeschrieben ist, uns in andern Himmeln neue Wohnplätze zu bereiten. Wer weis, laufen nicht jene Trabanten um den Jupiter, um uns dereinst zu leuchten?

Es ist erlaubt, es ist anständig, sich mit dergleichen Vorstellungen zu belustigen; allein niemand wird die Hoffnung des Künftigen auf so unsichern Bildern der Einbildungskraft gründen. Nachdem die Eitelkeit ihren Antheil an der menschlichen Natur wird abgefordert haben: so wird der unsterbliche Geist, mit einem schnellen Schwunge, sich über alles, was endlich ist, empor schwingen, und in einem neuen Verhältnisse gegen die ganze Natur, welche aus einer näheren Verbindung mit dem höchsten Wesen entspringet, sein Daseyn fortsetzen. Forthin wird diese erhöhete Natur, welche die Quelle der Glückseeligkeit in sich selber hat, sich nicht mehr unter den äusseren Gegenständen zerstreuen, um eine Beruhigung bey ihnen zu suchen. Der gesammte Innbegriff der Geschöpfe, welcher eine nothwendige Uebereinstimmung zum

Wohlgefallen des höchsten [200] Urwesens hat, muss auch sie auch zu dem seinigen haben, und wird sie nicht anders, als mit immerwährender Zufriedenheit, rühren.

In der That, wenn man mit solchen Betrachtungen, und mit den vorhergehenden, sein Gemüth erfüllet hat; so giebt der Anblick eines bestirnten Himmels, bey einer heitern Nacht, eine Art des Vergnügens, welches nur edle Seelen empfinden. Bey der allgemeinen Stille der Natur und der Ruhe der Sinne, redet das verborgene Erkenntnissvermögen des unsterblichen Geistes eine unnennbare Sprache, und giebt unausgewickelte Begriffe, die sich wohl empfinden, aber nicht beschreiben lassen. Wenn es unter den denkenden Geschöpfen dieses Planeten niederträchtige Wesen giebt, die, ungeachtet aller Reitzungen, womit ein so grosser Gegenstand sie anlocken kan, dennoch im Stande sind, sich fest an die Dienstbarkeit der Eitelkeit zu heften: wie unglücklich ist diese Kugel, dass sie so elende Geschöpfe hat erziehen können? Wie glücklich aber ist sie anderer Seits, da ihr unter den aller annehmungswürdigsten Bedingungen ein Weg eröfnet ist, zu einer Glückseeligkeit und Hoheit zu gelangen, welche unendlich weit über die Vorzüge erhaben ist, die die allervortheilhafteste Einrichtung der Natur in allen Weltkörpern erreichen kan.

Nachwort

von

Jürgen Hamel

1. Kants Rezeption der älteren und zeitgenössischen Wissenschaft

Im Jahre 1755 veröffentlichte Immanuel Kant eine Theorie über den Bau des Weltalls (Kosmologie) und die Entwicklung der Himmelskörper (Kosmogonie). Es war die erste Schrift, die eine geschlossene Theorie der Kosmologie und Kosmogonie auf der Grundlage der, wie Kant schrieb, Newtonschen Physik bot.

Obgleich die Gedanken Kants ebenso neu wie bahnbrechend waren, erfuhren sie nur sehr langsam Achtung und Anerkennung. Der Grund lag darin, daß die zeitgenössische Wissenschaft keine begründeten Kenntnisse von der Natur der Himmelskörper besaß. Die Möglichkeiten der Astronomie erschöpften sich, von wenigen Ausnahmen abgesehen, in der Messung von Gestirnspositionen und darauf gegründeten Gesetzen der Bewegung der Planeten, Monde und Kometen. Erst 30 Jahre nach Erscheinen des Buches gelangen Wilhelm Herschel empirische Beobachtungen, die Kants Grundprinzip stützen konnten. Dennoch waren diese Forschungen singulär im breiten Strom der Himmelsforschung. Für seine Zeit definierte Friedrich Wilhelm Bessel die Aufgabe der Astronomie durchaus mit Recht: »Was die Astronomie leisten muss, ist zu allen Zeiten gleich klar gewesen: sie muss Vorschriften ertheilen, nach welchen die Bewegungen der Himmelskörper, so wie sie uns, von der Erde aus, erscheinen, berechnet werden können. Alles was man sonst noch von den Himmelskörpern erfahren kann, z.B. ihr Aussehen und die Beschaffenheit ihrer Oberflächen, ist zwar der Aufmerksamkeit nicht unwerth, allein das eigentlich astronomische Interesse berührt es nicht. Ob die Gebirge des Mondes so oder anders gestaltet sind, ist für den Astronomen nicht interessanter, als die Kenntnis der Gebirge der Erde für den Nicht-Astronom ist: ob Jupiter dunkle Streifen auf seiner Oberfläche zeigt oder gleichmässig erleuchtet erscheint, reizt eben so wenig die Wissbegierde des Astronomen, und selbst die vier Monde desselben interessieren ihn nur durch die Bewegungen, welche sie haben. – Die Bewegungen aller Himmelskörper so vollständig kennen zu lernen, dass für jede Zeit genügende Rechenschaft davon gegeben werden kann, dieses war und ist die Aufgabe, welche die Astronomie aufzulösen hat.«[1]

Insofern mußte Kant andere Wege gehen. Seine kosmogonische Hypothese war wesentlich auf Analogieschlüssen aufgebaut, die für ihn eine große Überzeugungskraft besaßen. Ihn beflügelte ein aufklärerischer Erkenntnisoptimismus, eine Überzeugung von der Kraft der menschlichen Vernunft. Natürlich gab es einige Hinweise, die auf Entwicklungsprozesse hindeuteten, doch waren in diesen Fällen meist auch andere Interpretationen denkbar. Insofern hatte er keine Möglichkeit, stichhaltige Beweise zu liefern.

Was die Gewinnung von Beobachtungsdaten anbelangt, war die Geologie natürlicherweise in dieser Beziehung weiter. Die Veränderungen, die die Erde im Laufe ihrer Geschichte erlitten hatte, waren in der 2. Hälfte des 18. Jahrhunderts nicht zu übersehen. Es ging hier nicht um die Frage, ob Veränderungen oder nicht, ob Entwicklung oder nicht, sondern um deren Art und Weise. Liegen diese in übernatürlichen Prinzipien oder in den mechanischen Gesetzen der Materie?

Sehr hemmend auf die Beantwortung dieser Frage wirkte sich das starre Festhalten vieler Wissenschaftler am biblischen Schöpfungsmythos und der theologischen Sintflutlehre in den kosmologisch-geogonischen Schriften des 17. und beginnenden 18. Jahrhunderts aus. Solange man hier keine freiere Einstellung zuließ, war jede wissenschaftliche Deutung unmöglich. Die ersten Erdbildungslehren an der Wende zum 18. Jahrhundert hielten sich in der Regel noch sehr eng an die Mosaische Schöpfungslehre (Th. Burnet, 1681; J. Woodward, 1702; W. Whiston, 1708; Bouguet, 1729 u.a.). Trotzdem brachten sie ihren Verfassern zuweilen den Vorwurf der Freigeisterei, ja des Atheismus

1 Bessel, Friedrich Wilhelm: Populäre Vorlesungen. Hamburg 1848, S. 5–6; vgl. Jones, Kenneth Glyn: The observational Basis for Kant's Cosmogony. A critical Analysis. In: Journal for the History of Astronomy 2 (1971), S. 29–34

ein, was auch noch auf Kant zutraf, der die Vorrede zu seinem Werk mit einer Verteidigung gegen eine mögliche »feyerliche Anklage« (S. 4f.) von Seiten der Religion begann.

Die frühen Theorien zur Erdentstehung besitzen einen kosmogonischen Aspekt, der bei Whiston besonders ausgeprägt war, dessen Vorstellungen Lichtenberg mit den Worten kommentierte, er sei »auf den tollen Einfall gekommen ..., aus der Naturgeschichte unserer Erdkugel eine Farce zu machen, worin die dramatis personae Cometen sind«.[2] Aus diesen Gründen mußte die wissenschaftliche Wirkung dieser Lehren von vornherein stark beschränkt sein. Nichtsdestoweniger spiegelten sie das Bewußtsein wider, daß die Erde eine Geschichte hat, die mit den bis dato üblichen theologischen Vorstellungen nicht voll erfaßbar war.

Von den älteren kosmogonischen Autoren erwähnte Kant Demokrit, Epikur, Leukipp und Lukrez. Er wies selbst auf seine relative Übereinstimmung mit deren Vorstellungen von der Zerstreuung des Urstoffes hin (S. 9f.).

Der erste, der in neuerer Zeit auf konsequent wissenschaftlicher Grundlage eine umfassende Weltentstehungslehre zu verfassen suchte, war Descartes.[3] Die Auseinandersetzung mit dessen Wirbelhypothese war eine beachtliche geistige Triebkraft für Kant bei der Ausarbeitung seiner kosmogonischen Vorstellungen. Nachdem er die Descartessche Wirbelhypothese schon in den »Gedanken« (s.u.) verworfen hatte, erwähnte er sie aber in der ANTH nur noch, um für sich ebenso »billige Richter« zu erbitten, wie sie Descartes seinerzeit fand (S. 11).[4] Ebenfalls nur kurz und mit negativer Wertung wies Kant auf die »Allgemeine

---

2 Lichtenberg, Georg Christoph: Vermischte Schriften, Band 6. Göttingen 1803, S. 402f.

3 Descartes, René: Die Prinzipien der Philosophie. Berlin 1965, bes. Teil 3

4 Der Titel der »Allgemeinen Naturgeschichte« wird im folgenden mit »ANTH« abgekürzt; eingeklammerte Seitenzahlen verweisen auf den Text der vorliegenden Ausgabe des Werkes.

Welthistorie«[5] hin (S. 11), die ihm durch ihren Grundtenor, die Weltgeschichte in weitgehender Übereinstimmung mit der Mosaischen Schöpfungslehre auszugestalten, tatsächlich nicht nur nichts Neues bieten konnte, sondern in wesentlichen Punkten seinen Bestrebungen zuwiderlief.

Von sehr großer Bedeutung dagegen wurde für Kant die 1750 erschienene »Allgemeine Historie der Natur« von George Louis Leclerc de Buffon, deren erster Band neben einer eingehenden Kritik der verschiedenen Systeme eine kosmogonische Hypothese des Autors enthält. Buffon war der Meinung, daß der Stoff, aus dem die Planeten entstanden, durch einen Kometen von der Sonne losgerissen wurde. Trotz dieser aus heutiger Sicht falschen Annahme waren eine Reihe methodischer Grundsätze Buffons zukunftsweisend und führten direkt auf den Weg zu einer wissenschaftlichen Kosmogonie. Die methodischen Grundlagen der Aufstellung einer kosmogonischen Hypothese schilderte Buffon so: »Hauptsächlich muß man darauf bedacht sein, die Begebenheiten allgemein zu betrachten, und die wesentlichen von den bloß zufälligen richtig unterscheiden. Diese muß man alsdann durch die Analogien miteinander verbinden; man muß gewisse zweideutige Stücke durch Beihilfe der Erfahrungen entweder bestätigen oder vernichten; man muß den Grundriß zur Erklärung nach der Verbindung aller dieser Verhältnisse einrichten, und diese nach der natürlichsten Ordnung vorstellen. Man kann diese Ordnung auf eine zweifache Weise machen: die erste ist, wenn man von besondern Wirkungen zu allgemeinern hinaufsteigt; die andere aber, wenn man von den allgemeinen zu den besondern herabgeht. Beide sind gut, und die Wahl der einen oder der anderen kommt mehr auf das Gemüth des Schriftstellers, als auf die Natur der Dinge an, indem sie alle mit gleichem Nutzen, es sei auf diese oder auf jene Art, abgehan-

5 Übersetzung der Allgemeinen Welthistorie die in England durch eine Gesellschaft von Gelehrten ausgefertigt worden, 1. Theil. Halle 1744 (engl. Original London 1736 und 1740)

delt werden können.« Bedenkt man, daß er an anderer Stelle[6] vor übertriebenen Analogien warnt, so ist das ein gewichtiger Fortschritt gegenüber den methodologischen Grundlagen der kosmogonischen Hypothesen, die bis dahin florierten. Buffon nahm die Regelmäßigkeiten im Planetensystem, von denen dann auch Kant ausgeht, zum Ausgangspunkt seiner Kosmogonie:

1. alle Planeten bewegen sich um die Sonne in derselben Richtung;
2. die Ebenen dieser Bewegung haben alle annähernd dieselbe Lage im Raum;
3. die Dichte der Planeten wächst mit der Sonnennähe, ist im Durchschnitt gleich der der Sonne;
4. die Punkte 1. und 2. treffen auch für die Monde zu.

So sah sich Buffon in den Stand gesetzt, Wahrscheinlichkeiten abzuschätzen, nach denen bestimmte Verhältnisse im Planetensystem kein Produkt des Zufalls sind. Diese Wahrscheinlichkeit beträgt für die Gleichheit der Rotationsrichtung der Planeten und die Gleichheit der Lage der Rotationsflächen 64:1 bzw. 7.692.624 : 1.[7]

Buffon unterscheidet sich in einigen wesentlichen Punkten von Kant.[8] Buffon setzte die Existenz der Sonne und eines Kometen voraus, gab also kein Modell der Entstehung eines Planetensystems, das, wie das Kantsche, unser Sonnensystem als Prototyp eines jeden Systems behandelt. Das Sonnensystem fungiert bei Kant als universelle Analogie, bei Buffon bleibt es vereinzeltes Individuum. Buffons Kosmogonie wurde zum Prototyp der kosmogonischen Katastrophentheorien. Während Kant die Triebkräfte für die Entstehung und Entwicklung im Widerstreit zwischen Gravitation und Repulsion, d.h. in den dem

6 Buffon, George Louis Leclerc de: Allgemeine Historie der Natur, Band I. Hamburg; Leipzig 1750 (franz. Original 1749), S. 40 bzw. 7

7 Ebd., S. 79–88

8 Zur Typisierung kosmogonischer Theorien: Williams, I. P.; Cremint, A.W.: A Survey of Theories, relating to the Origine of the Solar System. In: Quart. Journ. Royal Astr. Soc. 9 (1968), S. 42

System immanenten widerstreitenden Kräften sah und damit die Bewegung als Selbstbewegung fassten, griff Buffon auf für die »Protosonne« fremde und äußerliche Kräfte zurück.

Abgesehen von den Unterschieden im Ausgangspunkt sind die Übereinstimmungen und Verwandtschaften zwischen beiden in grundlegenden Punkten sehr weitgehend. Kant wies selbst darauf hin, daß er die Beobachtung der Regelmäßigkeiten in den Dichteverhältnissen, die Übereinstimmung der Dichte der Sonne mit der durchschnittlichen Dichte der Planeten, bei Buffon entnommen habe. Er maß ihr eine so große Bedeutung zu, daß sie »an und vor sich allein gegenwärtige Theorie von der mechanischen Bildung der Himmelskörper über die Wahrscheinlichkeit der Hypothese, zu einer förmlichen Gewissheit erheben kann« (S. 56). Buffons »Allgemeine Historie der Natur« war die bedeutendste Quelle Kants für die Ausarbeitung seiner Kosmogonie, sie vermittelte ihm viele Denkanstöße und lieferte direkt Argumente.

Zu einer weiteren wichtigen Quelle wurde Thomas Wright in der Hinsicht, daß Kant sicherlich Denkanstöße durch den einiges vorausahnenden Engländer erhalten hat. Wrights »Original Theory«[9] enthält jedoch keine kosmogonischen Gedanken, wobei berücksichtigt werden muß, daß Kant seine Kenntnis dieses Buches lediglich aus einer Rezension schöpfte.[10] Der Gedanke des einheitlichen, systematischen Baus der Welt, der für Kants Kosmogonie eine unabdingbare Voraussetzung war, wurde z.T. von Wright antizipiert. Dem Rezensenten der »Urtheile« gelang es, diesen rationalen Gedanken aus dem Originalwerk herauszuarbeiten. Das mußte Kant, der sich zweifellos schon längere Zeit mit ähnlichen Gedanken trug, in seiner Überzeugung bestärken.

---

9 Wright, Thomas of Derham: An original theory or new hypothesis of the universe. London 1750; Dass., ed. by Michael A. Hoskin. London 1971

10 Freye Urtheile und Nachrichten (Hamburg), 8. Jg., Jan. 1751, 1.–3. Stück, S. 1–5, 10–14, 18–22

Kant weist selbst darauf hin, daß ihm die Rezension der »Origional Theory« zuerst Anlaß gegeben habe, »die Fixsterne nicht als ein ohne sichtbare Ordnung zerstreutes Gewimmel, sondern als ein System anzusehen« (S. 14). Darüber hinaus scheint aber Kants Meinung von Wright jedoch recht kritisch gewesen zu sein, denn Kant fand, daß dieser Gedanke von Wright »zu keiner gar zu tüchtigen Absicht gebraucht zu seyn scheinet, und deren nützliche Anwendung er nicht genugsam beobachtet hat« (S. 29). Dieser Tadel kann sich nur auf die Wrightsche Unterlassung des Schlusses von der Struktur des Planetensystems auf dessen Entstehung beziehen, ein Schluß, der für Kant von wahrlich fundamentaler Bedeutung war. Somit wurde Wright zwar ein wichtiger Vorläufer für Kants Kosmologie, doch darf dessen Bedeutung für Kant nicht überschätzt werden.

Schon in der 1691 verfaßten, aber erst 1749 vollständig veröffentlichten Schrift »Protogaea«[11] verfolgte Leibniz den auch der Kantschen Intention entsprechenden Gedanken des universellen Charakters des Entwicklungsprozesses. Damit beauftragt, die Geschichte des Braunschweig-Lüneburgischen Herrscherhauses zu schreiben, hielt er es für notwendig, mit der geologischen Geschichte der Landschaft, ja der Erdgeschichte zu beginnen. Insgesamt erwies sich Leibniz nicht völlig frei von spekulativen Elementen, doch steht die »Protogaea« weit über den anderen zeitgenössischen Schriften zur Erdbildung. Kant erwähnt die »Protogaea« in der ANTH zwar nicht, doch angesichts des großen Interesses, das er diesem Philosophen entgegenbrachte, ist es sehr wahrscheinlich, daß er sie gekannt hat und ihr einige Anregungen verdankte.

---

11 Leibniz, Gottfried Wilhelm: Protogaea oder Abhandlung von der ersten Gestalt der Erde. Leipzig; Hof 1749

2. Grundzüge der Kantschen Kosmogonie

Zur Ableitung der Entstehung und Entwicklung des Planetensystems, wie Kant sie in der »Allgemeinen Naturgeschichte« gab, betrachtete er zunächst dessen Struktur. Die Stabilität des Systems sei durch den Widerstreit von Gravitation und Fliehkraft gesichert. Damit ist angedeutet, was Kant unter dem Untertitel »nach Newtonischen Grundsätzen« verstand. Die Feststellung der Struktur des Planetensystems bot die Möglichkeit, auf dessen Geschichte zu stoßen.

Während Buffon die Existenz der Sonne und eines Kometen voraussetzte, ging Kant bis auf den angenommenen Urzustand der Materie zurück; während bei Buffon unser Sonnensystem das Produkt einer zufälligen, von außen kommenden Wirkung ist, ist es bei Kant der Prototyp für alle ähnlichen Systeme, seine Struktur und Entstehung ist universelle Analogie.

Wie Buffon ging Kant den Weg, aus der Struktur des Systems auf dessen Entwicklung zu schließen, weil eine gemeinsame Ursache zu diesen Erscheinungen geführt haben müsse. Der in diesen Strukturen verschlüsselte Entwicklungsweg begann bei Kant in einem Zustand, in dem Sonne, Planeten, Monde usw. »in ihren elementarischen Grundstoff aufgelöset, den ganzen Raum des Weltgebäudes erfüllet haben, darin jetzo diese gebildeten Körper herumlaufen«. Mit Rücksicht auf die Konzeption der Selbsttätigkeit der Materie fuhr er fort: »Bey einem auf solche Weise erfüllten Raume dauert die allgemeine Ruhe nur einen Augenblick. Die Elemente haben wesentliche Kräfte, einander in Bewegung zu setzen und sind sich selber eine Quelle des Lebens. Die Materie ist sofort in Bestrebung, sich zu bilden. Die zerstreuten Elemente dichterer Art sammeln, vermittelst der Anziehung, aus einer Sphäre rund um sich alle Materie von minder spezifischer Schwere« (S. 43f.). Dabei verhindere die Repulsivkraft ein völliges Zusammenstürzen. Auf diese Weise bilde sich im Zentrum dieser Wolke eine Materieverdichtung, aus der die Sonne hervorgehe. Die noch immer zum Zentrum strebenden Teilchen würden durch Zusammenstöße seitwärts abgelenkt, und daraus resultierten Wirbel, die infolge gegenseitiger Behinderung eine gleichgerichtete Bewegung um die Sonne ausführten.

Mittels derselben einfachen Grundprinzipien gelang Kant die Ableitung der unterschiedlichen Dichte der Planeten: »Wenn wir nun aber Partikeln, von unterschiedlicher specifischer Dichtigkeit, in gleichem Abstande von der Sonne gedenken, so dringen die von grösserer specifischer Schwere tiefer, durch den Widerstand der andern zur Sonne hindurch, und werden nicht so bald von ihrem Wege abgebeuget, als die leichteren; daher ihre Bewegung nur in einer grösseren Annäherung zur Sonne zirkelförmigt wird.« (S. 49) In analoger Weise dachte er die Entstehung der Monde. Hinsichtlich der Zeitdauer entwickelte Kant seinen Lesern nicht nur dem biblischen Schöpfungsgedanken widersprechende Vorstellungen, sondern rechnete mit einer »Reihe von Millionen Jahren und Jahrhunderten, ... ehe die Sphäre der gebildeten Natur, darin wir uns befinden, zu der Vollkommenheit gediehen ist, die ihr jetzt beiwohnet« (S. 93; um 1750 begannen die Geologen mit einem Erdalter im Bereich von Millionen Jahren zu rechnen). Er vermutete sogar, daß der Prozeß des Werdens von Welten noch immer andauerte, da viele Himmelskörper bisher nicht zu ihrer Vollkommenheit gelangt seien (vgl. dazu bes. den 3. Teil der ANTH).

Damit sind die Grundzüge der Entstehung des Planetensystems nach Kants Vorstellungen umrissen. Er wendete sie im weiteren in Anbetracht dessen, daß die Sterne nichts anderes sind, als »Sonnen und Mittelpunkte von ähnlichen Systemen« auf die Sternenwelt an. Dadurch gelang es Kant, zwischen dem Sonnensystem und den Sternen eine Verbindung zu ziehen. Diese führte Kant zur Milchstraße. »Das Heer der Gestirne macht, durch seine beziehende Stellung gegen einen gemeinschaftlichen Plan, eben sowohl ein System aus, als die Planeten unseres Sonnenbaues um die Sonne. Die Milchstrasse ist der Zodiakus dieser höheren Weltordnungen« (S. 87). So erklärte er das Milchstraßensystem als abgeplattete, linsenförmige Sternansammlung, deren Einzelsterne sich auf eine Ebene, den galaktischen Äquator, konzentrieren, in Analogie zum Planetensystem. Diese Gedanken hatte schon 1750 Thomas Wright in seiner »Original Theory« ausgesprochen. Noch einen Schritt weiter hinaus in den Kosmos ging Kant, indem er eine Ähnlichkeit unseres Sternsystems mit anderen kosmischen Systemen, den Nebelflecken, postulierte. Auf diese Weise stellt sich »das gesamte Universum, das All der Natur, in einem einigen System durch die Verbindung der Anziehung und der fliehenden Kraft« dar.

Kant war sich der Tragweite des Entwurfes einer Naturgeschichte kosmischer Körper und Systeme bewußt und sah Einwendungen seitens theologischer Eiferer. Er stellte seine Ideen denen Newtons gegenüber, der »behauptete, die unmittelbare Hand Gottes habe diese Anordnung ohne die Anwendung der Kräfte der Natur ausgerichtet«, und der beispielsweise hinsichtlich der Dichte der Planeten »die Ursache ihres nach dem Abstande eingerichteten Verhältnisses in der Anständigkeit der Wahl Gottes und in den Bewegungsgründen seines Endzwecks zu finden« geglaubt hatte. Dementgegen sagte Kant selbstbewußt: »Ich geniesse das Vergnügen ohne Beyhülfe willkührlicher Erdichtungen, unter der Veranlassung ausgemachter Bewegungsgesetze sich ein wohlgeordnetes Ganzes erzeugen zu sehen, welches demjenigen Weltsystem so ähnlich siehet das wir vor Augen haben, dass ich mich nicht entbrechen kann es vor dasselbe zu halten.« (S. 9) Hier äußert sich ein neues Religionsverständnis, der Gottesbegriff des Deismus, in dessen Rahmen der Einfluß eines persönlichen Gottes auf das Weltgeschehen für überflüssig und nicht vorhanden betrachtet wird und Gott lediglich die Funktion eines ersten Bewegers in den Naturgesetzen erhielt.

In einem Anhang zur »Allgemeinen Naturgeschichte« nahm Kant ausführlich zur vieldiskutierten Frage nach der Existenz weiterer bewohnter Welten Stellung. Kant sah darin in sehr gegenwärtig klingender Weise die Entstehung des Lebens als Produkt der Entwicklung der Himmelskörper an, nicht als davon unabhängigem Schöpfungsakt oder als sekundäres Phänomen.

Dennoch erkannte er auch, daß Leben an bestimmte äußere Bedingungen geknüpft ist, die nicht überall und ständig gegeben sind. Die Lebensformen würden sich auf anderen Planeten entsprechend den dort herrschenden Bedingungen entwickeln, besonders hinsichtlich des Abstandes von der Sonne und der Rotationsdauer eines Planeten. Dabei könne es sowohl Lebensformen geben, die in ihrer Entwicklung weit über dem Menschen stehen, als auch solche, die noch nicht diese Höhe erreicht hätten.

Die von Kant und ähnlich zuvor von Thomas Wright vorgetragenen Gedanken von der Strukturiertheit des Weltalls, die Ableitung der Figur des Milchstraßensystems als abgeplattete, linsenförmige Ansammlung von Sternen und die Identifizierung der sogenannten Nebelflecke als milchstraßenähnliche Systeme wurde unabhängig von beiden in Johann Heinrich Lamberts »Cosmologischen Briefen« entwickelt und zur Vision einer bis ins Unendliche führenden Strukturiertheit des Weltalls ausgebaut.[12] Auch Lambert fußt auf der Newtonschen Physik, ergänzte dessen dynamische Betrachtung unter Einfluß Christian Wolffs um das Argument der Teleologie. Er postulierte einen hierarchischen Kosmos mit Systemen verschiedener Ordnung, der keinen allgemein ausgezeichneten Himmelskörper oder Ort besitzt. Seine Hierarchie beginnt mit einem Einzelkörper, dem sich das System Erde – Mond anschließt, darauf das System Sonne – Planeten, Sternhaufen, Galaxien, Galaxiensysteme... Beginnend beim Planetensystem, dessen Struktur er ergründete, schloß Lambert in Analogie auf die Verteilung der Fixsterne im Weltall und daraus wieder auf den gesamten Bau des Kosmos in unendlicher Folge. Ob jedes dieser Systeme einen Zentralkörper besitzen müsse, läßt Lambert offen. Wäre

12 Jackisch, Gerhard: Johann Heinrich Lamberts »Cosmologische Briefe« mit Beiträgen zur Frühgeschichte der Kosmologie. Berlin 1979 (Wissenschaftliche Taschenbücher; 212); Auszüge in Hamel, Jürgen, Geschichte der Astronomie. In Quellentexten von Hesiod bis Hubble. Essen, 2004, S. 252–256

dem so, könnten die den Systemen höherer Ordnung zentralen Körper keine Sterne in dem uns bekannten Sinn sein, denn sie müßten eine für solche Himmelskörper undenkbar große Masse in sich vereinen, um die Stabilität ihres Systems durch Anziehungskraft zu gewährleisten. Einen Zentralkörper höherer Ordnung glaubte er im Orionnebel gefunden zu haben.

In welchem Maße Wright, Kant und Lambert das richtige trafen, auf der Grundlage weniger faktischer Argumente, mit scharfem Geiste und kühner Intuition, und wo die historischen Grenzen ihrer Vorstellungen liegen, begann sich in den 80er Jahren mit den empirischen Forschungen Wilhelm Herschels abzuzeichnen. Die aus dem göttlichen Zwecksetzer hervorgehende Welt war in Leibnizscher Tradition die vollkommenste aller Welten unter den gegebenen physikalischen Bedingungen. Diese Vollkommenheit, die eine zufällige Existenz der Welt ausschließe, drückt sich in der Harmonie dieser ein zusammenhängendes Ganzes bildenden Welt unter Einschluß der Erde aus. Der teleologischen Argumentation entsprechend postulierte auch Lambert die Existenz eines Systems bewohnbarer Planeten um jeden Fixstern herum.

Doch so herausragend uns heute die Leistung Kants mit Recht erscheint, so blieb zunächst die Reaktion auf das Werk sehr verhalten.[13] Wenn auch dieses Werk bald nach seinem Erscheinen weiten Kreisen der Wissenschaftler bekannt wurde und die Schrift in den folgenden Jahren in verschiedenen astronomischen, geologischen und philosophischen Abhandlungen angeführt wurde, so blieb dieses doch in der Regel bei summarischen Hinweisen. Nur in Ausnahmen diente die ANTH zur Gewinnung neuer Erkenntnisse, auch blieb dies meist auf den kosmologischen Teil beschränkt. Eine wirklich produktive Rezeption begann erst seit den 40er Jahren des 19. Jahrhunderts.

---

13 Hamel, Jürgen: Zur Entstehungs- und Wirkungsgeschichte der Kantschen Kosmogonie. Berlin-Treptow 1979 (Archenhold-Sternwarte / Mitteilungen; 130)

3. Kosmogonische Probleme in Kants Schriften bis 1754

Kant hatte sich seit 1747 bis ins hohe Alter hinein mit kosmogonischen Gedanken beschäftigt. Seine drei von ihm vor der ANTH verfaßten Schriften sind:

- Gedanken von der wahren Schätzung der lebendigen Kräfte (1747),
- Untersuchung der Frage, ob die Erde in ihrer Umdrehung um die Achse, wodurch sie die Abwechselung des Tages und der Nacht hervorbringt, einige Veränderungen seit den ersten Zeiten ihres Ursprungs erlitten habe (1754) und
- Die Frage, ob die Erde veralte, physikalisch erwogen (1754)[14];

sie beinhalten eine direkte Vorbereitung der ANTH.[15]

Schon in seiner Erstlingsschrift von 1747 werden einige, später für die Kosmogonie wichtige Grundsätze ausgearbeitet. Das trifft einmal auf die Erörterung der Möglichkeit zu, ob die »allerersten Bewegungen in diesem Weltgebäude« von unbewegten Körpern stammen können. In der ANTH schreibt er: »Bey einem auf solche Weise erfüllten Raume [d.h. mit den in ihren »elementarischen Grundstoff« aufgelösten Dinge – J. H.] dauert die allgemeine Ruhe nur einen Augenblick. Die Elemente haben

14 In: Kants gesammelte Schriften, Band I. Berlin 1910, S. 1–181, 183–191 bzw. 193–213

15 Nicht ohne Bedeutung sind in diesem Zusammenhang Kants sog. Erdbebenschriften: Von den Ursachen der Erderschütterungen bei Gelegenheit des Unglücks, welches die westlichen Länder von Europa gegen Ende des vorigen Jahres betroffen hat. Ebd., S. 417–427; Geschichte und Naturbeschreibung der merkwürdigsten Vorfälle des Erdbebens, welches am Ende des 1755sten Jahres einen großen Theil der Erde erschüttert hat. Ebd., S. 429–461 und Fortgesetzte Betrachtung der seit einiger Zeit wahrgenommenen Erderschütterungen. Ebd., S. 463–472

wesentliche Kräfte, einander in Bewegung zu setzen, und sind sich selber eine Quelle des Lebens.« (S. 43)

Diese Auffassung, die in Kants Kosmogonie eine grundlegende Funktion hat, wurde in den »Gedanken von der wahren Schätzung« begründet: »Die allerersten Bewegungen in diesem Weltgebäude sind nicht durch die Kraft einer bewegten Materie hervorgebracht worden; denn sonst würden sie nicht die ersten sein. Sie sind aber auch nicht durch die unmittelbare Gewalt Gottes, oder irgend einer Intelligenz verursacht worden, so lange es noch möglich ist, daß sie durch Wirkung einer Materie, welche im Ruhestande ist, haben entstehen können; denn Gott erspart sich so viele Wirkungen, als er ohne den Nachtheil der Weltmaschine thun kann, hingegen macht er die Natur so thätig und wirksam, als es nur möglich ist.«[16]

Daß er sich dabei in Widerspruch zu herkömmlichen Auffassungen befand, wußte er: »Es ist nämlich zu einem Grundsatze in der Naturlehre geworden, daß keine Bewegung in der Natur entstehe, als vermittelst einer Materie, die auch in wirklicher Bewegung ist; und daß also die Bewegung, die in einem Theile der Welt verloren gegangen, durch nichts anders, als entweder durch eine andere wirkliche Bewegung, oder die unmittelbare Hand Gottes könne hergestellt werden.«[17] Diese Überlegungen über das Verhältnis Ruhe – Bewegung sind hier direkt unter kosmogonischem Blickwinkel verfaßt, denn er brauchte sie, um seine grundsätzliche Kritik an der Descartesschen Wirbelhypothese theoretisch fundamentieren zu können. Hier bereitete sich die dynamische Naturbetrachtung vor, die sich im weiteren zur Idee vom Widerstreit entgegengesetzter Kräfte ausbildete und die durch die grundsätzliche Verbindung von Materie und Bewegung in Widerspruch mit theologischen Auffassungen der Zeit stand. Im weiteren waren seine Überlegungen über die

16 Kant, ImmanuelKant, Immanuel: Gedanken von der wahren Schätzung, wie Anm. 14, S. 62, s.a. S. 140

17 Ebd., S. 60

Möglichkeit einer Mehrzahl der Welten,[18] seine erklärte Vorurteilslosigkeit gegenüber Autoritäten in der Wissenschaft, seine Überlegungen über die Einfachheit der Natur und unserer Gedanken sowie die Andeutung eines neuen Gottesbegriffes für die Ausarbeitung der ANTH von großer Bedeutung.

Erfolgte in den »Gedanken« die Konzeption einiger methodologischer Prinzipien, so waren die folgenden Schriften eine erste Anwendung dieser. In beiden kommt er bei der Betrachtung der Bewegungsverhältnisse im System Erde – Mond[19] bzw. der »sphäroidischen Figur« der Erde[20] zu dem Schluß, daß die Erde (implizit auch der Mond und die anderen Planeten), »als sie sich aus dem Chaos erhob, ... unfehlbar vorher in flüssigem Zustande« war. Die Entwicklung und der Niedergang seien ein natürlicher Prozeß. »Alle Naturdinge sind diesem Gesetze unterworfen, daß derselbe Mechanismus, der im Anfange an ihrer Vollkommenheit arbeitete, nachdem sie den Punkt derselben erreicht haben, weil er fortfährt das Ding zu verändern, selbiges nach und nach wiederum von den Bedingungen der guten Verfassung entfernt und dem Verderben mit unmerklichen Schritten endlich überliefert.«[21]

Dieser Ablauf, der nicht »äußere und gewaltsame Ursachen zum Grunde« habe, wirke nicht nur im Bereich des Anorganischen, sondern auch im Tier- und Pflanzenreich und beim Menschen. Kants »Untersuchung der Frage« schließt mit der Ankündigung der ANTH, hier als: »Kosmogonie, oder Versuch, den Ursprung des Weltgebäudes, die Bildung der Himmelskörper und die Ursachen ihrer Bewegung aus den allgemeinen Bewegungsgesetzen der Materie der Theorie des Newtons gemäß her zu leiten«.[22] In dieser Schrift versucht Kant aus der Gezeitenwir-

---

18 Kant, ImmanuelKant, Immanuel: Gedanken von der wahren Schätzung, wie Anm. 14, Vorrede, S. 22–25

19 Kant, Immanuel: Untersuchung der Frage ..., wie Anm. 14

20 Kant, Immanuel: Die Frage, ob die Erde veralte, wie Anm. 14

21 Ebd., S. 199 bzw. 198

22 Ebd., S. 191

kung des Mondes eine Hemmung der Erdrotation herzuleiten. In der ANTH verweist er auf diese Frage nur kurz mit den Worten: »Ich verspare diese Auflösung zu einer anderen Gelegenheit« (S. 66). Kant hat offensichtlich von Anfang an in mehr oder weniger großer Klarheit eine Kosmogonie zum Ziele gehabt. Das zeigen klar die Arbeiten vor der ANTH sowie die Weiterführung kosmogonischer Gedanken in den folgenden Schriften bis zur 1794 erschienenen Arbeit »Über den Einfluß des Mondes auf die Witterung«.

Es ging Kant nicht nur um die Darstellung des Zustandes der Welt, sondern vor allem um die Frage, wie dieser entstanden ist. Seine kosmogonischen Schriften, einschließlich der geogonischen, werden in diesem Sinne zur notwendigen Vorstufe für seine späteren Arbeiten. Kant wollte, wie er das schon in der »Frage: ob die Erde veralte« andeutete, die Geschichtlichkeit der gesamten Welt zeigen. In seinen naturwissenschaftlichen Schriften führte er dies für den Kosmos als Ganzes, für die Erde, den Erdkörper, mit seiner Oberflächenbeschaffenheit und den meteorologischen Erscheinungen, den Mond sowie die anderen Planeten durch, später kamen Untersuchungen über die Geschichte der menschlichen Rasse hinzu. Seine philosophischen Hauptschriften schließlich stehen unter dem Zeichen der Entwicklung des Menschen sowie seiner geistigen Entwicklung. Damit ist der gesamte Kosmos, mit Ausnahme der Tier- und Pflanzenwelt, die aber implizit einbegriffen sind bzw. für die sich an verstreuten Stellen Aussagen finden, in die Entwicklung eingeschlossen. Allen Schriften ist das philosophische Programm der harmonischen Einheit von Mensch und Kosmos eigen, das Programm der Entwicklung des Menschen und seiner gesellschaftlichen Verfassung.

Sieht man die Schriften Kants im Zusammenhang, wird klar, daß seine kosmogonische Hypothese von diesem Programm grundlegend beeinflußt ist. Natürlich richtete Kant sein Hauptaugenmerk in späterer Zeit auf den Menschen. Doch mußte die prinzipielle Lösung der Entwicklungsfrage bezüglich der Himmelskörper auf seine gesamte Weltanschauung stimulierend gewirkt haben, mußte die Überzeugung von der Richtigkeit seines philosophischen Weges stark gestützt haben.

4. Die weitere Behandlung der Kosmogonie in den Schriften Kants nach 1755

Von den nach der ANTH verfaßten Arbeiten Kants verdient zunächst die Schrift »Nutzen der Verbindung der Metaphysik mit der Geometrie in der Natur-Philosophie« (1756) Erwähnung, in der er einige der Kosmogonie zugrunde liegende methodische Prinzipien entwickelt. Es kennzeichnet Kants Haltung als naturwissenschaftlich denkender Philosoph, wenn er sich hier mit Wissenschaftlern auseinandersetzt, die »bei Erforschung der Wahrheit es nie wagten, sich in das offene Meer zu begeben, sondern es geratener fanden, an dem Ufer hin und her zu fahren und nichts als wahr zuzugeben, als was durch das Zeugnis der Erfahrung unmittelbar bekannt wird. Auf diesem Wege ist es allerdings möglich, die Naturgesetze zu erklären, den Ursprung und die Ursache der Gesetze aber können wir so nicht finden«.[23]

Diese Geisteshaltung liegt als Element der Hypothesenbildung der ANTH wesentlich zugrunde. Kant weist in dieser Schrift auch auf die Notwendigkeit hin, das zurückstoßende und das anziehende Vermögen der Elementarteile in ihrem Wechselspiel zu betrachten, da eine der Kräfte allein nicht ausreichte, um die Materie zu konstituieren, sie jedoch in ihrem Wechselspiel die »Selbstbewegung« der Körper ermöglichten.[24] Damit führt er das in der Kosmogonie angewandte methodische Prinzip weiter, die Triebkräfte der Veränderung und Entwicklung in den

23 Kant, Immanuel: Nutzen der Verbindung der Metaphysik mit der Geometrie in der Natur-Philosophie, von welcher der erste Versuch die physische Monadologie enthält. In: Sammlung einiger bisher unbekannt gebliebener Schriften von Immanuel Kant. Königsberg 1807, S. 288

24 Ebd., S. 289f., 307

dem System immanenten Widersprüchen zu suchen und nicht in äußeren Einwirkungen.

Bis ins Alter hinein hat Kant kosmogonische Gedanken nie ganz beiseite gelassen, auch wenn sie später eine untergeordnete Rolle spielten. Von den späteren Schriften ist die Arbeit »Über die Vulkane im Monde« (1785) von besonderer Bedeutung. Hier griff er in Anknüpfung an einige Entdeckungen Wilhelm Herschels das Problem der Herkunft der Wärme der Sonne und der Planeten auf. »Sie mit Buffon von der Sonnenglut ... abzuleiten, ist nur ein Behelf auf kurze Zeit; denn woher kam die Wärme der Sonne?«[25] Kant meint, daß die »dunstförmig ausgebreitete Materien weit mehr Elementarwärme in sich fassen und auch zu einer dunstförmigen Verbreitung bedürfen, als sie halten können, sobald sie in den Zustand dichter Massen übergehen, d.i. sich zu Weltkugeln vereinigen: so müssen diese Kugeln ein Übermaß von Warmmaterie über das natürliche Gleichgewicht mit der Warmmaterie im Raume, worin sie sich befinden, enthalten; d.i. ihre relative Wärme in Ansehung des Weltraums wird angewachsen sein«.[26] Der Fortschritt, den diese Schrift brachte, bestand in der Erkenntnis, daß die Entstehung der Himmelskörper notwendig mit der Wärmebildung verbunden ist und die Wärmebildung nach allgemeinen Gesetzen der Natur vor sich geht. Die zumindest äußere Ähnlichkeit zu Mayer und Helmholtz ist offen sichtbar. Diese Arbeit enthält weiterhin eine Korrektur bezüglich der Vorstellung von der Entstehung der ersten Bewegung im Weltraum, wie sie in den »Gedanken« konzipiert wurde. Auf die Frage, »woher kam denn die erste Bewegung jener Atomen im Weltraume?«, antwortete Kant nun, »daß ich

25 Kant, Immanuel: Über die Vulkane im Monde. In: Kants gesammelte Schriften, Band VIII. Berlin 1912, S. 74

26 Ebd., S. 75. Kant bezieht sich hier auf Untersuchungen von A. Crawford Experiments and observations on animal heat and the inflammation of compustible bodies. London 1779; vgl. auch Erich Adickes, Kants Ansichten über Geschichte und Bau der Erde. Tübingen 1911, S. 129, mit einer Periodisierung der Vorstellungen Kants von der Herkunft der Wärme der Himmelskörper.

mich ... nicht anheischig gemacht habe, die erste aller Naturveränderungen anzugeben, welches in der That unmöglich ist«.[27]

Die zu Kants Lebzeiten veranstalteten Neuausgaben der ANTH sowie die Schrift »Der einzig mögliche Beweisgrund«[28] bringen hinsichtlich der Kosmogonie nichts Neues. Auf die Frage nach der Endlichkeit oder Unendlichkeit der Welt kann Kant in den Antinomien der reinen Vernunft zurück.[29]

Gewisse Rückschlüsse auf Kants Stellung zur Kosmogonie in späterer Zeit sind durch eine Analyse der Auslassungen in dem von J. F. Gensichen herausgegebenen Auszug aus der ANTH als Anhang zur deutschen Übersetzung von Aufsätzen Wilhelm Herschels (im folgenden »Gensichen-Auszug«) von 1781 möglich. Wenn auch einzelne Streichungen auf einen von vornherein geplanten begrenzten Umfang zurückzuführen sein mögen, so wurden doch die wichtigsten Auslassungen deshalb vorgenommen, weil Kant sich nicht mehr voll mit dem mehr als 25 Jahre vorher Geschriebenen identifizieren konnte. Wie anders wäre es sonst zu verstehen, daß Gensichen in den Vorbemerkungen zum ANTH-Auszug schreibt: »Die Besorgnis, daß verschiedene teils öffentliche, teils Privat-Nachfragen nach Kants Naturgeschichte und Theorie des Himmels ... eine ungebetene neue Auflage dieser Schrift nach sich ziehen möchten, bewog den verehrungswürdigen Verfasser derselben zu dem Entschluß, einen das wesentliche enthaltenden Auszug aus derselben, doch mit Rücksicht auf die seit ihrer Erscheinung geschehene große Erweiterung der Sternkunde zu veranstalten.«[30] Das entspricht fast

27 Kant, Immanuel: Über die Vulkane, wie Anm. 25, S. 75f.

28 Kant, Immanuel: Der einzig mögliche Beweisgrund zu einer Demonstration des Daseins Gottes. In: Kants gesammelte Schriften, Band II. Berlin 1912, S. 63–163

29 Kant, Immanuel: Kritik der reinen Vernunft. Leipzig 1971, Ausg. B, S. 454ff.

30 Herschel, Wilhelm: Über den Bau des Himmels. Drey Abhandlungen aus dem Englischen übersetzt. Nebst einem authentischen Auszug aus Kants allgemeiner Naturgeschichte und Theorie des Himmels. Königsberg 1791

wörtlich dem von Kant selbst brieflich gegebenen Formulierungsvorschlag.[31] Insgesamt werden deutlich die Stellen mit den philosophischen, theologischen und methodologischen Erwägungen unterdrückt sowie einige offensichtlich recht spekulative astronomische Gedankengänge. Im einzelnen wurden neben geringeren Kürzungen in allen Teilen ganz gestrichen:

die Widmung, die Vorrede, die Inhaltsübersicht, der »Kurze Abriß«, das 3., 6., 7. (einschl. der »Zugabe«), 8. Hauptstück und der 3. Teil; besonders die Streichung der Vorrede und des 7. und 8. Hauptstückes wie auch des 3. Teiles deuten auf das Vorhaben Kants, die ANTH seiner geistigen Entwicklung anzupassen.

Diese Vermutung wird durch Gensichen in dessen Nachtrag bestätigt: »Das ist nun das Wesentlichste aus der Naturgeschichte und Theorie des Himmels, was Hr. Professor Kant dem Publikum jetzt noch einmal vorzulegen sich bewegen ließ. Das Übrige, meint er, enthalte zu sehr bloße Hypothesen, als daß er es jetzt noch ganz billigen könnte.«[32]

5. Die frühe Verbreitung des Werkes

Die erste Erwähnung der ANTH erschien in einer Rezension im Juli 1755 in den »Freyen Urtheilen«,[33] die Autorschaft Kants war damals noch unbekannt. In den »Wöchentlichen Königsbergischen Frag- und Anzeigungsnachrichten« vom 1. Mai 1756 wurde das Buch zum Verkauf angezeigt. Für die Wirkungsgeschichte der ANTH ist von Bedeutung, daß das Werk während Kants Lebenszeit in insgesamt sieben Ausgaben erschien, davon

31 Kant, Immanuel an Johann Friedrich Gensichen, Brief vom 19. April 1791. In: Kant's gesammelte Schriften, Band XI. Berlin; Leipzig 1922, S. 253

32 Gensichen-Auszug, wie Anm. 30, S. 201

33 Freye Urtheile und Nachrichten (Hamburg), Juli 1755, 54. Stück, S. 429–432

drei Separatdrucke, ein vierter erschien 1808, und schon 1806 erschien nach der Ausgabe 1797 eine dänische Übersetzung:

1. [anonym] Allgemeine Naturgeschichte und Theorie des Himmels, oder Versuch von der Verfassung und dem mechanischen Ursprunge des ganzen Weltgebäudes nach Newtonischen Grundsätzen abgehandelt. Königsberg und Leipzig, bey Johann Friedrich Petersen, 1755
2. Auszug aus Kants Naturgeschichte und Theorie des Himmels von Joh. Friedr. Gensichen als Anhang der von G. M. Sommer herausgegebenen Übersetzung von William Herschels Schriften über den Bau des Himmels. Königsberg 1791, bei Friedrich Nicolovius
3. I. Kants sämtliche kleine Schriften. Nach der Zeitfolge geordnet. Erster Band. Königsberg; Leipzig 1797/98, S. 1–130
4. Allgemeine Naturgeschichte und Theorie des Himmels. Neue Auflage mit des Herrn Verfassers eigenen neuen Berichtigungen. Frankfurt; Leipzig 1797, mit einer Vorerinnerung von M. Frege
5. Immanuel Kants frühere noch nicht gesammelte kleine Schriften. Frankfurt; Leipzig 1797, Teil II, S. 1–130
6. Allgemeine Naturgeschichte und Theorie des Himmels. Zeitz 1798
7. I. Kants vermischte Schriften. Ächte und vollständige Ausgabe. Halle 1799, Bd. 1, S. 283–520
8. Kant, Immanuel: Almindelig Naturhistorie og Theorie over Himmelen eller Forsøg om den hele Verdenbygnings Forsatning of mekaniske Oprindelse. Afhandlet efter Nevtoniske Grundsætninger. Efter den 1797 af M. F. besorgede nye Udgave, oversat af Chr. Carl Pflueg. Kopenhagen 1806
9. Allgemeine Naturgeschichte und Theorie des Himmels. Vierte Auflage mit des Verfassers eignen neuen Berichtigungen. Zeitz 1808

Eine wichtige Informationsfunktion mußte 1791 das Erscheinen des Gensichen-Auszuges als Anhang zur ersten (und bis

1826 einzigen) deutschsprachigen Teilsammlung der Werke W. Herschels haben. Immerhin galt Herschel als einer der bedeutendsten Astronomen seiner Zeit, so daß diese Sammlung ein weites Interesse und große Verbreitung fand. So wurde das Buch in den »Göttingischen Anzeigen« rezensiert;[34] weiterhin erschien in Bodes »Astronomischem Jahrbuch« ein Aufsatz, in dem, ausgehend vom Gensichen-Auszug, auf die Verbindung zwischen den Gedanken von Herschel und Kant hingewiesen wird.[35]

Wenn auch mit Schwierigkeiten, so verbreitete sich das Buch doch nach und nach, wie auch die sehr bald vorhandenen literarischen Erwähnungen bezeugen. Doch deren Art und Weise dieser drückt aus, daß die meisten Autoren keinen besonderen Nutzen aus diesem Werk zu ziehen verstanden.

Es bleibt noch die Frage offen, warum weder Lambert noch Herschel oder Laplace beim Abfassen ihrer Schriften die ANTH verarbeiteten. Diese Frage kann nicht vollständig geklärt werden, doch gibt es ein paar Hinweise. Einen allgemeinen Anhaltspunkt liefert die Klage im »Neuen Büchersaal der schönen Wissenschaften und freyen Künste«: »Über den Mangel an Nachrichten von der Universität Königsberg und ihren gelehrten Beschäftigungen«.[36] Für Lambert muß beachtet werden, daß er von sich selbst schrieb: »Ich studierte für mich in einer Ecke der deutschen Welt«[37] und er somit wohl nicht in ausreichender Weise mit Literatur versorgt war. Was Herschel betrifft, so war er mit Verweisungen auf Literaturquellen sehr sparsam. Wenn

34 Göttingische Anzeigen von gelehrten Sachen, 22. Stück, 9. Febr. 1792, S. 215–216

35 Fischer, Prof.: Ueber die Anordnung des Weltgebäudes. Ein freyer Auszug aus Hrn. Herschels Schriften über diese Materie. In: Astronomisches Jahrbuch für das Jahr 1794. Berlin 1791, S. 226–233

36 Neuer Büchersaal der schönen Wissenschaften und freyen Künste, II. Band, III. Stück, Nr. 7, 1746

37 Lambert, Johann Heinrich an C. R. Hausen. Brief vom 16. Dezember 1769. In: Johann Heinrich Lamberts deutscher gelehrter Briefwechsel. Hrsg. v. J. Bernoulli, Band 2. Berlin 1782, S. 56–60

auch allgemein von seiner Unkenntnis der ANTH ausgegangen wird, so entbehrt es nicht aller Wahrscheinlichkeit, daß er z.B. durch Lichtenberg von diesem Werk Kenntnis hatte, sei es durch Briefe oder durch Lichtenbergs Ausgabe von Erxlebens »Anfangsgründe der Naturlehre« (s.u.). Eine Entscheidung darüber, wie weitgehend eine solche Anregung ging, gesetzt, daß sie stattfand, läßt sich nicht treffen.

6. Periodisierung der Rezeption der »Allgemeinen Naturgeschichte«

Untergliedert man die Rezeption zeitlich nach qualitativen Gesichtspunkten, so können drei Perioden unterschieden werden:

1. 1755–1845: Die Rezeption erfolgte nur sporadisch durch einzelne Autoren. Häufig wurde nur kurz der Titel der ANTH angeführt ohne oder mit nur kurzer Inhaltsangabe. Der wirklich revolutionäre Gehalt des Buches wurde kaum erfaßt. Eine Weiterentwicklung erfolgte in keinem Punkt. Durch Nennung Kants in z.T. sehr populären Büchern sowie durch die Auseinandersetzung mit den kosmogonischen Gedanken von Herschel und Laplace gelang gegen Ende dieser Zeit eine Verbreitung des Problembewußtseins der astronomischen Entwicklung. Die in diese Zeit fallende Entdeckung der Polarisation verlieh zwar den Forschungen nach der Natur der Himmelskörper bescheidene Impulse, doch nicht der Kosmogonie.
2. 1845–1860: In der zweiten Periode begann die kontinuierliche Rezeption der Kantschen Schrift. Es entstand ein tieferes Verständnis für die von Kant aufgeworfenen Probleme und seine Lösungsversuche. Aus den Forschungen zur kinetischen Wärmetheorie entstanden die ersten fruchtbaren Versuche zur Weiterentwicklung der Kosmogonie.

3. ab 1860: Diese Periode setzte ein mit den fundamentalen Veröffentlichungen zur Spektralanalyse und wichtigen Weiterentwicklungen der Photometrie. Durch diese prinzipiell neuen Beobachtungen ergab sich die Möglichkeit, die für eine wissenschaftliche Kosmogonie unentbehrlichen Angaben zur physikalisch-chemischen Beschaffenheit der Weltkörper zu bekommen. Damit begann die Frühgeschichte der Astrophysik.

7. Die ersten literarischen Erwähnungen der Kantschen Kosmogonie

Schon etwa vier Monate nach der Fertigstellung der ANTH (legt man die Datierung der Widmung, den 14. März 1755, zugrunde) erschien im Rezensionsjournal »Freye Urtheile und Nachrichten« eine im ganzen sehr wohlwollende Besprechung. Neben einem allgemeinen Inhaltsüberblick weist der anonyme Rezensent auf die Schwierigkeiten des Gegenstandes hin: »Der unbekannte gelehrte Herr Verfasser waget sich in ein Feld der Erkenntniß, wo sich wenig, in Absicht der Ursachen, beweisen läßt, sondern wo wir bloß mit der Wahrscheinlichkeit zufrieden seyn müssen; und diese hat er gewiß bis aufs höchste getrieben.« Der Schwerpunkt der Rezension liegt deutlich auf der Seite der Kosmogonie, und so bleibt der Zusammenhang zwischen dieser und der Kosmologie unberücksichtigt. Der Rezensent schließt: »Die Schreibart ist lebhaft und feurig; und der Herr Verfasser besitzt die Kunst, die schwersten astronomischen Sätze leicht vorzutragen: daher wir dieses Buch allen unsern Lesern anpreisen, welche Gedanken von der Art lieben und beurtheilen können.«[38]

---

38 Lambert, Johann Heinrich an C. R. Hausen. Brief vom 16. Dezember 1769. In: Johann Heinrich Lamberts deutscher gelehrter Briefwechsel. Hrsg. v. J. Bernoulli, Band 2. Berlin 1782, , S. 429 bzw. 432

Die erste literarische Erwähnung fand Kant in Treschos »Zerstreuungen auf Kosten der Natur«,[39] dessen Hauptanliegen dahin geht, »durch Vorführung und Erklärung von aus der Natur gewählten Beispielen (Insektenwelt, Pflanzen und Blumen, Gestirne, Ungewitter, Körper des Menschen) die Herzen auf des Schöpfers Macht und Herrlichkeit, auf die Größe und Ewigkeit der göttlichen Wahrheiten eindringlich hinzuweisen«.[40] Da Trescho sich gerade zu diesem Zweck auf Kant und seine Mutmaßungen über Bewohner anderer Himmelskörper bezieht, wird er dem Anliegen Kants nicht gerecht. Zwar hatten mit diesem Buch die Gedanken Kants »in leichte belehrende Lektüre« Eingang gefunden, was zu ihrer weiteren Verbreitung dieser beitrug, doch scheint Treschos populäre Plauderei kaum über Königsberg hinaus bekannt geworden zu sein.[41]

Ein ebenfalls nur kurzer und summarischer Hinweis auf die ANTH findet sich in Goldbecks »Litterarischen Nachrichten von Preußen«.[42] Immerhin wird hier aber zum ersten Male die Priorität Kants gegenüber Lambert in der Erklärung der Natur der Milchstraße anerkannt. Die Kosmogonie der ANTH erwähnt Goldbeck nur kurz und verschwommen.

Eine begeisterte Würdigung erfuhr die ANTH hingegen durch Herder in dessen »Ideen zur Philosophie der Geschichte der Menschheit«, die durch dessen allgemeine philosophische Haltung bestimmt ist. Herder verfolgte das ähnliche Ziel wie u.a. schon Leibniz und Kant zuvor: die Geschichtlichkeit der Natur

39 Trescho, Sebastian Friedrich: Zerstreuungen auf Kosten der Natur in einigen Sommerstunden. Königsberg; Leipzig 1763

40 Sembritzki, Johannes: Sebastian Friedrich Trescho. Diakonus zu Mohrungen in Preußen. Sein Leben und seine Schriften. In: Oberländische Geschichtsblätter, Heft VII. Königsberg 1905, S. 127

41 Warda, Arthur: Immanuel Kants »Allgemeine Naturgeschichte und Theorie des Himmels« und Sebastian Friedrich Treschos »Zerstreuungen auf Kosten der Natur«. In: Altpreuß. Monatsschrift 44 (1907), S. 540

42 Goldbeck, J. F.: Litterarische Nachrichten von Preußen. Berlin 1781, S. 248f.

in ihrer Umfassenheit nachzuweisen und darin den Menschen einzuschließen. Aus diesem Grunde mußte der Kantsche Gedanke der Geschichtlichkeit der Erde, ja aller Himmelskörper für ihn etwas ungemein Anziehendes haben. »Vom Himmel muß unsre Philosophie der Geschichte des menschlichen Geschlechts anfangen, wenn sie einigermaßen diesen Namen verdienen soll.« Er schloß sich der Vorstellung der Bildung der Planeten »nach einfachen, schönen und herrlichen Gesetzen« im Kantschen Sinne an, und stellte Kant in eine Reihe mit Copernicus, Kepler, Newton und Huygens.[43] Für die Astronomie war diese Wertung kaum von irgendeiner Bedeutung.[44]

1792 und 1793 erschienen zwei umfängliche Aufsätze über die ANTH von J. G. Schwab. Ihm mußte die ganze ANTH fragwürdig erscheinen, da er jedes Hinausgehen über das unmittelbar Beobachtbare für unzulässig hielt. Einige seiner Argumente zeigen tatsächliche Schwierigkeiten auf. Einer der Haupteinwände entstand daraus, daß Schwab annahm, die Gravitation sei keine der Materie »wesentliche und ursprüngliche Eigenschaft«,[45] sondern sie resultiere erst aus einer bestimmten Konstitution des Stoffes, wodurch sie dann selbstverständlich nicht zur Erklärung der Entstehung der Weltkörper herangezogen werden könne. Letztlich wurde aber die Haltung Schwabs nicht

---

43 Herder, Johann Gottfried: Ideen zur Philosophie der Geschichte der Menschheit. Leipzig; Riga 1784, S. 3f.

44 Ohne dies hier näher ausführen zu können, sei erwähnt, daß Goethe, im Unterschied zu Herder, die zu seiner Zeit viel diskutierten Forschungen zum astronomischen Entwicklungsgedanken in keiner Weise rezipierte. Offenbar waren Goethe die Methoden dieser Forschungen, die Anwendung großer, leistungsfähiger Spiegelteleskope bei Herschel, suspekt. Dies ist ein wichtiger Aspekt der engen Begrenztheit des Wissenschaftsbegriffes bei Goethe, die ihn solche fundamentalen und wegweisenden Forschungen übersehen oder gar ablehnen ließen.

45 Schwab, J. C.: Prüfung der Kantischen Hypothese von dem mechanischen Ursprung des Planetensystems. In: Philos. Arch. 1792 I, 2. Stück, S. 7

durch naturwissenschaftliche Gründe bestimmt, sondern durch philosophisch-theologische. Die ANTH, die er nur durch den um wichtige philosophische und methodologische Erwägungen gekürzten »Gensichen-Auszug« kannte, war für ihn ein unzulässiger Angriff auf Gottes Herrlichkeit. Beide Aufsätze sind von dem Gedanken getragen, daß die Entstehung des Planetensystems nur durch Gottes Hand vonstatten gehen konnte und die Erkenntnis dieses Schöpfungsaktes »ein Unternehmen sei, das ohnehin die Kräfte des menschlichen Geistes übersteigt«.[46]

Kants Theorie des Saturnrings wurde 1795 ausführlich von J. C. D. Wildt in seiner »nicht sehr bedeutsamen« »Commentatio«[47] besprochen, in der er die durchaus theoretisch naheliegende Anwendbarkeit des 3. Keplerschen Gesetzes auf die Bewegung des Saturnringes bestritt, damit die Kantsche Ableitung der Rotationszeit des Ringes als methodisch unmöglich darstellt.[48]

Im Verlaufe des 18. Jahrhunderts setzte sich in der Geologie die Erkenntnis durch, daß die Erdgeschichte durch den biblischen Schöpfungsbericht nicht zu erfassen ist, und es entstanden die ersten wissenschaftlichen Erdbildungssysteme in Form des Neptunismus und Plutonismus, in dessen Gefolge sich mehrere Autoren auf geogonische Aspekte der ANTH besannen. In der Regel wird Kant in der Abfolge der vielfachen älteren Erdbildungslehren angeführt, z.T. wird nur der Titel genannt, ohne umfangreichere Schilderung des Inhalts,[49] wobei dann auch fehlerhafte Einschätzungen unterlaufen, wie bei Gaspari, der Kant, Lambert und Bode gleichermaßen als Wissenschaftler bezeichnet, die sich »bis in die höchste Region, zum Ursprung des Uni-

---

46 Schwab, J. C.: Prüfung der Kantischen Hypothese von dem Ursprunge des Ringes des Saturns, mit der Berechnung der Achsendrehung dieses Planeten. In: Ebd., 1793 I, 4. Stück, S. 20 Anm.

47 Wildt, J. C. D.: Commentatio de rotatione annuli Saturni, pars prior. Hannover 1795

48 Adickes, Erich: Kants Ansichten über Geschichte und Bau der Erde, wie Anm. 26, S. 267 Anm.

versums ... mit kühnem Fluge geschwungen« haben sollen,[50] was für Lambert falsch, für Bode übertrieben ist. Gelegentlich wird der wesentliche Fortschritt herausgehoben, den Kant gegenüber seinen spekulativen Vorgängern brachte, den Link so sah: »Worauf es eigentlich bei dieser Untersuchung ankommt, hat zuerst Kant dargetan, nämlich nicht aus einer zufälligen Begebenheit die Bildung des Ganzen herzuleiten, sondern aus dem ursprünglichen Zustande der Materie und ihren eigentümlichen Kräften.«[51] Reimarus, der kurz auf Kant verwies, schöpfte seine Kenntnisse nur aus Kants Schrift »Über die Vulkane im Monde«, während er die ANTH wohl nicht kannte.[52]

Natürlich muß bei der Bewertung dieser Erwähnungen berücksichtigt werden, daß die Kosmogonie nur in einzelnen Aspekten auf die Geogonie anwendbar ist und die Geologie sich in dieser Beziehung kaum auf umfangreichere Vorarbeiten der Astronomie stützen konnte. Darin, daß Kant in der Regel im Zusammenhang mit den verschiedenen geogenetischen Spekulationen genannt wird, zeigt sich das weitgehende Unverständnis, auf das die ANTH in dieser Zeit auch in der Geogonie stieß. Offensichtlich war der Versuch, die Prozesse der Erdgeschichte in den umfassenden kosmischen Entwicklungsprozeß einzubetten, verfrüht. Weiterhin ist von Interesse, daß in vielen geologi-

---

49 Fabri, J. E.: Handbuch der neuesten Geographie für Akademien, Gymnasien und für anderweitige Freunde dieser Wissenschaft, Erster Theil, 8. Aufl. Halle 1803; Schubert, Gottfried Heinrich: Handbuch der Naturgeschichte, Teil 2: Handbuch der Geognosie und Bergbaukunde. Nürnberg 1813

50 Gaspari, A. C.: Vollständiges Handbuch der neuesten Erdbeschreibung, Band I. Weimar 1797, S. 388; Gaspari, A. C. [u.a.]: Dass., Weimar 1819, S. 353f.

51 Link, H.: Handbuch der physikalischen Erdbeschreibung, 1. Theil. Berlin 1826, S. 76f.

52 Reimarus, J. A. H.: Über die Bildung des Erdballs und ins Besondere über das Lehrgebäude des Herrn de Luc. Hamburg 1802, S. 16; vgl. Ders. an Immanuel Kant. Brief vom 10. August 1802. In: Kant's gesammelte Schriften, Band XII. Berlin; Leipzig 1922, S. 345

schen Schriften, zwar die spekulativen Hypothesen von Burnet, Whiston u.a. besprochen werden, Kant aber keine Erwähnung findet.

8. Erste positive Aufnahme in der Astronomie: Bode, Schroeter, Lichtenberg

Der erste bedeutende Popularisator der Kantschen Kosmogonie war Johann Elert Bode. In der 2. Auflage der »Anleitung zur Kenntnis des gestirnten Himmels« (1772) äußerte er einige Gedanken über die Entwicklung im Kosmos, die stark an Kant erinnern: »Ist der göttliche Plan zur Bildung neuer Welten erschöpft? ... Nein! Wenn wir der Gottheit würdige Gedanken hievon, obwohl nur schwach, hegen wollen, so müssen wir gestehen, daß die Schöpfungskraft des Unendlichen noch nicht aufgehört, daß noch jetzt und an der äußersten Grenze der Schöpfung neue Sonnen mit ihren Sphären, aus seiner Hand gebildet, ihr Dasein erhalten können.«[53] In der folgenden Auflage schreibt Bode im Anschluß an einen Hinweis auf Lamberts »Kosmologische Briefe«, daß »alle Kenner und Bewunderer der großen Welt des Schöpfers die vortreffliche Schrift des Herrn Prof. Kant in Königsberg ... mit wahrem Vergnügen« lesen werden.[54] Für die Kosmogonie wurde in den folgenden Auflagen nichts Neues geboten. Die Rezeption der Kantschen Kosmogonie blieb widersprüchlich. Teilweise kam Bode den Kantschen Gedanken recht nahe, z.B. in der Anerkennung der Entwicklung im Kosmos überhaupt, in der Annahme des fortlaufenden Entstehens und Vergehens von Welten u.a. Doch finden sich in wichtigen Punkten Differenzen. Die Wirkung mechanischer

---

53 Bode, Johann Elert: Deutliche Anleitung zur Kenntnis des gestirnten Himmels, 2. Aufl. Hamburg 1772, S. 498

54 Bode, Johann Elert: Anleitung zur Kenntniß des gestirnten Himmels, 4. Aufl. Berlin; Leipzig 1778, S. 659 Anm.

Gesetze erscheint bei Bode durch den unmittelbaren Eingriff Gottes eingeschränkt, ganz im Gegensatz zu Kant: »Auf der anderen Seite können, durch den freien Willen des Weltherrschers, dessen Ratschlüsse unser endlicher Verstand nicht einsieht, Sonnen verlöschen, und ganze Weltordnungen zu Trümmern gehen, um den Stoff zu neuen Welten herzugeben.«[55]

Eine deutlichere Position für den Entwicklungsgedanken unter Nennung der ANTH bezog Bode in den Anmerkungen zur deutschen Ausgabe der »Dialoge über die Mehrheit der Welten« von Fontenelle. Auch hier legte er besonderen Wert auf den »unvermeidlichen Hang, den ein jegliches zur Vollkommenheit gelangtes Weltsystem nach und nach zu seinem Untergange hat ..., daß die Natur dagegen in andern Gegenden an Hervorbringung neuer Welten fruchtbar sein werde, um den Mangel wieder zu ersetzen«.[56] Es ist bemerkenswert, daß Bode die Entwicklung möglichst weit in den Raum hinausschob. Die Sonne z.B. war für ihn unveränderlich. Sie sei kein richtiges Feuer, weil ein solches Nahrung brauche und sich verändern müsse. Da das aber nicht der Fall ist, muß die Sonne eine »feuerlose elektrische Kugel« sein.[57]

Bode hat viel zur Bekanntmachung der Kantschen Kosmogonie beigetragen, er akzeptierte sie in großen Teilen, auch wenn er sie nicht weiterentwickelte und er einige Vorbehalte hatte. Diese Tätigkeit wurde offensichtlich positiv vermerkt. In diesem Sinne ist es ein interessantes Detail, daß F. Nicolovius, einer von Kants Verlegern, Bode als Herausgeber einer neuen ANTH-Ausgabe in Vorschlag brachte,[58] ein Plan, den Kant wohl nicht ins Auge faßte, dagegen aber Bode als Herausgeber der Her-

---

55 Bode, Johann Elert: Anleitung zur Kenntnis des gestirnten Himmels, 7. Aufl. Berlin 1801, S. 624

56 Fontenelle, Bernhard von: Dialoge über die Mehrheit der Welten, mit Anm. von Johann Elert Bode. Berlin 1780, S. 318

57 Bode, Johann Elert: Anleitung zur Kenntnis des gestirnten Himmels, 1801 (wie Anm. 55), S. 567f.

58 Nicolovius, Friedrich an Immanuel Kant. Brief vom 9. September 1789. In: Kants gesammelte Schriften, Band XI, wie Anm. 31, S. 87f.

schelschen Werke zu gewinnen suchte.[59] Es mag in einem unmittelbaren Zusammenhang stehen, daß, nachdem beide Pläne scheiterten, Kant Gensichen mit der Herausgabe sowohl einiger Aufsätze Herschels als auch eines Auszuges aus der ANTH beauftragte.

Kant hat die kosmologisch-kosmogonischen Arbeiten Herschels mit Interesse verfolgt, was verständlich ist, da Herschel für wichtige Hypothesen Kants empirische Argumente fand. Als Produkt dessen entstand 1791 die Übersetzung von Herschels Arbeiten,[60] durch deren Anhang nachdrücklich auf die Priorität Kants in den betreffenden Punkten aufmerksam gemacht wurde. In diesem Sinne klingt es auch im Brief Kants an Bode vom 2. September 1790: »Auch trifft die Vorstellungsart des Herrn Herschels in Ansehung der Nebelsterne, als Systeme an sich und auch in einem System untereinander, mit derjenigen, welche ich a. a. O. S. 14, 15 [die ANTH von 1755 – J. H.] damals vortrug, sehr erwünscht zusammen, und es muß ein Gedächtnißfehler des seel. Erxleben seyn, daß er in seiner Physik diesen Gedanken den seel. Lambert zuschreibt, der ihn zuerst gehabt haben soll, da seine kosmologischen Briefe 6 Jahr später als jene meine Schrift herauskamen, und ich auch in diese jene Vorstellungsart bei allem Suchen gar nicht antreffen kann.«[61]

Zu den wenigstens bedingten Anhängern Kants ist J. H. Schroeter zu zählen, wenn auch in dieser Frage noch einiges offen ist. Einem Brief an Lichtenberg vom 18. August 1795 legte Schroeter die Abschrift einer Rezension seiner Anschauungen über den Planeten Saturn bei, deren Autorschaft bisher unbe-

59 Bode, Johann Elert an Immanuel Kant, Brief vom 9. September 1790. In: Ebd., S. 204f.; Kant, Immanuel an Johann Elert Bode. Brief vom 2. September 1790. In: Ebd., S. 203f.

60 wie Anm. 30

61 Kant, Immanuel an Johann Elert Bode. Brief vom 2. September 1790. In: Kant's gesammelte Schriften, Band XI, wie Anm. 31, S. 203f. sowie Astronomisches Jahrbuch für das Jahr 1794. Berlin 1791, S. 257f.; gemeint sind Erxlebens »Anfangsgründe der Naturlehre« (vgl. Anm. 66)

kannt geblieben ist, und die auch wohl nicht im Druck erschien. Der diesem Schreiben beigelegte Aufsatz ist eine kritische Würdigung Schroeterscher Ansichten zu Planeten, insbesondere des Saturns. Ausgehend von Kants ANTH stellte Schroeter dessen Ansichten über die Entstehung des Saturnringes dar, heißt es in der Rezension. Im Jahre 1808 schrieb er zu diesem Problem: »Als sich die Saturnkugel, so wie die übrigen Planetenkugeln, aus der zunächst um sie gewesenen chaotischen Materie zusammengeballt hatte, und in ihre jetzige Lage kam, wo sie sich nach dem Verhältnis der Centripetal- und Centrifugalkräfte rotirend um die Sonne zu bewegen anfieng, ballte sich in einer entferntern Region der Saturnskugel und zwar in allen Puncten ihres Umkreises, aus der dort vorhandenen chaotischen Materie eine unzälbare Menge chaotischer Klumpen, natürlich von verschiedenen größern und kleinern Durchmessern zusammen, welche sämmtlich von der Saturnskugel und natürlich von deren Mittelpuncte aus, in der Richtung ihres größten Durchmessers und rotirenden Umkreises mithin in der Ebene ihres Aequators, angezogen wurden, und von allen Puncten des Umkreises gegen den Aequator der Saturnskugel hinströmten. ... bis dann endlich die zuletzt hinzuströhmende und sich dazwischen drängende Körper gleichsam die Schlußsteine eines festen Ringgewölbes ausmachten, welches natürlich nicht rotiren konnte.«[62] Das entspricht zwar dem Geiste der Nebularhypothese, doch inhaltlich nicht direkt der Kantschen Darstellung in der ANTH.[63]

Für Lichtenberg, nach dessen Meinung Kant »das wahre System der Welt« geliefert habe,[64] ist nachweisbar, daß er vor

62 Schroeter, Johann Hieronymus: Kronographische Fragmente zur genauern Kenntniß des Planeten Saturn, seines Ringes und seiner Trabanten. Göttingen 1808, S. 241–243

63 Dies mit Verweis auf Kants Schrift »Über die Vulkane im Monde« (wie Anm. 25) in Schroeter, J. H.: Selenotopographische Fragmente, Erster Band. Göttingen 1791, S. 12 u. 638

64 Lichtenberg, Georg Christoph an Immanuel Kant. Brief vom 30.10.1791. In: Lichtenbergs Briefe. Hrsg. von H. Leitz und C. Schüddekopf, 3. Band. Leipzig 1904, S. 36

1777 keine genauere Kenntnis der ANTH hatte, wie sein Brief vom 11. Februar 1777 bezeugt, in dem er schreibt: »In den hiesigen Buchläden und Bibliotheken kann ich eine Schrift des Herrn Kant in Königsberg, die vom Weltgebäude handelt, wovon ich aber den eigentlichen Titul vergessen habe, nicht finden ... Das Buch über die Existenz Gottes, worin viele Astronomie vorkommt, ist es nicht, sondern ein eigenes Tracktätchen.«[65] Er verfolgte die zeitgenössischen Forschungen zur Kosmogonie von Herschel mit großem Interesse und nahm in klarer Weise Stellung für die Versuche, die Entstehung der Himmelskörper dem forschenden Geist zugänglich zu machen. Dabei machte er jedoch auch keinen Hehl aus seiner Abneigung gegen spekulative Kosmogonien, die er, wo er nur konnte, verspottete, wobei er vielleicht zeitweise durch die Vielfalt dieser Spekulationen ein wenig pessimistisch wurde: »Hier sind also Theorien genug: wer noch keine darunter wählen mag, der thut vielleicht am besten, wenn er gar nicht von den Naturforschern zu lernen verlangt, wie die Erde und die Welt geschaffen sind.«[66]

In den von Lichtenberg ab 1787 bearbeiteten Erxlebenschen »Anfangsgründen der Naturlehre« wies er zustimmend auf die Vorstellungen von Wright, Kant, Herschel und Lambert von der Struktur der Milchstraße hin. Dasselbe ist in kaum veränderter Form in der 5. Auflage 1791 zu finden, während in der 6. Auflage 1794 Kants Verdienste gegenüber Lambert und Herschel deutlicher hervorgehoben werden. Am ausführlichsten wurde Lichtenberg in der »Fortsetzung der Betrachtungen über das Weltgebäude«, wo er unter Berufung auf Kant (nicht nach der ANTH, sondern »Über die Vulkane im Monde«) eine Kosmogonie entwarf, die in den Grundlagen auf Kant aufbaut, wenn auch in manchen Details abweichend. In gewissem Sinne als Zusam-

---

65 Lichtenberg, Georg Christoph an Johann Andreas Schernhagen. Brief vom 11.2.1777. In: Ebd., 1. Band. Leipzig 1901, S. 277

66 Erxleben, J. C. P.: Anfangsgründe der Naturlehre. Hrsg. von Georg Christoph Lichtenberg, 4. Aufl. Göttingen 1787, S. 696

menfassung schrieb Lichtenberg: »Alles ballt sich in der Welt. Denke ich mir nun alle Materie, durch den unermeßlichen Raum einen Augenblick hindurch gleichförmig zerstreut, mit allen den Kräften begabt, die wir beobachten, aber nicht erklären können: was wird geschehen? die Benachbarten werden gegeneinander getrieben werden. Nicht ganz auf einerley Weise; denn alsdann würde entweder ein Gleichgewicht erfolgen, oder ein demselben nahekommendes langsames Zusammenfallen in einen Klumpen.«[67] Noch mehr Aufmerksamkeit als Kant widmete Lichtenberg den Herschelschen Forschungen zu Kosmogonie und Kosmologie. Durch seine verschiedenen Aufsätze im »Göttinger Taschenbuch« dürfte er der erste gewesen sein, der diese bahnbrechenden Forschungsergebnisse einem breiteren Publikum nahe brachte.

9. Die Aufnahme der Kosmogonie von W. Herschel in der zeitgenössischen Wissenschaft

In die erste Periode der Wirkungsgeschichte fiel die Ausbildung der Kosmogonien von Herschel und Laplace. Zur Erklärung der Wirkung der ANTH dürfte es von Interesse sein, hier einen Vergleich anzustellen. Herschel hatte seine Abhandlungen in den »Philosophical Transactions« veröffentlicht,[68] das zu dieser Zeit wohl am weitesten verbreitete naturwissenschaftliche Journal. Hinzu kommen z.B. die deutschsprachigen Sammlungen von 1791 mit dem ANTH-Auszug, 1826 der erste Band von

---

67 Lichtenberg, Georg Christoph: Vermischte Schriften, wie Anm. 2, S. 354f.

68 Friedrich W. Herschel. Über den Bau des Himmels. Abhandlungen über die Struktur des Universums und die Entwicklung der Himmelskörper. Hrsg. von Jürgen Hamel. Thun; Frankfurt a. M. 2001 (Ostwalds Klassiker der exakten Wissenschaften; 288)

Herschels Schriften[69] sowie der Wiederabdruck einiger Aufsätze wie im »Astronomischen Jahrbuch« von Bode. Laplaces »Exposition«,[70] in mehreren Auflagen auch in deutscher Sprache erschienen, wurde bald zu einem Standardwerk der Astronomie. Für Verbreitung war gesorgt, so daß fast jeder Astronom Kenntnis der kosmogonischen Arbeiten beider gehabt haben konnte. Doch umgab man die Kosmogonie beider Autoren mit Stillschweigen oder stellte sie als leichte Übertreibung dar, die zwei genialen Männern verziehen werden müsse.

Diese Kennzeichnung der Situation trifft in gleichem Maße auf Kant, Herschel und Laplace zu. Die Wissenschaftler, die Herschel als einen der größten Astronomen aller Zeiten feierten, taten dies wegen seiner Entdeckung des Uranus, seiner Leistungen zur Stellarstatistik, zur Kosmologie – kaum jemand erwähnte seine Pionierrolle für die Kosmogonie. Gelpke, der seine Betrachtungen über das Weltgebäude unter ausdrücklicher Berücksichtigung der Entdeckungen Herschels verfaßte, verschwieg dessen kosmogonische Konzeption und lobte statt dessen Herschels Sonnentheorie, weil sie die Vorstellung der Inkorruptibilität des Himmels stützt.[71]

Eine kurze Skizze der Herschelschen astronomischen Entwicklungstheorie mit Verweisen auf Kants ANTH (nach der Auflage von 1798) gibt Pfaff, dessen Darstellung aber zeigt, daß auch er, der Herausgeber und Kommentator der Teilsammlung

69 Herschel's sämtliche Schriften, 1. Band. Über den Bau des Himmels. Dresden; Leipzig 1826

70 Laplace, Pierre Simon de: Exposition du Systeme du Monde, Paris 1808. In: Die Kant-Laplace'sche Theorie. Hrsg. v. H. Schmidt. Leipzig 1925, S. 190–223

71 Gelpke, A. H. C.: Allgemeine Betrachtungen über das Weltgebäude und die neuesten Entdeckungen, welche vom Herrn Doktor Herschel und Herrn Justizrat Doktor Schroeter darin gemacht worden sind. 2. Aufl. Hannover 1806

von Herschels Werken von 1828, die Kosmogonie Herschels als von untergeordneter Bedeutung betrachtete.[72]

Viele Wissenschaftler, darunter die bedeutendsten ihrer Zeit, bemühten sich, Herschels Kosmogonie abzuwerten, wenn sie sich überhaupt zu einer Stellungnahme verpflichtet fühlten. So Bessel 1843: »Es ist übrigens nur zu erwarten, daß die ferne Welt der Nebelgebilde, welche sich selbst dem verstärktesten Sehen in unverständlicher Verkleinerung zeigt; ... daß diese Welt weiten Spielraum der Erklärung übrig läßt. Die Erklärung, die nie etwas Anderes ist, als die Verknüpfung mehrerer Wahrnehmungen durch wenigere Regeln, bleibt desto entfernter von der Grenze, wo ihre Richtigkeit überzeugend wird, je weniger vollständig die Wahrnehmungen sind, die sie zu verknüpfen hat.« Nicht, »daß Gedanken sich kühn bewegen, sondern daß sie sich mäßigen, ist des Preises wert«.[73]

Das klingt ganz ähnlich den Einwänden, die Olbers gegen Herschel und implizit gegen Kant und Laplace hervorbrachte: »Aber ist denn diese Idee auch gegründet oder erwiesen? Nein, keineswegs. Wenn wir Herscheln auch alles zugeben, so folgt aus seinen Beobachtungen an sich weiter nichts, als es gibt Nebelsterne, es gibt Fixsternsysteme worinn die Sonnen unter sich viel näher beyeinander stehn als in anderen. Weiter hat er nichts beobachtet, alles Übrige ist nur Schlusz, und wie ich glaube, etwas übereilter, gewagter Schlusz aus seinen Beobachtungen. Eben die Abwechselung, die auch die Natur hier im kleinen auf unserer Erde zu lieben scheint, wird auch im groszen am Himmel herrschen, und wir dürfen uns also nicht wundern wenn nicht alle Fixsternsysteme nach einem Modell, nach einem Maasstab gebildet scheinen. Was übrigens Hr. Herschel zur Bestätigung seiner Meinung ... anführt, ... zeigt vielleicht nur,

---

72 Pfaff, J. W.: Herschels Entdeckungen in der Astronomie und den ihr verwandten Wissenschaften. Stuttgart; Tübingen 1828

73 Bessel, F. W.: Abhandlungen, Band 3. Leipzig 1876, S. 474, 478

dasz dieser in anderer Absicht so grosze und verdiente Mann mit den theoretischen Theilen der Sternkunde weniger vertraut sei.«[74] Diese Einwände sind von den Grundlagen her nicht astronomischer, sondern philosophisch-methodologischer und weltanschaulicher Art.

Mädler versuchte 1846 in der »Populären Astronomie« seinen Lesern zu zeigen, daß Herschel seine eigenen Vorstellungen zur Kosmogonie nicht ganz ernst nahm: »Der berühmte Urheber dieser Ansicht war weit entfernt, sie in der Form eines abgeschlossenen Systems vorzutragen; er war ein viel zu gründlicher Selbstforscher, um mit den anmasslichen Weltbaumeistern, die besonders in den letzten Decennien so zahlreich aufgestanden sind und deren jeder einzelne sich hoch über Newton stellt das Allermindeste gemein zu haben. Auch hat er selbst seine Ansichten später mannichfach modificirt.« Wenn auch Mädler hier nicht den Arbeiten Herschels und Kants zu folgen vermochte, so griff er andererseits das Problem in Bezug auf die Entstehung des Mondes auf. Mädler war der Meinung, daß die Erscheinung der gebundenen Rotation des Mondes »von der höchsten Wichtigkeit für eine künftige Geschichte der Entstehung des Sonnensystems« sei, denn: »Als Erde und Mond sich aus dem formlosen Chaos zu bilden anfingen, fügten sich die einzelnen Weltatome nicht völlig concentrisch um den anfänglichen Mittelpunkt des Mondes, sondern nach der Seite der Erde zu in etwas stärkerem Maasse als nach der entgegengesetzten. Diese Seite ward mithin die schwerere ...«.[75] Obwohl Mädler zeit seines Lebens grundsätzlich und ausdrücklich gegen die Kant-Laplacesche Kosmogonie Stellung nahm und noch in seiner »Geschichte der Himmelskunde«[76] kein Wort der Würdigung fand, benutzte er im Falle der Entstehung des Mondes und

74 Olbers, Wilhelm: Ist das ganze Weltsystem nur einer bestimmten Dauer fähig? Mit einer Einführung von S. L. Jaki. In: Nachrichten der Olbers-Gesellschaft, Nr. 79. Bremen 1970, S. 17

75 Mädler, Johann Heinrich v.: Populäre Astronomie, 2. Aufl. Berlin 1846, S. 418 bzw. S. 161

der Erde nicht nur deren Grundgedanken, sondern lehnte sich sogar verbal an Kant an. Doch wenn auch diese Worte von 1846 bis in die 6. Auflage der »Populären Astronomie« 1867 hinein zu finden waren, sind sie doch im Vergleich zu anderen Wertungen Mädlers nicht typisch und ändern wenig an der Charakteristik seiner Ablehnung des astronomischen Entwicklungsgedankens.

Die Argumentationsweise der angeblichen Abwertung der Kosmogonie durch Herschel und Laplace selbst setzte sich noch bis zum Ende des 19. Jahrhunderts fort. So stellte Braun 1892 mit tadelnden Worten fest: »Aber sofort greift diese Theorie [die Kosmogonie – J. H.] herüber in das Gebiet der Religion ...; ihre Bedeutung, ihr Zweck und Ziel, ihre Wirkung und Bewertung ist keine andre als die, die Entstehung der Welt natürlich zu erklären, eine Schöpfung durch Gott als überflüssig und tatsächlich nicht geschehen nachzuweisen, mit einem Wort, den ganzen 1. Glaubensartikel umzustoßen«.[77] So war es für ihn, der die Theologie entgegen aller naturwissenschaftlichen Erkenntnis behaupten wollte, eine offensichtliche Versicherung, daß die Kosmogonie »bei Laplace nur der Ausdruck eines gelegentlichen Gedankens gewesen zu sein scheint; denn er ist später nie wieder darauf zurückgekommen ... Es soll ... das einzige Mal gewesen sein, daß dieser berühmte Mathematiker das Feld der analytischen Forschung verließ und auf ein Gebiet überging, das vordem so vielfach der Tummelplatz phantastischer Gebilde war«.[78] Daß Laplace in allen Auflagen der berühmten »Exposition« eine immer weiter durchdachte Kosmogonie unterbreitete, wurde nicht beachtet bzw. Kants und dessen Vorstellungen wurden in einer Form verändert, von der Adickes schrieb, »es heißt

76 Mädler, Johann Heinrich v.: Geschichte der Himmelskunde, 2. Band. Braunschweig 1873

77 Braun, G.: Die Kant-Laplacesche Weltbildungstheorie. In: Neue kirchliche Zeitung 3 (1892), S. 672

78 Ebd., S. 672 und Ders.: Über Kosmogonie vom Standpunkt christlicher Wissenschaft nebst einer Theorie der Sonne mit einigen darauf bezüglichen philosophischen Betrachtungen. Münster 1895

auf jeden Fall nicht das Ungenügende an Kants Ableitung verbessern, wenn man ... Gott auch noch die Bewegung selbst hervorbringen läßt und damit noch mehr als Kant auf sein unmittelbares Eingreifen zurückführt«.[79]

Die astronomische Tatsache der zeitlich bedingten Nichtbeweisbarkeit des Entwicklungsgedankens paarte sich mit der philosophischen Überzeugung, die Himmelskörper könnten sich nicht in Entwicklung, ja kaum in Veränderung befinden, im Gegensatz zur Erde, deren Veränderung und Entwicklung zu dieser Zeit kaum jemand leugnen konnte. Außerdem mußte auch der Nachweis von Lagrange und Laplace, daß das Sonnensystem stabil ist und sich die gegenseitigen Störungen der Planeten in langen Perioden ausgleichen und nicht zu irreversiblen Folgen, zum Zusammenbruch des Systems führen, die Anti-Evolutionisten in ihrer Meinung bestärken.

Nun hegten aber einige Astronomen, die dem wissenschaftlichen astronomischen Entwicklungsgedanken ablehnend gegenüberstanden, in ihrer Privatsphäre kosmogonische Gedanken. So schrieb Gauß an Schumacher: »Im allgemeinen würde ich gegen dergleichen Phantasiespiele nachsichtig sein, und ihnen nur die Aufnahme in die wissenschaftliche Astronomie, die einen ganz andern Charakter haben muß, nicht einräumen. Gehören doch auch Laplace's Cosmogenische Hypothesen in jene Classe. Ja, ich läugne nicht, daß ich mich zuweilen auf ähnliche Art amusire, nur würde ich dergleichen nie publiciren. Es gehören dahin z.B. meine Gedanken über die Bewohner der Himmelskörper.«[80]

Unter ähnlichen Vorbehalten widmete sich auch Newton kosmogonischen Gedanken, die er in einem Gespräch mit Conduit am 7. März 1724 äußerte und das letzterer so schildert: »Daß es seine Mutmaßung wäre (er wollte nichts behaupten), daß es eine

79 Adickes, Erich: Kant als Naturforscher, wie Anm. 26, S. 307

80 Gauß, Carl Friedrich an Heinrich Christian Schumacher. Brief vom 7.11.1847. In: Briefwechsel zwischen C. F. Gauß und H. C. Schumacher, 5. Band. Altona 1863, S. 394

Art Revolution unter den Himmelskörpern gebe, daß die von der Sonne ausgehenden Dünste und Licht, welche, wie das Wasser, ihren Niederschlag haben, und andere Materien sich nach und nach in einen Körper gesammelt, von den Planeten mehr Materie angezogen und endlich einen untergeordneten Planeten gebildet hätten (nämlich einen von denen, die um einen andern Planeten laufen) und daß sie dann durch Anhäufung und Anziehung von mehr Materie zu einem Hauptplaneten wurden, und dann durch noch mehr Wachsen ein Comet entstände, welcher nach manchen Umläufen, dadurch daß er näher und näher zu der Sonne kommt, alle seine flüchtigen Teile verdichtet und eine Materie wurde, die fähig ist, die Sonne (welche durch die beständig von ihr ausgehende Wärme Licht und Verlust erleidet) zu ergänzen und zu erfüllen, wie ein Reisbund es mit diesem Feuer tun würde (wir saßen gerade bei einem Holzfeuer), und daß dieses wahrscheinlich früher oder später ein Effekt des Cometen von 1680 sein würde ... Ich fragte ihn, warum er nicht seine Mutmaßungen, als Mutmaßungen, bekannt machen wollte ... Seine Antwort war: ‚Ich setze keinen Wert auf Mutmaßungen.'«[81]

Während Kant noch in einigen geologischen Werken erwähnt und gewürdigt wurde, trifft dies für Herschel und Laplace nicht zu. Überhaupt zeigt sich, daß von den drei Autoren Laplace die geringste Würdigung fand, dagegen Kant mit seiner Kosmogonie noch recht häufig lobend erwähnt wurde. Das ist auf die jeweiligen Zeitumstände zurückzuführen, auf den Entwicklungsstand der Astronomie. In der Mitte des 18. Jahrhunderts war die Naturforschung noch weit enger mit der Philosophie verbunden, waren die Wissenschaften noch nicht so stark voneinander geschieden wie nach der Wende zum 19. Jahrhundert. Die Philosophie der zweiten Hälfte des 18. Jahrhunderts war infolge der gesellschaftlichen Veränderungen stark vom Gedanken der Evolution geprägt. Durch die noch weitgehende Einheit der Wissenschaften wirkten die Anfänge des Entwicklungsdenkens in

---

81 Brewster, David: Sir Isaak Newtons Leben nebst Darstellung seiner Entdeckungen. Leipzig 1833, S. 305f.

der Biologie und der Geologie stark auf die Astronomie. Hinzu kommt, daß die klassische Astronomie in der zweiten Hälfte des 18. Jahrhunderts ihre große Glanzperiode noch vor sich hatte. Dadurch war der Ausschließlichkeitsanspruch der klassischen Astronomie noch nicht so stark ausgeprägt. Betrachtungen über die Natur und die Entwicklung der Himmelskörper wurden deshalb noch eher zugelassen als zur Zeit Laplaces. Je größere Erfolge die Astronomie in der mathematischen Behandlung der Bewegung der Planeten und Kometen für sich verbuchen konnte, desto stärker wurde der Gedanke an die Möglichkeit der Untersuchung der Natur und der Entwicklung der Himmelskörper zurückgedrängt. Verstärkend wirkten einmal die tatsächlichen Schwierigkeiten solcher Untersuchungen, zum anderen das Fehlen einer auf die Naturwissenschaften befruchtend wirkenden Philosophie und die durch die sich verstärkende Trennung der einzelnen Wissenschaften voneinander fehlenden Anregungen von außen. Deshalb verhielten sich die meisten Astronomen gegenüber dem Entwicklungsgedanken gleichgültig oder negativ.

10. Die Popularisierung der Kosmogonie: Littrow, Arago, Humboldt

Seit den 40er Jahren des 19. Jahrhunderts wurde das kosmogonische Denken nach und nach von neuem etabliert. In dieser Zeit gab es die ersten Ansätze zur Weiterentwicklung der Kosmogonie Kants und weitere Versuche zu einer exakten Beweisführung, aber vorrangig in populären Schriften, nicht in astronomischen Lehrbüchern oder Kompendien. Zunächst war der Rückgriff auf Kant rein rezeptiv.

Wichtig für die allgemeine Verbreitung des Entwicklungsgedankens wurden neben den Werken von Arago Humboldts »Kosmos« und Littrows »Wunder des Himmels«. Im 2. und 3. Band der 1. Auflage geht Littrow auf die Frage nach der Entwicklung der Himmelskörper ein, ohne Kant oder Herschel zu nennen. Hier wie auch in weiteren Auflagen bespricht Littrow die geläufigsten kosmogonischen Hypothesen seiner Zeit. Dabei hat er für Burnet, Woodward und Whiston nur Spott übrig, während er Buffon zum »Plinius unserer Zeit« erhebt. Zwar anerkennt Littrow die Priorität Kants gegenüber Laplace, so daß »die Nachwelt diese Entdeckung, wenn sie sich bewährt, mit Recht nach seinem Namen nennen wird«, doch ist dies nur ein kurzer Hinweis, denn nicht Kants, sondern Laplaces Kosmogonie wird ausführlich dargestellt.[82] Sicher stand ihm der Astronom Laplace näher als der Philosoph Kant. Den Gesetzen der Natur, die im gesamten Weltall wirken, und die das allgemeine Entstehen und Vergehen bewirken, kann auch die Erde und das Sonnensystem nicht entrinnen, so meinte Littrow. Die Erscheinungen der Novae geben uns eine Vorstellung vom eigenen Schicksal. »Welch ein Schauspiel, eine brennende Welt, die mit allen ihren, von unzähligen Geschöpfen bewohnten Planeten und Kometen in Asche zerfällt.«[83] Die Frage nach der Natur der Nebel läßt Littrow offen. Wahrscheinlich sind die meisten Nebel auflösbar, »doch mögen auch viele unter diesen wundervollen Wesen des Himmels seyn, welche nicht mehr aus eigentlichen Sternen zusammengesetzt sind«.[84] »Es wird uns wohl immer unmöglich sein, die Entstehung und die Bestimmung dieser wundervollen Körper des Himmels zu ergründen. Aber man kann sich, schon auf dem ersten Anblicke derselben, der Vermutung kaum entziehen, daß sie auf verschiedenen Stufen ihres Wachstums und ihrer Ausbildung stehen.«[85]

---

82 Brewster, David: Sir Isaak Newtons Leben nebst Darstellung seiner Entdeckungen. Leipzig 1833, S. 631 bzw. S. 636–640

83 Littrow, Josef Johann: Vorlesungen über Astronomie, Zweyter Theil. Wien 1830, S. 146

84 Littrow, Josef Johann: Die Wunder des Himmels, oder gemeinfaßliche Darstellung des Weltsystems, 3 Bände. Stuttgart 1834–1836, 2. Band 1835, S. 494

85 Dass., S. 505 sowie 1. Auflage, 1834–1836, Bd. 2, S. 387

Hier liegt dieselbe Problemlage vor, der auch Humboldt gegenübersteht. Von der ganzen Anlage seines Denkens begrüßte Humboldt die Forschungen zum astronomischen Entwicklungsgedanken, die er aufmerksam verfolgte. Doch Humboldts Anerkennung ist differenziert. Gegenüber Kant standen ihm die Ergebnisse der fast 100jährigen astronomischen Forschung zur Verfügung, die wichtige Erkenntnisse brachte, welche jedoch nicht ausschließlich für Kant sprachen.[86] »Die genetische Entwickelung, die perpetuirliche Fortbildung, in welcher dieser Theil der Himmelsräume [die Nebelflecke – J. H.] begriffen scheint, hat denkende Beobachter auf die Analogie organischer Erscheinungen geleitet ... Der Proceß der Verdichtung, den Anaximenes und die ganze ionische Schule lehrte, scheint hier gleichsam unter unsern Augen vorzugehen. Dieser Gegenstand des Forschens und Ahnens ist vorzugsweise anziehend für die Einbildungskraft. Was in den Kreisen des Lebens und aller inneren treibenden Kräfte des Weltalls so unaussprechlich fesselt, ist minder noch die Erkenntniß des Seins, als die des Werdens; sei dies Werden auch nur (denn vom eigentlichen Schaffen als einer Thathandlung, vom Entstehen, als ‚Anfang des Seins nach dem Nichtsein‘, haben wir weder Begriff noch Erfahrung) ein neuer Zustand des schon materiell Vorhandenen.«[87]

Durch zahlreiche Untersuchungen, besonders in den 30er bis 50er Jahren des 19. Jahrhunderts, die in erster Linie durch stark verbesserte Teleskope möglich waren (besonders W. Pearsons Earl of Rosse), wurde der Überlegung, ob nicht alle »Nebelflecke« in Sterne auflösbar seien, neue Nahrung gegeben. So drohte nach der Meinung vieler Astronomen der Kantschen Kos-

86 Hamel, Jürgen: Wandlungen im Naturgemälde. Humboldts Rezeption des astronomischen Entwicklungsgedankens. In: Alexander von Humboldt in Berlin. Sein Einfluß auf die Entwicklung der Wissenschaften. Hrsg. von Jürgen Hamel, Eberhard Knobloch und Herbert Pieper. München 2003 (Algorismus; 41), S. 71–88

87 Humboldt, Alexander v.: Kosmos. Entwurf einer physischen Weltbeschreibung, 1. Band. Stuttgart 1845, S. 86f.

mogonie der Entzug ihrer ohnedies unzureichenden empirischen Basis. »Alles, was, in dem langen Schwanken der Meinungen, auf den verschiedenen Entwickelungsstufen kosmischer Anschauung zur Sprache gekommen war, wurde nun in dem Streit über die Nebel-Hypothese und die behauptete Nothwendigkeit sie gänzlich aufzugeben, der Gegenstand lebhafter Discussionen.«[88] Auch die Stützung, die Kants Hypothese durch Herschels Arbeiten erfuhr, drohte sich als eine scheinbare zu erweisen. Man muß es wohl Humboldts Geisteshaltung zurechnen, daß er unter diesen Bedingungen den Gedanken der Kosmogonie nicht ganz fallen ließ, im Gegensatz zu manch anderen Astronomen, die in den Entdeckungen des Earl of Rosse die definitive Widerlegung einer jeden Kosmogonie sahen. Die Vorsicht im Urteil Humboldts ist gerechtfertigt und seine Worte: »Mögen jene wohlbegrenzten Nebelflecke eine selbstleuchtende dunstartige Materie, oder ferne, eng zusammengedrängte, rundliche Sternhaufen sein: immer bleiben sie für die Kenntniß der Anordnung des Weltgebäudes, dessen, was die Himmelsräume ausfüllt, von großer Wichtigkeit«[89] spiegeln die Widersprüchlichkeit der Situation wider, die erst mit der astronomischen Interpretation der Arbeiten zur mechanischen Wärmetheorie zugunsten Kants verschoben und durch die Astrophysik aufgehoben wurde.

In den Werken Aragos ist durchgehend ein stärkerer Bezug auf Laplace und Herschel als auf Kant zu finden. Doch war ihm die ANTH nicht unbekannt. Er zitierte Kants Konzeption der Milchstraße im Zusammenhang mit der »historisch-kritischen Analyse des Lebens und der Arbeiten Sir William Herschels«. Hier anerkannte er nicht nur die Priorität Kants gegenüber Lambert und Herschel, sondern drückte seine Verwunderung darüber aus, daß sie nicht der Schrift Kants gedenken.[90] Das bleibt aber

88 Dass.
89 Ebd., S. 311f.
90 Arago, Franz: Unterhaltungen aus dem Gebiete der Naturkunde, 6. Teil. Stuttgart 1841, S. 365

der einzige Hinweis auf Kant. Selbst in der umfänglichen und zustimmenden Würdigung der Laplaceschen Kosmogonie (1842) wird Kant nicht einmal erwähnt. Dagegen charakterisierte er hier Laplaces Ideen als die einzigen, »welche durch ihre Großartigkeit, ihre Folgerichtigkeit, ihren mathematischen Charakter sich wirklich zur Begründung einer physischen Kosmogonie eignen; sie sind die einzigen, welche in den Resultaten der neueren Untersuchungen der Astronomen über die Nebelflecken von jeder Größe und Gestalt, die den Himmel bedecken, eine mächtige Stütze finden«.[91] Insgesamt war Arago ein überzeugter Vertreter des astronomischen Entwicklungsgedankens, und das Wort dieses hervorragenden Gelehrten mußte einiges Gewicht haben und dementsprechend wirken.

11. Kants Kosmogonie in der romantischen Naturphilosophie

Wichtigste Vertreter der romantischen Naturphilosophie widmeten der Kosmogonie (wie auch der Geogonie) ihr Interesse. Eine Weiterentwicklung lieferten sie jedoch weder im Sinne der Astronomie noch der philosophischen Interpretation der Kosmogonie. Ganz im Gegenteil gelangten sie teilweise bedingt durch ihre philosophischen Anschauungen nicht zum wirklichen Verständnis der Dinge.

In direkter Beziehung auf Kant setzte Schelling den Ausgangspunkt seiner kosmogonischen Überlegungen in der »gegen die Pole hin abgeplatteten Gestalt der Erde«, die die Wissenschaft kaum zweifeln läßt, »daß die Erde erst allmählich aus flüssigem Zustande in festen übergegangen ist«.[92] Allerdings zitiert Schelling nur Kants »Über die Vulkane im Monde«. In analoger Betrachtung hätten wir das Recht, wie Schelling

91 Arago, Franz: Laplace. In: Franz Aragos sämtliche Werke, 3. Band. Leipzig 1855, S. 412

urteilte, diese Betrachtungsweise für die Bildung unseres Planetensystems zu generalisieren. Details werden kaum ausgeführt.

Andererseits, besonders bei Oken, zeigt sich die philosophische Unfähigkeit evolutionistischer Spekulationen für das Verständnis der wissenschaftlichen Kosmogonie. So schrieb dieser im Anschluß an eine Skizzierung kosmogonischer Gedanken, die an Kant erinnern: »Dieses ist die Genesis des Planetensystems, aber alles ist mit einem Schlage so geworden, und so geblieben, wie es geworden ist. Der Mond konnte nie als Bahnring um die Erde in der Zeit gestanden sein, sonst wäre er fest gewesen. Einmal fest, kann er aber nicht mehr zur Kugel zusammenrinnen.« Oder: »Ein Chaos hat nie existiert. Das Allgemeine existiert nie, sondern nur das Besondere. Von Ewigkeit her war das Chaos eine Vielheit von Ätherkugeln. Das Chaos ist nur heuristisch.«[93] Also ist die ganze Kosmogonie ein Hirngespinst: »Das Sonnensystem ist nicht mechanisch entstanden, sondern dynamisch, nicht durch Würfe aus der Hand Gottes, nicht durch Stöße und Verirrungen ist es so geworden, sondern durch Polarisierung nach ewigen Gesetzen, nach den Gesetzen des Lichts.« Ein weiterer Schritt hinter Kant zurück sind auch die Anklänge an die mittelalterliche Lichtmystik, die bei Oken durchgängig zu finden sind. Anstatt die Bildung der Himmelskörper nach den mechanischen Gesetzen, auf dem Widerstreit von Gravitation und Repulsion zu erklären, wird mit solchen Ausdrücken wie »Gerinnung des Äthers durch das Licht«[94] u.a. operiert, die durch das Fehlen näherer Bestimmungen zu sinnleeren Formeln werden. Astronomische Fachliteratur wird in der Regel kaum erwähnt, wie auch der Inhalt der Ausführungen nicht auf eine

92 Schelling, Friedrich Wilhelm Joseph: Ideen zu einer Philosophie der Natur als Einleitung in das Studium dieser Wissenschaft. In: Ders., Frühschriften, Band 1. Berlin 1971, S. 261

93 Oken, Lorenz: Lehrbuch der Naturphilosophie. Jena 1809, § 197; bzw. 3. Aufl. Zürich 1843, § 176

94 Dass., 1809, §§ 198, 225

eingehende Bekanntschaft mit dieser deutet – ganz im Gegenteil zu Kant.

Wenn auch, geistesgeschichtlich gesehen, der romantischen Naturphilosophie das Verdienst der Bewahrung der historischen Denkweise während einer Zeit zukommt, die der historischen Betrachtung der Natur abhold war und die methodische Handhabung einiger ihrer Prinzipien z.B. in der Physik durch Ritter, der aber, das darf nicht übersehen werden, philosophisch in vielem in Widerspruch zu den Grundlagen von Schellings Naturphilosophie stand, so ist doch ihre faktische historische Wirkung in der Geschichte der Kosmogonie eine ausgesprochen negative. Für viele Astronomen nämlich wurde Kosmogonie identisch mit der Kosmogonie der romantischen Naturphilosophie, ja sogar Philosophie identisch mit romantischer Naturphilosophie. Dadurch hatten es ernsthafte Versuche einer wissenschaftlichen Kosmogonie, bzw. einer heuristischen Handhabung der Philosophie in der Astronomie, besonders schwer sich durchzusetzen. Die Entwicklungslinie der wissenschaftlichen Kosmogonie ging an der romantischen Naturphilosophie vorüber.

Eine den Verhältnissen inadäquate Bewertung erfuhr die ANTH von Schopenhauer in dessen »Die Welt als Wille und Vorstellung« und »Parerga und Paralipomena«. Schon seine einleitenden Worte zum erstgenannten Werk, die Lehre vom Ursprung des Planetensystems wurde 1755 von Kant vorgetragen, »in seiner ‚Naturgeschichte und Theorie des Himmels', und vollkommener 1763 in seinem ‚Einzig möglichen Beweisgrund des Daseins Gottes', Kap. 7, woselbst er auch zu verstehen gibt, daß Lambert in seinen ‚Kosmologischen Briefen', 1761, seine Lehre stillschweigend von ihm entlehnt habe«, enthalten viele sachliche Fehler. Die Philosophie hinderte Schopenhauer daran, das wirklich Vorwärtsweisende bei Kant zu erkennen. Eigentlich komme ihr gar keine reale Bedeutung bei: »Denn es ist die Beschreibung von Erscheinungen, die als solche nie dagewesen sind: denn es sind räumliche, zeitliche und kausale Phänomene, welche als solche schlechterdings nur in der Vorstellung eines Gehirns existieren können, welches Raum, Zeit und Kausalität zu Formen seines Erkennens hat, folglich ohne ein solches unmöglich und nie dagewesen sind; daher jene Beschreibung bloß besagt, daß wenn damals ein Gehirn existiert hätte, alsdann besagte Vorgänge sich darin dargestellt haben würden.«[95]

12. Die Theorie der Sonne und der veränderlichen Sterne in ihren Beziehungen zur Kantschen Kosmogonie

Neben der weiteren Entwicklung des biologischen und geologischen Entwicklungsgedankens, die auf die Astronomie nicht ohne Einfluß bleiben konnte, war es vor allem die Weiterbildung der Sonnentheorie, die einen wichtigen Anstoß für ein Aufleben kosmogonischer Gedanken lieferte. Seit der zweiten Hälfte des 18. Jahrhunderts herrschte fast allgemein die sogenannte Photosphärentheorie der Sonne. Danach war die Sonne eigentlich ein dunkler und kalter Körper, wie auch die Planeten, der von einer Lichthülle umgeben ist. Die Wärme entsteht erst auf den von den kalten Sonnenstrahlen getroffenen Körpern durch dortige Reaktionen der Strahlen mit dem Boden oder mit bodennahen Luftschichten. Die Herkunft des Lichtes wurde durch eine Art Reibungselektrizität erklärt, wie dies z.B. Bode tut: »Nach der neuesten, höchst wahrscheinlich richtigern Meinung, ist die Sonne eine feuerlose elektrische Kugel, deren Licht, bei ihrer erstaunlichen Größe, durch ihren schnellen Umschwung hervorgebracht wird, und sich alsdann auf irgend eine Art durch alle Räume ihres weiten Gebiets wirksam zeigt.«[96] Zur weiten Verbreitung dieser Sonnentheorie trug besonders bei, daß durch sie

---

95 Schopenhauer, Arthur: Die Welt als Wille und Vorstellung, 2. Band. Leipzig 1844, S. 53, bzw. 2. Band, 2. Aufl. Berlin 1862, S. 150 Anm.

96 Bode, Johann Elert E.: Anleitung zur Kenntnis des gestirnten Himmels, 1801, wie Anm. 55, S. 568

die Vorstellung der Unveränderlichkeit des Himmels gesichert schien.

Aber davon abgesehen war kein physikalischer Mechanismus bekannt, durch den die Sonne als ein wirklich brennender Körper hätte dargestellt werden können. Einfache Überlegungen zeigten, daß dies mit der gesicherten Tatsache der relativen Konstanz der Sonnenstrahlung während einiger Jahrtausende hindurch nicht vereinbart werden konnte. Die Photosphärentheorie entsprach durchaus den zu dieser Zeit recht intensiven Forschungen zur Oberflächenbeschaffenheit der Sonne, und besonders nach der Entdeckung der verschiedenen Formen der Elektrizität und damit verbundenen Lichterscheinungen glaubte man die physikalischen Mechanismen der Lichtentstehung auf der Sonne gefunden zu haben. So ging wohl Zöllner zu weit, wenn er die Photosphärentheorie ohne zeitlichen Bezug als physikalische Unmöglichkeit darstellte.[97] Trotzdem wuchs aber seit den 30er Jahren die Unsicherheit in der Beurteilung der Photosphärentheorie. So schloß Littrow sich ihr zwar an, meinte aber, es »scheinen doch mehrere Gründe dafür zu sprechen, daß die Temperatur auf der Oberfläche der Sonne selbst ungemessen groß sein müsse«.[98]

Schwierig zu erklären blieb die Herkunft der Wärme der Sonnenstrahlen, die aus der Wechselwirkung mit dem Stoff der Erde entstehen sollte. Zweifellos hatte man wohl von Anfang an die widersprechende Analogie des Feuers vor Augen, und die Schwierigkeiten bedingten eine z.T. sehr interessante, mit ästhetischen Begründungen versetzte Argumentation: »Eine brennende, oder eine mit einer fließenden und glühenden Materie bedeckte Sonne, sind für mich gleich fürchterliche Bilder.« Und: »Auf dieser wohltätigen Quelle des Lichts und der Wärme kann ich mir keinen so allgemein grausenvollen Zustand gedenken;

---

97 Zöllner, Johann Carl Friedrich: Über die Natur der Cometen. Leipzig 1872, S. XI

98 Littrow, Josepj Johann: Die Wunder des Himmels, 2. Band, 1835, S. 36; Dass., 2. Aufl. Stuttgart 1842, S. 9ff.

gesetzt auch, daß Materien aller Arten vorrätig wären, das Sonnenfeuer viele Jahrtausende hindurch in gleicher Glut zu erhalten.«[99] Noch in der 7. Auflage der »Anleitung zur Kenntnis des gestirnten Himmels« verwies Bode auf diese Arbeit, und so beließ es auch Bremicker als Herausgeber der 11. Auflage von 1858.[100]

Daß sich auch überzeugte Anhänger des astronomischen Entwicklungsgedankens wie Arago und Humboldt[101] der Photosphärentheorie anschlossen (wie übrigens auch Herschel und Bode), macht die Widersprüchlichkeit in der Entwicklung der Astronomie deutlich, die sich im Beziehungsgefüge Beobachtung – Theorie zeigt. Streng genommen bedeutet diese Theorie einen logischen Bruch mit der Kant-Laplaceschen Theorie, da diese einen Zentralkörper mit gleicher chemischer Zusammensetzung wie die Planeten und von hoher Temperatur verlangt. So ist verständlich, daß Kant von einigen Vertretern der Photosphärentheorie wegen seiner Annahme einer glühend-brennenden Sonne kritisiert wurde.

Vielleicht wider Erwarten ist festzustellen, daß die veränderlichen Sterne in dieser Zeit nicht als Stütze der Entwicklungslehre benutzt wurden. Zur Erklärung dieser Erscheinung wurden fast durchweg andere Ursachen gesucht, die mit der Frage nach der Entwicklung dieser Sterne in keiner Beziehung standen. Das trifft nicht nur auf Kant selbst zu, sondern auch auf Arago und Humboldt. Arago war der Meinung, daß der Lichtwechsel der Veränderlichen »gleich gut« erklärt werden könne: 1. durch eine bestimmte Oberflächenbeschaffenheit des Sterns, 2. durch Umlauf eines dunklen Begleiters, 3. durch Ellipsenform des

---

99 Bode, Johann Elert: Gedanken über die Natur der Sonne und Entstehung ihrer Flekken. In: Beschäftigungen der Berlinischen Gesellschaft Naturforschender Freunde 2 (1776), S. 230–232

100 Bode, Johann Elert: Anleitung, 1801, wie Anm. 55, S. 568; Dass., 11. Aufl. Berlin 1858, S. 513

101 Arago, Franz: Unterhaltungen aus dem Gebiete der Naturkunde, 5. Teil. Stuttgart 1841, S. 202 u.a.; Humboldt, Alexander v.: Kosmos, wie Anm. 87, Band 3. Stuttgart; Tübingen 1850, S. 381f.

Sterns. Auch die Novae seien normale Veränderliche, lediglich für die Nova von 1572 gab es Hinweise, daß »auf dem neuen Sterne bedeutende physische Veränderungen vorgegangen« sind.[102]

Kant erklärte den Lichtwechsel der Veränderlichen mit der Bewegung dieser Sterne »um andere Fixsterne als Trabanten« in »sehr ablangen Kreisen« (S. 34). Doch solche Erklärungsversuche schienen auf Dauer nicht zu befriedigen. Mädler schloß aus, daß die »Neuen Sterne« einen »Weltuntergang« erleiden: »Schwer nur würde man sich entschließen, nach der im 16. Jahrhundert herrschenden Meinung in dem neuen Stern von 1572 eine im allgemeinen Feuer untergehende Welt zu erblicken, sondern eher geneigt sein, die ähnlichen Erscheinungen von 945 und 1260 als faktisch anzunehmen und in dieser periodischen Wiederkehr eine dort stattfindende Ordnung der Dinge zu suchen. Warum sollten auch alle Systeme nach dem Muster unsers Sonnensystems geformt sein, und warum sollten die Fixsterne, unter sich und mit der Sonne verglichen, eine geringere Verschiedenheit zeigen, als z.B. die Planeten Ceres mit Saturn?« Doch mußte er zugeben, daß diese Art Sterne »den Theoretiker in Verlegenheit setzen«[103]. Erwähnenswert ist, daß Littrow die Möglichkeit in Betracht zog, daß eine Nova ein Körper sei, der durch die gewaltige Anziehung seiner Masse das Licht an seiner Ausströmung hinderte, also dunkel sei und »durch irgend einen für ihn verderblichen Zufall in Brand gerieth, und sich auflöste«.[104] Doch auch hier ist das Veränderlichenstadium kein Produkt der gesetzmäßigen Entwicklung eines Sterns. Das Haupthindernis für die Anwendung des Entwicklungsgedankens auf die Sonne und die Veränderlichen schien zu dieser Zeit der Mangel an physikalischen Beobachtungen dieser Körper, besonders

---

102 Arago, Franz: Unterhaltungen, 6. Teil, wie Anm. 90, S. 283–285

103 Mädler, Johann Heinrich v.: Populäre Astronomie, 4. Aufl. Berlin 1849, S. 444f.; Dass., wie Anm. 75, S. 410

104 Littrow, Joseph Johann: Populäre Astronomie, 2. Theil, Erste Abtheilung. Wien 1825, S. 253

photometrischer, damit das Fehlen sicherer Kenntnisse über die Natur der Sterne zu sein.

13. Die Weiterentwicklung der Kosmogonie durch die mechanische Wärmetheorie

Der wohl bedeutendste Versuch der Weiterentwicklung der Kosmogonie nach Herschel, der auf die Beseitigung der Mängel in der Begründung kosmogonischer Konzeptionen gerichtet war, wurde nach Ausarbeitung der mechanischen Wärmetheorie vor allem von Mayer und Helmholtz (sowie von Thomson u.a.) unternommen. Die Entdeckung des Energieerhaltungssatzes mußte die Frage nach der Entwicklung der Himmelskörper der Wissenschaft geradezu aufdrängen. Zunächst entzündete sich die Diskussion an der Frage nach der Herkunft der Sonnenenergie, aufgeworfen von Mayer. Seine »Beiträge zur Dynamik des Himmels« (1848) waren »der erste Versuch einer kosmischen Physik auf Grund des Energieprinzipes«.[105] Mayer schloß sich in der Frage der Entwicklung der Himmelskörper wesentlich an die von Kant gegebene Lösung an, ohne diese zu erwähnen.[106] Bedenkt man, daß er relativ viel astronomische Literatur zitiert, muß angenommen werden, daß ihm die ANTH unbekannt war. Offensichtlich wußte er auch nicht um Kants Entdeckung der Hemmung der Erdrotation durch Ebbe und Flut. Erst in der späteren Arbeit »Über Erdbeben« (1870) kam Mayer darauf zu sprechen.[107] Eine von ihm eingeführte Neuerung besteht in der Erklärung des Ursprungs der Sonnenwärme durch Auftreffen von Kleinkörpern auf die Sonnenoberfläche, wodurch eine Energieumwandlung verursacht wird. Die bisherige Deutung, das

105 Mayer, Robert: Beiträge zur Dynamik des Himmels und andere Aufsätze. Hrsg. v. B. Hell. Leipzig 1927, Vorwort

106 Ebd., S. 10ff., 43

107 Ebd., S. 70–78

Licht entstehe aus dem raschen Umschwung, den die Sonne nehme, und aus ihrer Größe, scheide aus, da sich, wie Mayer einwand, ein Punkt am Sonnenäquator nur viermal schneller als ein solcher am Erdäquator bewegt.[108] Ebenso scheide die Reibung als Ursache aus, da nichts vorhanden sei, woran sich die Sonne reiben und der Bewegung der Sonne dauerhaft Widerstand leisten könne, bzw. dies trotzdem als gegeben vorausgesetzt, würde die Reibung die Energie der Sonne bald aufbrauchen. Nach Mayers Berechnungen wären für die Aufrechterhaltung der Sonnenwärme eine Masse von 100 000–200 000 Billionen kg notwendig, die pro Minute auf die Sonne stürzen. Die Schwierigkeit lag in der damit verbundenen Massenzunahme. Zwar glaubte Mayer, daß in den Strahlen der Sonne »ein Grund zu einer fortwährenden Massenverminderung dieses Fixsterns liege«,[109] doch wurde bald deutlich, daß die Ausstrahlung der Sonne nicht den Massenzuwachs kompensieren könne. Die daraus resultierende Zunahme der Sonnenmasse müßte, wie Helmholtz u.a. einwandten, zu einer Beschleunigung der Planetenbewegung führen, was nicht den Beobachtungen entsprach.[110] Helmholtz schloß seine kosmogonischen Überlegungen direkt bei Kant an und wie dieser an der Ordnung im Bau des Planetensystems. »Aus diesen zurückgebliebenen Andeutungen eines früheren Zustandes haben sich die Astronomen eine Hypothese über die Entstehung des Planetensystems gebildet, welche, obgleich der Natur der Sache nach immer eine Hypothese bleiben wird, doch in ihren einzelnen Zügen durch Analogien so wohl begründet ist, daß sie wohl unsere Aufmerksamkeit verdient ...«.[111]

---

108 Mayer, Robert: Beiträge zur Dynamik des Himmels und andere Aufsätze. Hrsg. v. B. Hell. Leipzig 1927, S. 8

109 Ebd., S. 25f.

110 Helmholtz, Hermann v.: Über die Entstehung des Planetensystems (1871). In: Ders.: Vorträge und Reden, 5. Aufl., 2. Band. Braunschweig 1903, S. 82

111 Helmholtz, Hermann v.: Über die Wechselwirkung der Naturkräfte, 2. Abdruck. Königsberg 1854, S. 27–30

Sein Beitrag zur Kosmogonie besteht, ähnlich wie bei Mayer, in der Art der Erklärung der Wärmeerzeugung der Sonne und der Planeten, die ebenfalls auf dem Energieerhaltungssatz beruht. Im Gegensatz zu Mayer, dessen »Aufsturzhypothese« er zu Recht kritisierte, rühre die Wärme der Sonne und der Planeten von einer Kontraktion dieser Himmelskörper her. »Jedenfalls finden wir mit Hülfe des Gesetzes der Äquivalenz von Wärme und Arbeit in den mechanischen Kräften jenes Urzustandes eine so reiche Quelle von Wärme und Licht, daß wir gar keine Veranlassung haben, zu einer anderen ursprünglich bestehenden unsere Zuflucht zu nehmen. Wenn nämlich bei der Verdichtung der Massen ihre Teilchen aufeinander stießen und aneinander hafteten, so würde die lebendige Kraft ihrer Bewegung dadurch vernichtet und mußte zu Wärme werden.« Dieser Verdichtungsprozeß, dessen Relikt wir noch heute in Form des »Meteorsteinfalls« beobachten können,[112] folgt ohnehin mit Notwendigkeit aus der Kantschen Hypothese, so daß die Entstehung der Weltkörper und deren Wärmegehalt zwanglos aus einem gemeinsamen Ursprung erklärt werden. Verbrennungsprozesse scheiden, wie schon lange zuvor festgestellt wurde, von vornherein aus, da der einzig mögliche Vorgang, die Bildung von Wasser aus seinen Bestandteilen, nach Helmholtz‘ Berechnungen nur für einen Zeitraum von 3021 Jahren die Temperatur der Sonne aufrechterhalten könne.[113] Verringerte die Sonne dagegen ihren Durchmesser um 1/10 000, so sei damit der Energiestrom für 2100 Jahre gedeckt, während diese Verringerung des Durchmessers mit astronomischen Mitteln kaum meßbar sei.[114] War damit auch die Wärmeenergieproduktion der Sonne für einen wesentlich längeren Zeitraum erklärt (in der Größenordnung von 10^7

112 Dass., S. 29 und 32

113 Helmholtz, Hermann v.: Über die Entstehung des Planetensystems, wie Anm. 110, S. 80

114 Helmholtz, Hermann v.: Über die Wechselwirkung, wie Anm. 111, S. 41

Jahren), reichte dies nicht zur Erklärung der geologischen Daten über die Erdformationen.

In der äußeren Form erinnert diese Theorie der gravitativen Kontraktion an den entsprechenden Versuch Kants von 1794. Mit dieser Deutung der Energieerzeugung der Himmelskörper war insofern ein qualitativ neuer Schritt getan, als zum ersten Mal ein Mechanismus gefunden war, der die nachgewiesene Unveränderlichkeit der Sonnenstrahlung über lange Zeiträume hinweg erklären konnte und der jahrzehntelang die einzige Erklärungsmöglichkeit bot. Erst vorbereitet durch die Entdekkung der Radioaktivität, dann endgültig mit der astrophysikalischen Deutung der Kernfusion im Bethe-Weizsäcker-Zyklus und durch die Arbeiten von A. S. Eddington erwies sich, daß die Helmholtzschen Gedanken den Prozeß der Energieproduktion der Sterne nicht richtig beschreiben.

14. Die Kantsche Kosmogonie und die Entstehung der Astrophysik

In Verbindung mit den Entdeckungen der Astrophysik führten die astronomischen Anwendungen der mechanischen Wärmetheorie zur endgültigen Etablierung des astronomischen Entwicklungsgedankens. Der eminente Anstoß für die Fortbildung der Kosmogonie um die Mitte des 19. Jahrhunderts, der von nun an nicht mehr abriß, kann nicht nur aus der Entwicklung der Astronomie heraus erklärt werden, sondern rührt von Anregungen aus der Entwicklung anderer Wissenschaften, wie der Chemie, auch der Biologie und Geologie her. Hinzu kommt, daß die gesellschaftlichen Veränderungen, die verstärkte Einbeziehung der Wissenschaften in die Sphäre der Ökonomie ein für die Wissenschaften sehr günstiges Klima entstehen ließ.

So wie die kosmogonische Interpretation der Ergebnisse der mechanischen Wärmetheorie wichtige Impulse von Kants ANTH erhielt, traf dies auch für die astrophysikalisch gesicherte

Kosmogonie zu. Es ist sicher kein Zufall, sondern deutet auf die Beziehung zwischen Kant und Zöllner hin, wenn die erste umfangreiche Würdigung Kants durch Zöllner schon in dessen erstem größeren Werk, den »Photometrischen Untersuchungen«[115] zu finden ist, das nach 110 Jahren lediglich unsystematischer Berücksichtigung der Leistungen Kants für die wissenschaftliche Kosmogonie den Auftakt für die nun folgende konsequente wissenschaftliche Beurteilung der ANTH gab. Die »Photometrischen Untersuchungen« verdienen als eines der ersten größeren Werke der Astrophysik große Aufmerksamkeit. Hier schlug Zöllner nicht nur die Bezeichnung »Astrophysik« für die neu entstehende Disziplin vor, sondern unterbreitete auch seine eigene, im wesentlichen nur auf photometrische Betrachtungen beruhende und darum noch unvollkommene Vorstellung zur Sternkosmogonie und legte eine Reihe methodischer und theoretischer Probleme zur Astrophysik dar. Weit ausführlicher propagierte Zöllner Kants kosmogonische Ideen jedoch in seinem 1872 erschienenen Buch »Über die Natur der Cometen«, wo er außer astrophysikalischen und allgemeinen philosophisch-methodologischen Abhandlungen umfangreiche Auszüge aus der ANTH gab und sie Laplaces »Exposition« gegenüberstellte, um die Priorität Kants zu belegen.[116] Von da ab fand Kants Kosmogonie Eingang in die wissenschaftliche Welt.

Die Propagierung der Verdienste Kants um die Kosmogonie wurde zweifellos durch die zufällig relativ gleichzeitige Begründung des Neukantianismus stark unterstützt. Obwohl die Problemlage der naturwissenschaftlichen Kant-Rezeption gegenüber dem Neukantianismus eine andere war, mußte doch das

---

115 Zöllner, Johann Carl Friedrich: Photometrische Untersuchungen mit besonderer Rücksicht auf die physische Beschaffenheit der Himmelskörper. Leipzig 1865

116 Zöllner, Johann Carl Friedrich: Über die Natur der Cometen, wie Anm. 97, S. 426–482; vgl. Hamel, Jürgen: Karl Friedrich Zöllner. Versuch einer Analyse seiner philosophischen Position. Berlin-Treptow 1977 (Archenhold-Sternwarte / Mitteilungen; 129)

»Zurück zu Kant« von Liebmann durch die Entdeckung der Fruchtbarkeit des Kantschen kosmogonischen Ansatzes eine gewisse Stütze erhalten.

So wurde Kants Werk zum direkten Ausgangspunkt der modernen Kosmogonie.[117] So, wie es ein Philosoph sein mußte, der um die Mitte des 18. Jahrhunderts die wissenschaftliche Kosmogonie begründete, mußte es 100 Jahre später ein Naturwissenschaftler sein, der diese wieder zu öffentlichen Ehren brachte. Ein Philosoph, mit lediglich allgemeinen Betrachtungen über die genialen Ideen, konnte diese Wirkung nicht hervorbringen. Auch der bloße *historisch* verstandene Hinweis auf Kants Weitsichtigkeit gegenüber Herschel und Laplace reichte nicht mehr aus. Es bedurfte der Demonstration der Anregungen, die Kant der *zeitgenössischen* kosmogonischen Forschung vermittelte. Von Vogel, einem Schüler Zöllners, wurde auf der Grundlage der astronomischen Entwicklungslehre eine Klassifikation der Fixsternspektren erarbeitet, die den Forschungen zur Kosmogonie weitere Impulse gab und nicht nur für einige Zeit das vorherrschende Klassifikationssystem war, sondern am Ende in die kosmogonische Interpretation des Hertzsprung-Russell-Diagramms einmündete.

Vor allem in den 70er Jahren des 19. Jahrhunderts bis zur Jahrhundertwende wurden kosmogonische Details immer wieder in Auseinandersetzung mit Kant diskutiert. So wurde zwar die Unzulänglichkeit vieler Detailausführungen Kants deutlich, aber doch der astronomische und philosophische Gehalt beibehalten.

Die Kantsche Einführung des Entwicklungsgedankens hatte neben weitreichenden Konsequenzen für die fachwissenschaftliche Forschung zugleich bedeutende philosophische und weltanschauliche Konsequenzen. Es wurde bereits auf Herders Konzept verwiesen, daß eine »Philosophie der Geschichte des menschlichen Geschlechts« am Himmel beginnen müsse. Die

---

117 Hermann, Dieter B.: Kant, Zöllner und Engels – Ein Beitrag zur Rezeption der »Allgemeinen Naturgeschichte des Himmels«. In: Leibniz-Sozietät / Sitzungsberichte, Band 69. Berlin 2004, S. 89–95

Geschichte der Menschheit erschloß sich in der Folge der Entwicklung der Erde als kosmischem Körper, der Geschichte der geologischen Formationen, der Tier- und Pflanzenwelt bis schließlich hin zur Entwicklung der gesellschaftlichen Verfassung des Menschen. Es verwundert nicht, daß diese Schlußfolgerung nach Herder erstmals wieder 150 Jahre später in aller Schärfe von Engels erfaßt wurde.[118] Ihm gebührt überhaupt das Verdienst, neben dem Astrophysiker Zöllner am intensivsten das Werk Kants auch unter methodologischen Gesichtspunkten untersucht zu haben. Engels schrieb: »Es gereicht der damaligen Philosophie zur höchsten Ehre, daß sie sich durch den beschränkten Stand der gleichzeitigen Naturkenntnisse nicht beirren ließ, daß sie ... darauf beharrte, die Welt aus sich selbst zu erklären, und der Naturwissenschaft der Zukunft die Rechtfertigung im Detail überließ«.[119] Und im selben Zusammenhang hob Zöllner hervor: »Darin gerade besteht der Grundzug und die fundamentale Eigenschaft genialer Naturen, dass sich bei ihnen unter dem Einflusse der Sehnsucht und inbrünstigen Liebe zur Wahrheit durch natürliche Züchtung das Gebiet ihrer unbewussten Verstandesoperationen erweitert, wodurch sie befähigt werden, schon aus wenigen Beobachtungsdaten unbewusst Resultate zu anticipieren, welche der normal organisirten Mitwelt als Träumereien und unvermittelte Schlussfolgerungen erscheinen«.[120]

Engels charakterisierte die Stellung der Naturforscher zu Kant so: »Hätte die große Mehrzahl der Naturforscher weniger von

---

118 Hamel, Jürgen: Kant – Zöllner – Engels. Zur Geschichte der philosophischen Interpretation der Astrophysik. In: Rostocker Philosophische Manuskripte 18 (1979), S. 69–76

119 Engels, Friedrich: Dialektik der Natur. In: Marx, Karl; Engels, Friedrich. Werke, Band 20. Berlin 1968, S. 315; der Text besteht aus Fragmenten der Jahre 1873–1883, die erst 1925 veröffentlicht wurden, eine historische Wirksamkeit erlangten sie aus diesem Grund nicht.

120 Zöllner, Johann Carl Friedrich: Über die Natur der Cometen, wie Anm. 97, S. 428 Anm.

dem Abscheu vor dem Denken gehabt ..., sie hätten aus dieser einen genialen Entdeckung Kants Folgerungen ziehen müssen, die ihnen endlose Abwege, unermeßliche Mengen in falschen Richtungen vergeudeter Zeit und Arbeit ersparte ... Wäre sofort in dieser Richtung entschlossen fortuntersucht worden, die Naturwissenschaft wäre jetzt bedeutend weiter, als sie ist. Aber was konnte von der Philosophie Gutes kommen?«[121] Und Zöllner fragte, »welche heuristische Wichtigkeit eine frühere Berücksichtigung der Kantschen Resultate für die exacte Wissenschaft gehabt haben würde und wie viele Zeit, welche inzwischen zum planlosen Beobachten und Experimentiren verwandt wurde, zur Bestätigung oder Widerlegung der von Kant rationell deducirten Resultate hätten erfolgreich verwerthet werden können«.[122]

Mit der Kantschen Theorie, mehr noch mit den Arbeiten Herschels und schließlich der Astrophysik war die Frage der Historizität aller irdischer Erscheinungen auf die Tagesordnung der Wissenschaften gesetzt. War die Erde etwas Gewordenes, so mußte ihr gegenwärtiger geologischer, geographischer, klimatischer Zustand, mußten ihre Pflanzen und Tiere ebenfalls geworden sein, mußten sie eine Geschichte haben nicht nur im Raum nebeneinander, sondern auch in der Zeit nacheinander.[123] In logischer Folge war damit die Geschichtlichkeit des Menschen impliziert, eine Entwicklung vom Niederen zum Höheren, die dann auch die gesellschaftlichen Erscheinung einschloß.

---

121 Engels, Friedrich: Dialektik der Natur, wie Anm. 119, S. 316f.

122 Zöllner, Johann Carl Friedrich: Über die Natur der Cometen, wie Anm. 97, S. 482

123 Engels, Friedrich: Dialektik der Natur, wie Anm. 119, S. 316

15. Zusammenfassung

Faßt man zusammen, so ist festzustellen, daß die Ursache der geringen Wirksamkeit der ANTH in den ersten 100 Jahren nach ihrem Erscheinen in folgendem liegt:

Das Werk stand im Widerspruch mit dem Gang der normalwissenschaftlichen Forschung, dem Paradigma der klassischen Astronomie. Eine kosmogonische Aufgabenstellung war mit den zeitgenössischen astronomischen Mitteln und Methoden nicht konsequent durchführbar – die von Kant verwendete Methodik zur Begründung und Durchführung seines Vorhabens stand z.T. genauso im Widerspruch zu den Methoden der zeitgenössischen Astronomie, wie die Kosmogonie insgesamt in der klassischen Astronomie keinen Platz fand.

Kants Leistung ist nach dem zu beurteilen, was ihn gegenüber seinen Vorgängern und Zeitgenossen hervorhebt, nicht nach dem, was er, gemessen am heutigen Stand der Wissenschaft, nicht getan hat und entsprechend der historischen Bedingtheit des Wissens auch nicht tun konnte. Eine Geringschätzung der Kantschen Kosmogonie findet weder in den Ergebnissen der modernen Kosmogonie noch in weltanschaulich-philosophischen Fakten eine sachliche Begründung. Die ANTH ist durchaus keine »liebenswürdige Gelegenheitsschrift eines feinsinnigen, weltgewandten Mannes«,[124] sondern ein ernst zu nehmender, wegweisender Beitrag zur Geschichte der wissenschaftlichen Kosmogonie.

Tatsächlich bestätigte sich, was Lichtenberg einst zu Kants »Allgemeiner Naturgeschichte und Theorie des Himmels« schrieb: ihr Ruhm »ist besseren Zeiten vorbehalten«.[125]

---

124 Windelband, Wilhelm: Lehrbuch der Geschichte der Philosophie. Tübingen 1950, S. 459

125 Lichtenberg, Georg Christoph: Vermischte Schriften, wie Anm. 2, S. 359

Anmerkungen zur Textwiedergabe

Der *Text* der vorliegenden Ausgabe folgt der zweiten Ausgabe in der Reihe »Ostwalds Klassiker der exakten Wissenschaften« von 1890. Der damalige Herausgeber, A. J. v. Oettingen, verweist in seinen Anmerkungen darauf, daß er sorgfältig den Text der Erstausgabe von 1755 wiedergibt. Eine stichprobenartige-Prüfung zeigt die Berechtigung dieser Aussage. Die von Oettingen in *eckige Klammern* gesetzten Seitenzahlen des Erstdruckes ermöglichen eine rasche Orientierung in dieser Ausgabe.

Oettingens damalige Anmerkungen wurden jedoch fortgelassen, da sie teilweise nicht mehr mit der astronomischen Forschung sowie neueren Arbeiten zur Wirkungsgeschichte des Kantschen Werkes in Einklang stehen. Anmerkungen zu astronomischen Darlegungen Kants, etwa zur Anzahl der Planeten und ihrer Bahnparameter, bedürfen keiner modernen Kommentierung, da hierher gehörige Aussagen Kants sofort als auf dem Kenntnisstand seiner Zeit erkennbar sind. Über den gegenwärtigen Stand der Kosmologie geben moderne Bücher rasch Auskunft. Schwieriger hingegen ist es, sich über den Weg der *Rezeption* der Theorie Kants zu informieren, weshalb es angebracht schien, in der vorliegenden Ausgabe diesen Aspekt zum bevorzugten Gegenstand des Nachwortes zu machen.

Das Buch erschien in den vergangenen 150 Jahren in einer großen Zahl von *Ausgaben*; aus der Fülle sei neben den oben genannten Drucken nur noch der in der Werkausgabe Kants, »Akademie-Ausgabe«, genannt (Kant's gesammelte Schriften, Band 1. Berlin 1910, S. 215–368).

Die erste, anonyme Ausgabe der ANTH von 1755 weist nur sparsamen *Schmuck* auf. Keine astronomischen Schemata, die doch durchaus angebracht gewesen wären, keine graphischen Erläuterungen der Theorie. Nur kleine Schmuckelemente, wenige Schmuckinitialen mit floralen Elementen, Blüten und Blattranken, ein Engel mit Sonnenschirm in chinesischer Manier, am Textende eine Krone mit sechs Blüten. Um einen optischen Eindruck vom Buch zu vermitteln, werden die Titel-

Kurzer Abriß der nöthigsten Grundbegriffe der Newtonischen Weltwissenschaft (*) die zu dem Verstande des nachfolgenden erfordert werden.

Sechs Planeten, davon drey Begleiter haben, Merkur, Venus, die Erde mit ihrem Monde, Mars, Jupiter mit vier und Saturn mit fünf Trabanten, die um die Sonne als den Mittelpunkt Kreise beschreiben, nebst den Cometen, die es von allen Seiten her und in sehr langen Kreisen thun, machen ein System aus, welches man das System der Sonnen oder auch den planetischen Weltbau nennt. Die Bewegung aller dieser Körper, weil sie kreisförmig und in sich selbst zurückkehrend ist, setzet zwey

(A) Kräf-

(*) Diese kurze Einleitung, welche vielleicht in Ansehung der meisten Leser überflüßig seyn möchte, habe ich denen, die etwa der Newtonischen Grundsätze nicht genugsam kundig seyn, zur Vorbereitung der Einsicht in die folgende Theorie vorher ertheilen wollen.

Bild 1: Erste Seite des Textes mit Kopfbild und S-Initiale

seite sowie einzelne Schmuckelemente abgebildet (Titelseite, dem Text vorangestellt sowie Bild 1 und 2).

Zu den astronomischen *Quellen* ist oben etwas gesagt worden; kurz verwiesen sei auf die von Kant in den Text gesetzten *Gedichte* und *Epigramme*. Sie stammen vor allem von Alexander Pope (1688–1744), ein zu seiner Zeit einflußreicher, von aufklärerischem Denken geprägter Dichter; von Albrecht von Haller (1708–1777), schweizer Arzt und Naturwissenschaftler, doch auch als Schriftsteller und Dichter (»schweizerische Gedichte«, Staatsromane, Reisetagebücher) von Bedeutung sowie von Joseph Addison (1672–1719), aufklärerischer Essayist und Schriftsteller, dessen Werke u.a. von Louise Adelgunde Victorie Gottsched (1713–1762) übersetzt wurden, nach der Form sie auch Kant zitierte.

Immanuel Kant – biographische Übersicht

1724 22. April, Geburt in Königsberg als Sohn eines pietistischen Sattlermeisters

1730 Besuch der Vorstädter Hospitalschule, dann des pietistisch ausgerichteten Collegium Fridericianum

1740 bis 1746 Studium in Königsberg, Philosophie, Mathematik, Physik, Geographie

1746 bis 1755 Hauslehrer in der Nähe von Königsberg

1755 Magisterpromotion mit einer Arbeit über das Feuer

1755 Habilitation mit einer Abhandlung über die Grundsätze der metaphysischen Erkenntnis

1755 »Allgemeine Naturgeschichte und Theorie des Himmels«, Königsberg

1756 Privatdozent an der Universität Königsberg

1765 Unterbibliothekar an der Königsberger Schloßbibliothek

1770 Dissertation über Form und Prinzipien der sinnlichen und der intelligiblen Welt

1770 Professur für Logik und Metaphysik in Königsberg

20 Allgemeine Naturgeſchichte

der Schwäche des Lichts die Entdeckung deſſelben bisher verhindert haben, und auch aufs künftige ſchwer machen müſſen. Der letzte Planet und er=ſte Comet würde, wenn es ſo beliebte, derjenige können genannt werden, deſſen Eccentricität ſo groß wäre, daß er in ſeiner Sonnennähe den Kreis des ihm nächſten Planeten, vielleicht alſo des Saturns, durchſchnitte.

Allge=

Bild 2: Schlußbild des 1. Teils

1781 »Kritik der reinen Vernunft«, Riga, 2. Aufl. 1787, 3. Aufl. 1790

1786 und 1788 Rektor der Universität Königsberg

1788 »Kritik der praktischen Vernunft«, Riga

1790 »Kritik der Urteilskraft«, Berlin; Libau, 2. Aufl. 1793, 3. Aufl. 1799

1794 Zensurverweis wegen seiner Schrift »Die Religion innerhalb der Grenzen der bloßen Vernunft«, Berlin

1795 »Zum ewigen Frieden«, Königsberg

1796 Emeritierung

1803 beginnende schwere Erkrankung und körperlicher Verfall

1804 12. Februar, Tod in Königsberg und Bestattung unter großer Anteilnahme der Bevölkerung

OSTWALDS KLASSIKER
DER EXAKTEN WISSENSCHAFTEN

Band 300
N. KOPERNIKUS
Über die Umschwünge der himmlischen Kreise

Hrsg. und Übers.: J. Hamel, Th. Posch
184 Seiten, kt.,
ISBN 978-3-8171-3300-0

Nikolaus Kopernikus (1473–1543) erkannte, dass das geozentrische System für die Vorhersage der Planetenpositionen ungeeignet war. Bereits 1507 griff er deshalb auf die von Aristarchos von Samos überlieferte Idee zurück, statt der Erde die Sonne als ruhendes Zentrum des Planetensystems anzunehmen und erarbeitete das heliozentrische System, auch kopernikanisches System genannt. Kurz vor seinem Tod 1543 veröffentlichte er sein Gesamtwerk „De revolutionibus orbium coelestium", das die Ergebnisse seiner systematischen Forschungen beinhaltete. Dadurch schuf er nicht nur eine neue astronomische Theorie, sondern beeinflusste das Weltbild der folgenden Zeiten.
Der Band gibt eine neue, kommentierte Übersetzung des 1. Buches, einschließlich der Widmung des Autors an den Papst. Damit werden die Teile des umfangreichen Bandes vorgestellt, die über die Fachwissenschaft hinausgehend bis heute von tiefer Wirkung sind und eines der bedeutendsten Zeugnisse der Kulturgeschichte des Menschen darstellen.
Die Kommentare und das ausführliche Nachwort der Herausgeber tragen dazu bei, den Text einem breiteren Interessentenkreis zugänglich zu machen.

OSTWALDS KLASSIKER
DER EXAKTEN WISSENSCHAFTEN

Band 301
P. S. de LAPLACE
Darstellung des Weltsystems, Band I
Bücher 1–3:
Von der scheinbaren Bewegung der Himmelskörper
Von der wahren Bewegung der Himmelskörper
Von den Gesetzen der Bewegung

Hrsg. und Übers.:
M. Jacobi, F. Kerschbaum
240 Seiten, kt.,
ISBN 978-3-8171-3301-7

Band 302
P. S. de LAPLACE
Darstellung des Weltsystems, Band II
Bücher 4–5:
Von der Theorie der allgemeinen Schwere
Abriss der Geschichte der Astronomie

Hrsg. und Übers.:
M. Jacobi, F. Kerschbaum
236 Seiten, kt.,
ISBN 978-3-8171-3302-4

Die „Darstellung des Weltsystems" bietet einen Einblick in das astronomisch-physikalische Denken im Zeitalter der französischen Revolution. In den fünf Büchern des Werkes behandelt Laplace zunächst die scheinbaren Bewegungen der Himmelskörper, so wie sie sich dem auf der Erde angesiedelten Beobachter darstellen, um dann zu deren wahren Bewegungen überzugehen, die erst im Zuge der kopernikanischen Revolution zum Durchbruch gelangten. Das dritte Buch handelt von den Newtonschen Bewegungsgesetzen und ihrer Bedeutung für die Physik und Astronomie. Im vierten Buch widmet sich Laplace der Theorie der universellen Schwerkraft. Das fünfte und letzte Buch schließlich gibt einen Abriss über die Geschichte der Astronomie.

Diese Neuübersetzung möchte das Werk dem zeitgenössischen Publikum zugänglich machen. Die Lektüre vermittelt nicht nur einen lebendigen Einblick in das wissenschaftliche Weltbild des Laplaceschen Zeitalters, aus der Hand eines der bedeutendsten Wissenschaftler überhaupt, sondern sie atmet auch den Geist des Rationalismus und der Aufklärung, die zu jener Zeit die Triebkräfte des intellektuellen Diskurses darstellten.